A CANÇÃO DA ESPADA

Obras do autor publicadas pela Editora Record

1356
Azincourt
O condenado
Stonehenge
O forte
Tolos e mortais

Trilogia *As Crônicas de Artur*

O rei do inverno
O inimigo de Deus
Excalibur

Trilogia *A Busca do Graal*

O arqueiro
O andarilho
O herege

Série *As Aventuras de um Soldado nas Guerras Napoleônicas*

O tigre de Sharpe (Índia, 1799)
O triunfo de Sharpe (Índia, setembro de 1803)
A fortaleza de Sharpe (Índia, dezembro de 1803)
Sharpe em Trafalgar (Espanha, 1805)
A presa de Sharpe (Dinamarca, 1807)
Os fuzileiros de Sharpe (Espanha, janeiro de 1809)
A devastação de Sharpe (Portugal, maio de 1809)
A águia de Sharpe (Espanha, julho de 1809)
O ouro de Sharpe (Portugal, agosto de 1810)
A fuga de Sharpe (Portugal, setembro de 1810)
A fúria de Sharpe (Espanha, março de 1811)
A batalha de Sharpe (Espanha, maio de 1811)
A companhia de Sharpe (janeiro a abril de 1812)

Série *Crônicas Saxônicas*

O último reino
O cavaleiro da morte
Os senhores do norte
A canção da espada
Terra em chamas
Morte dos reis
O guerreiro pagão
O trono vazio
Guerreiros da tempestade
O Portador do Fogo
A guerra do lobo
A espada dos reis

Série *As Crônicas de Starbuck*

Rebelde
Traidor
Inimigo

BERNARD CORNWELL

A CANÇÃO DA ESPADA

Tradução de
ALVES CALADO

16ª edição

EDITORA RECORD
RIO DE JANEIRO • SÃO PAULO
2020

CIP-BRASIL. CATALOGAÇÃO NA FONTE
SINDICATO NACIONAL DOS EDITORES DE LIVROS, RJ

C835c Cornwell, Bernard, 1944-
16ª ed. A canção da espada / Bernard Cornwell; tradução de Ivanir Alves Calado. – 16ª ed. – Rio de Janeiro: Record, 2020.
(As crônicas saxônicas; v.4)

Tradução de: Sword song
Continuação de: Os senhores do norte
ISBN 978-85-01-08149-0

1. Uhtred (Personagem fictício) – Ficção. 2. Grã-Bretanha – História – Alfred, 871-899 – Ficção. 3. Londres (Inglaterra) – História – Até 1500 – Ficção. 4. Ficção inglesa. I. Alves-Calado, Ivanir, 1953-. II. Título.

13-1468 CDD: 823
CDU: 821.111-3

Título original:
SWORD SONG

Texto revisado segundo o novo Acordo Ortográfico da Língua Portuguesa.

Editoração eletrônica: Abreu's System

Direitos exclusivos de publicação em língua portuguesa somente para o Brasil adquiridos pela
EDITORA RECORD LTDA.
Rua Argentina, 171 – Rio de Janeiro, RJ – 20921-380 – Tel.: (21) 2585-2000,
que se reserva a propriedade literária desta tradução.

Impresso no Brasil

ISBN 978-85-01-08149-0

Seja um leitor preferencial Record.
Cadastre-se no site www.record.com.br e receba informações sobre nossos lançamentos e nossas promoções.

Atendimento e venda direta ao leitor:
sac@record.com.br

A canção da espada *é voor Aukje*
Mit liefde:
Er was eens...

Nota de Tradução

Foi respeitada ao longo deste livro a grafia original de diversas palavras. O autor, por diversas vezes, as usa intencionalmente com um sentido arcaico, a exemplo de *Yule*, correspondente às festas natalinas atuais, mas que, originalmente, indicava um ritual pagão. Outro exemplo é a utilização de *svear*, tribo proveniente do norte da Europa.

Além disso, foram mantidas algumas denominações sociais, como *earl* (atualmente traduzido como "conde", mas que o autor especifica como um título dinamarquês, que só mais tarde seria equiparado ao de conde, usado na Europa continental), *thegn*, *reeve*, e outros que são explicados ao longo do livro.

Por outro lado, optou-se por traduzir *lord* sempre como "senhor", jamais como "lorde", cujo sentido remete à monarquia inglesa posterior, e não à estrutura medieval. *Britain* foi traduzido como Britânia (opção igualmente aceita, mas pouco corrente), para não confundir com Bretanha, no norte da França (*Brittany*), mesmo recurso usado na tradução da série *As crônicas de Artur*, do mesmo autor.

Sumário

Mapa

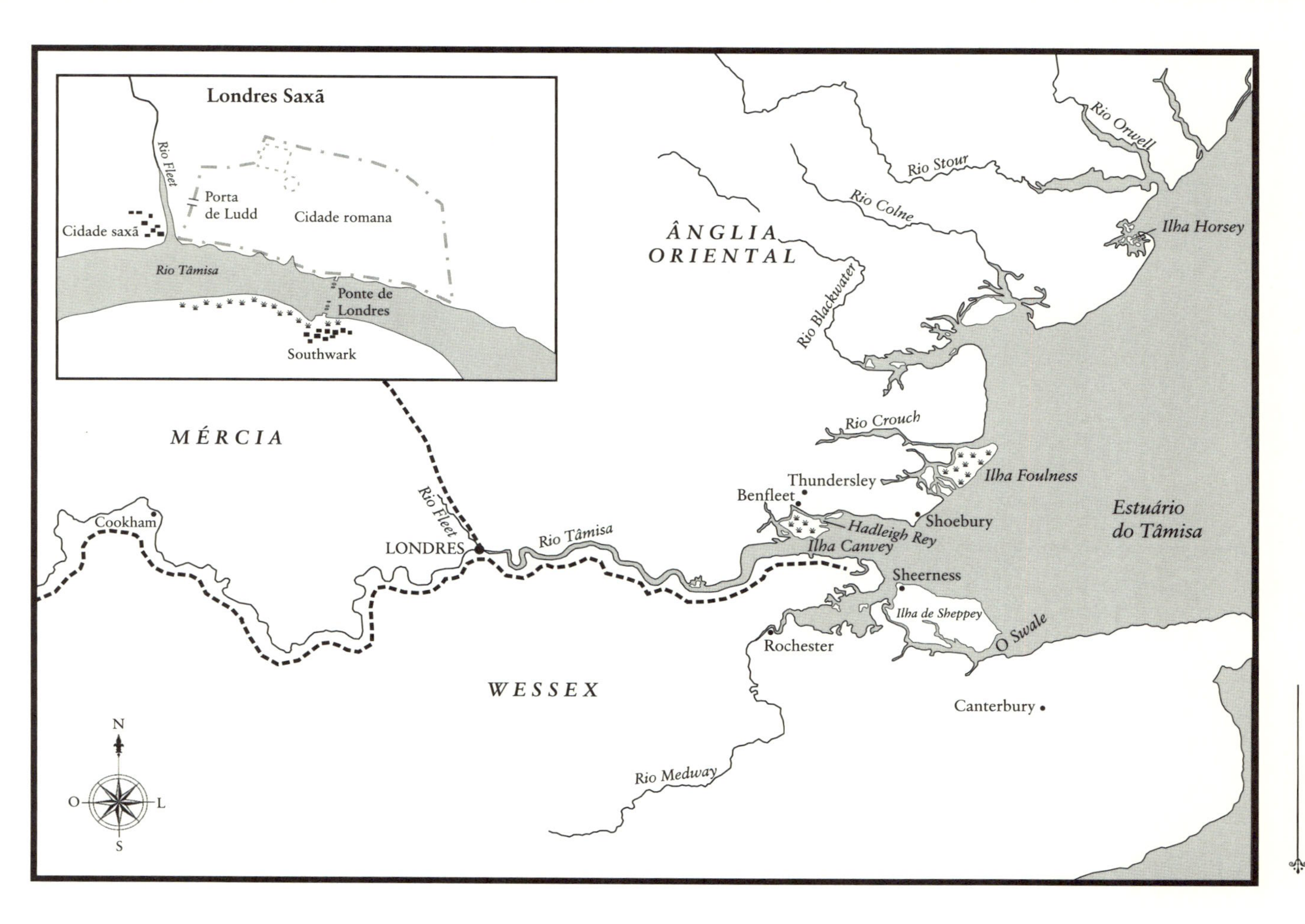
Londres Saxã
Rio Fleet
Porta
de Ludd
Cidade romana
Cidade saxã
Rio Tâmisa
Ponte de
Londres
Southwark
MÉRCIA
Cookham
LONDRES
Rio Fleet
Rio Tâmisa
WESSEX
Rio Medway
N
O
L
S
ÂNGLIA
ORIENTAL
Rio Blackwater
Rio Colne
Rio Stour
Rio Orwell
Ilha Horsey
Rio Crouch
Thundersley
Benfleet
Ilha Foulness
Shoebury
Hadleigh Rey
Ilha Canvey
Estuário
do Tâmisa
Sheerness
Ilha de Sheppey
O Swale
Rochester
Canterbury

Topônimos

A grafia dos topônimos na Inglaterra anglo-saxã era incerta, sem qualquer consistência ou concordância, nem mesmo quanto ao nome em si. Assim, Londres era grafado como Lundonia, Lundenberg, Lundenne, Lundene, Lundenwic, Lundenceaster e Lundres. Sem dúvida alguns leitores preferirão outras versões dos nomes listados a seguir, mas em geral empreguei a grafia citada no *Oxford* ou no *Cambridge Dictionary of English Place-Names* referente aos anos mais próximos ou contidos no reino de Alfredo, entre 871 e 899 d.C., mas nem mesmo essas soluções são infalíveis. A ilha de Hayling, em 956, era grafada tanto como Heilincigae quanto como Hæglingaiggæ. E eu próprio não fui consistente; preferi a grafia moderna England (Inglaterra) a Englaland e, em vez de Norðhymbralond, usei Nortúmbria, para evitar a sugestão de que as fronteiras do antigo reino coincidiam com as do distrito moderno. De modo que a lista, como as grafias em si, é resultado de um capricho.

Æscengum	Eashing, Surrey
Arwan	Rio Orwell, Suffolk
Beamfleot	Benfleet, Essex
Bebbanburg	Castelo de Bamburgh, Northumberland
Berrocscire	Berkshire
Cair Ligualid	Carlisle, Cumbria
Caninga	Ilha Canvey, Essex
Cent	Kent
Cippanhamm	Chippenham, Wiltshire

CIRRENCEASTRE	Cirencester, Gloucestershire
CISSECEASTRE	Chichester, Sussex
COCCHAM	Cookham, Berkshire
COLAUN, RIO	Rio Colne, Essex
CONTWARABURG	Canterbury, Kent
CORNWALUM	Cornualha
CRACGELAD	Cricklade, Wiltshire
DUNASTOPOL	Dunstable (nome romano, Durocobrivis), Bedfordshire
DUNHOLM	Durham, condado de Durham
DYFLIN	Dublin, Eire
EOFERWIC	York, Yorkshire
ETHANDUN	Edington, Wiltshire
EXANCEASTER	Exeter, Devon
FLEOT	Rio Fleet, Londres
FRANKIA	Alemanha
FUGHELNESS	Ilha de Foulness, Essex
GRANTACEASTER	Cambridge, Cambridgeshire
GYRUUM	Jarrow, condado de Durham
HASTENGAS	Hastings, Sussex
HORSEG	Ilha de Horsey, Essex
HOTHLEGE	Rio Hadleigh, Essex
HROFECEASTRE	Rochester, Kent
HWEALF	Rio Crouch, Essex
LUNDENE	Londres
MÆIDES STANA	Maidstonke, Kent
MEDWÆG	Rio Medway, Kient
OXNAFORDA	Oxford, Oxfordshire
PADINTUNE	Paddington, Grande Londres
PANT	Rio Blackwater, Essex
SCAEPEGE	Ilha Sheppey, Kent
SCEAFTES EYE	Ilha Sashes (em Coccham)
SCEOBYRIG	Shoebury, Essex

SCERHNESSE	Sheerness, Kent
STURE	Rio Stour, Essex
SUTHERGE	Surrey
SUTHRIGANAWEORC	Southwark, Grande Londres
SWEALWE	Rio Swale, Kent
TEMES	Rio Tâmisa
THUNRESLEAM	Thundersley, Essex
WÆCED	Watchet, Somerset
WÆCLINGASTRÆT	Watling Street
WERHAM	Wareham, Dorset
WILTUNSCIR	Wiltshire
WINTANCEASTER	Winchester, Hampshire
WOCCA'S DUN	South Ockenden, Essex
WODENES EYE	Ilha de Odney (em Coccham)

Prólogo

ESCURIDÃO. INVERNO. Noite de geada e sem lua.

Flutuávamos no rio Temes, e para além da proa alta do barco eu podia ver as estrelas refletidas na água reluzente. O rio estava cheio, alimentado pela neve dos morros incontáveis. Os regatos temporários fluíam das terras altas, de calcário, em Wessex. No verão aqueles riachos estariam secos, mas agora espumavam descendo pelos morros compridos e verdes, enchiam o rio e fluíam para o mar distante.

Nosso barco, que não tinha nome, estava perto da margem no lado de Wessex. Ao norte, do outro lado do rio, ficava a Mércia. Nossa proa apontava rio acima. Estávamos escondidos entre os galhos dobrados e sem folhas de três salgueiros, mantidos ali contra a corrente por uma corda de couro amarrada a um dos galhos.

Éramos 38 naquele barco sem nome, um navio mercante que costumava atuar nas partes mais altas do Temes. O comandante do navio se chamava Ralla e estava a meu lado com a mão no remo-leme. Eu mal podia vê-lo no escuro, mas sabia que ele estava usando gibão de couro e tinha uma espada à cintura. O restante de nós usava couro e cota de malha, tínhamos elmos e levávamos escudos, machados, espadas ou lanças. Esta noite iríamos matar.

Sihtric, meu servo, agachou-se a meu lado e passou uma pedra de amolar na lâmina de sua espada curta.

— Ela diz que me ama — argumentou.

— Claro que diz — respondi.

Ele parou, e quando falou de novo sua voz havia se animado, como se tivesse ganhado coragem com minhas palavras.

— E já devo ter 19 anos, senhor! Talvez até 20, quem sabe?

— Dezoito? — sugeri.

— Eu já poderia estar casado há quatro anos, senhor!

Falávamos quase aos sussurros. A noite era repleta de sons. A água ondulava, os galhos nus estalavam ao vento, uma criatura da noite chapinhou no rio, uma raposa uivou como uma alma agonizante, e em algum lugar uma coruja piou. O barco rangia. A pedra de Sihtric sibilava e raspava o aço. Um escudo bateu num banco de remador. Eu não ousava falar mais alto, apesar dos ruídos da noite, porque o navio inimigo estava rio acima e os homens que haviam desembarcado teriam deixado sentinelas a bordo. Essas sentinelas poderiam ter nos visto enquanto deslizávamos rio abaixo junto à margem mércia, mas agora certamente deviam pensar que tínhamos seguido há muito na direção de Lundene.

— Mas por que se casar com uma puta? — perguntei a Sihtric.

— Ela é...

— Ela é velha — rosnei. — Deve ter uns 30 anos. E é meio doida. Ealhswith só precisa ver um homem para abrir as coxas! Se você enfileirasse cada homem que montou naquela puta, teria um exército suficiente para conquistar toda a Britânia. — A meu lado, Ralla deu um risinho. — Você estaria nesse exército, Ralla? — perguntei.

— Mais de vinte vezes, senhor — respondeu o comandante do navio.

— Ela me ama — insistiu Sihtric, carrancudo.

— Ela ama sua prata — disse eu —, e, além disso, por que colocar uma espada nova numa bainha velha?

É estranho o que os homens falam antes da batalha. Qualquer coisa, menos sobre o que os espera. Já estive numa parede de escudos, olhando para um inimigo luminoso de espadas e sombrio de ameaças, e ouvi dois de meus homens discutindo furiosamente sobre que taverna fazia a melhor cerveja. O medo paira no ar como uma nuvem e falamos de nada, para fingir que as nuvens não se encontram ali.

— Procure alguma coisa madura e nova — aconselhei Sihtric. — A filha daquele oleiro está pronta para casar. Deve ter 13 anos.

— Ela é idiota — questionou Sihtric.

— E o que você é, então? Eu lhe dou prata e você derrama no buraco aberto mais próximo! Da última vez em que vi, ela estava usando um bracelete que dei a você.

Sihtric fungou e não disse nada. Seu pai era Kjartan, o Cruel, um dinamarquês que o havia gerado em uma de suas escravas saxãs. No entanto, Sihtric era um bom garoto, ainda que na verdade não fosse mais garoto. Era um homem que havia estado numa parede de escudos. Um homem que havia matado. Um homem que mataria de novo esta noite.

— Vou lhe arranjar uma mulher — prometi.

Foi então que ouvimos os gritos. Eram fracos porque vinham de muito longe, um mero ruído raspando a escuridão, falando de dor e morte a sul de nós. Eram gritos e choros. Mulheres gritavam e sem dúvida homens estavam morrendo.

— Desgraçados — disse Ralla com amargura.

— Esse é nosso trabalho — respondi, curto e grosso.

— Deveríamos... — começou Ralla, mas pensou melhor e parou. Eu sabia o que ele iria dizer, que deveríamos ter ido ao povoado para protegê-lo, mas sabia o que eu teria respondido.

Teria dito que não sabíamos que povoado os dinamarqueses iriam atacar, e mesmo se soubesse não o teria protegido. Poderíamos abrigar o local se soubéssemos para onde os atacantes iriam. Eu poderia ter posto todas as minhas tropas nas pequenas casas e, no momento em que os saqueadores chegassem, poderíamos irromper na rua com espadas, machados e lanças, e teríamos matado alguns deles, mas na escuridão muitos outros teriam escapado e eu não queria que nenhum escapasse. Queria cada dinamarquês, cada norueguês, cada atacante, morto. Todos eles, menos um, e esse eu mandaria para o leste, contar aos acampamentos vikings nas margens do Temes que Uhtred de Bebbanburg esperava por eles.

— Pobres coitados — murmurou Ralla. Ao sul, através do emaranhado de galhos pretos, dava para ver um brilho vermelho que indicava palha de teto queimando. O brilho se espalhou e ficou mais forte, iluminando o céu de inverno para além de uma fileira de árvores. O brilho se refletia nos elmos de meus homens, dando ao metal um tom de vermelho, e eu mandei tirarem os elmos para que as sentinelas inimigas no navio grande à frente não vissem o brilho refletido.

Tirei meu elmo com sua crista de lobo feita de prata.

Sou Uhtred, senhor de Bebbanburg, e naqueles dias era um senhor da guerra. Fiquei ali parado, vestido com cota de malha e couro, capa e armas, jovem e forte. Tinha metade de minhas tropas no navio de Ralla, enquanto a outra metade se encontrava em algum lugar a oeste, montada a cavalo e sob o comando de Finan.

Ou eu pelo menos esperava que estivessem aguardando no oeste amortalhado pela noite. Nós, no navio, havíamos ficado com a tarefa mais fácil, porque tínhamos deslizado pelo rio escuro para encontrar o inimigo, ao passo que Finan fora obrigado a guiar seus homens pelo terreno negro da noite. Mas eu confiava em Finan. Ele estaria lá, remexendo-se, fazendo careta, esperando para soltar a espada.

Esta não era nossa primeira tentativa de fazer uma emboscada no Temes naquele inverno longo e molhado, mas era a primeira que prometia sucesso. Por duas vezes, antes, haviam me dito que vikings tinham passado pela abertura na ponte quebrada de Lundene para atacar os povoados frouxos e gordos de Wessex, e nas duas vezes tínhamos vindo rio abaixo sem encontrar nada. Mas dessa vez havíamos posto os lobos numa armadilha. Toquei o punho de Bafo de Serpente, minha espada, e em seguida o amuleto do martelo de Tor, pendurado no pescoço.

Mate todos eles, rezei a Tor, mate todos, menos um.

Devia fazer frio naquela noite longa. O gelo formava uma fina camada nas partes fundas dos campos inundados pelo Temes, mas não me lembro do frio. Lembro-me da ansiedade. Toquei Bafo de Serpente de novo e me pareceu que ela teve um tremor. Algumas vezes eu achava que a espada cantava. Era um canto fino, apenas entreouvido, um som penetrante, a canção da espada que desejava sangue; a canção da espada.

Esperamos e, depois, quando tudo acabou, Ralla me disse que em nenhum momento eu havia parado de sorrir.

Achei que nossa emboscada iria fracassar, porque os atacantes só retornaram para o navio quando o amanhecer lançou luz sobre o leste. Suas sentinelas, pensei, certamente iriam nos ver, mas não viram. Os galhos curvados do salgueiro serviam como uma tela frágil, ou talvez o sol nascente de inverno os ofuscasse, porque ninguém nos viu.

Nós os vimos. Vimos os homens com cota de malha arrebanhando uma multidão de mulheres e crianças por uma pastagem inundada pela chuva. Achei que seriam cinquenta atacantes e teriam uma quantidade equivalente de cativos. As mulheres seriam as mais jovens da aldeia queimada, e haviam sido levadas para o prazer dos atacantes. As crianças iriam para o mercado de escravos em Lundene e de lá seriam mandadas à Frankia, do outro lado do mar, ou mesmo mais além. As mulheres, depois de usadas, também seriam vendidas. Não estávamos tão perto a ponto de ouvir os prisioneiros soluçando, mas imaginei isso. Ao sul, onde morros baixos e verdes erguiam-se da planície do rio, uma grande mancha de fumaça sujava o céu claro de inverno, marcando onde os atacantes haviam queimado o povoado.

Ralla se mexeu.

— Espera — murmurei, e Ralla ficou parado. Era um homem grisalho, dez anos mais velho do que eu, com olhos reduzidos a fendas em razão dos longos anos olhando por cima dos mares que refletiam o céu. Era um comandante de navio, soldado e amigo. — Ainda não — falei baixinho, toquei Bafo de Serpente e senti o tremor no aço.

As vozes dos homens eram altas, relaxadas e risonhas. Eles gritavam enquanto empurravam os prisioneiros para o navio. Forçaram-nos a se agachar no bojo frio e inundado de modo que a embarcação sobrecarregada ficasse estável para a viagem através das partes rasas rio abaixo, onde o Temes corria sobre lajes de pedra e só os melhores e mais corajosos comandantes conheciam o canal. Então os guerreiros subiram a bordo. Levavam seu saque: espetos, caldeirões, lâminas de enxadas, facas e qualquer outra coisa que pudesse ser vendida, derretida ou usada. As gargalhadas eram ásperas. Eram homens que haviam trucidado, que ficariam ricos com seus prisioneiros e estavam num clima alegre, despreocupado.

E Bafo de Serpente cantava em sua bainha.

Ouvi o barulho vindo do outro navio quando os remos foram encaixados. Uma voz gritou uma ordem:

— Empurrem!

O grande bico do navio inimigo, coroado com uma cabeça de monstro pintada, virou-se para o rio. Homens pressionaram as pás dos remos contra a margem, empurrando o barco mais ainda. O navio já estava se movendo, levado na nossa direção pela corrente impulsionada pela cheia. Ralla olhou para mim.

— Agora. Corte a corda! — gritei, e Cerdic, em nossa proa, cortou a corda de couro que nos prendia ao salgueiro. Só estávamos usando 12 remos, que agora morderam o rio enquanto eu avançava por entre as fileiras de bancos dos remadores. — Vamos matar todos! — gritei. — Vamos matar todos!

— Puxem! — rugiu Ralla, e os 12 homens fizeram força com os remos para lutar contra a força do rio.

— Vamos matar absolutamente todos os desgraçados! — gritei enquanto subia na pequena plataforma da proa, onde meu escudo esperava. — Matem todos! Matem todos! — Pus o elmo, depois passei o antebraço esquerdo pelas alças do escudo, levantei a madeira pesada e tirei Bafo de Serpente de sua bainha forrada de pele. Agora ela não cantou. Gritou.

— Matem! — berrei. — Matem, matem, matem! — E os remos batiam no ritmo dos meus gritos. À nossa frente o navio inimigo balançou no rio enquanto os homens em pânico erravam as remadas. Estavam gritando, procurando escudos, subindo depressa nos bancos em que alguns homens ainda tentavam remar. Mulheres gritavam e homens tropeçavam uns nos outros.

— Puxem! — gritou Ralla. Nosso navio sem nome entrou na corrente enquanto o inimigo era varrido em nossa direção. Sua cabeça de monstro tinha uma língua pintada de vermelho, olhos brancos, dentes como adagas.

— Agora! — gritei para Cerdic e ele atirou o arpéu com a corrente, de modo que se prendesse na proa do navio inimigo. Cerdic puxou a corrente fazendo os dentes do arpéu afundarem na madeira do navio, trazendo-o mais para perto.

— Agora matem! — gritei, e pulei sobre o espaço entre os dois cascos.

Ah, a alegria de ser jovem. De ter 28 anos, de ser forte, de ser um senhor da guerra. Agora tudo se foi, só resta lembrança, e as lembranças se desbotam. Mas a alegria se aninha na memória.

O primeiro golpe de Bafo de Serpente foi da frente para trás. Dei-o enquanto pousava na plataforma da proa do inimigo, onde um homem tentava soltar o arpéu. Bafo de Serpente pegou-o na garganta com um corte tão rápido que quase decepou a cabeça. Todo o crânio tombou para trás enquanto o sangue iluminava o dia de inverno. Sangue espirrou no meu rosto. Eu era a morte vinda da manhã, a morte suja de sangue, vestida de malha, capa preta e um elmo com crista de lobo.

Agora estou velho. Velho demais. Minha vista se esvai, meus músculos são fracos, meu mijo sai em gotas, meus ossos doem, sento-me ao sol, caio no sono e acordo cansado. Mas me lembro daquelas lutas, daquelas velhas lutas. Minha mais nova esposa, uma mulher estúpida e devota que vive gemendo, encolhe-se quando conto as histórias, mas o que mais os velhos têm, além de histórias? Uma vez ela protestou, dizendo que não queria saber de cabeças tombando para trás em meio ao sangue espirrando brilhante, mas de que modo vamos preparar nossos jovens para as guerras que devem travar? Lutei durante toda a vida. Esse foi meu destino, o destino de todos nós. Alfredo queria paz, mas a paz fugiu dele, os dinamarqueses vieram e os noruegueses vieram, e ele não teve opção além de lutar. E quando Alfredo morreu e seu reino era poderoso, mais dinamarqueses vieram, e mais noruegueses, os britões vieram de Gales e os escoceses chegaram uivando do norte, e o que um homem pode fazer, senão lutar por sua terra, sua família, sua casa e seu país? Olho para meus filhos, para os filhos deles e para os filhos dos filhos, e sei que terão de lutar, e que enquanto houver uma família chamada Uhtred, e enquanto houver um reino nesta ilha varrida pelo vento, haverá guerra. Portanto não podemos nos encolher para longe da guerra. Não podemos nos esconder de sua crueldade, de seu sangue, do fedor, da malignidade ou do júbilo, porque a guerra virá para nós, desejemos ou não. Guerra é destino, e *wyrd bið ful ãræd*. O destino é inexorável.

Assim conto essas histórias para que os filhos dos meus filhos saibam de seu destino. Minha mulher geme, mas eu a obrigo a escutar. Conto como nosso navio se chocou contra o flanco do inimigo e como o impacto impulsionou a proa do outro navio em direção à margem sul. Era isso que eu queria, e Ralla havia conseguido com perfeição. Agora ele raspou seu navio ao longo do casco inimigo, nosso ímpeto partindo os remos do dinamarquês enquanto meus homens pulavam a bordo, espadas e machados cantando. Eu havia cambaleado depois daquele primeiro golpe, mas o morto tinha caído da plataforma impedindo que outros dois tentassem me alcançar, e gritei um desafio enquanto saltava para encará-los. Bafo de Serpente era mortal. Era, é, uma lâmina maravilhosa, forjada no norte por um ferreiro saxão que conhecia seu trabalho. Ele havia escolhido sete hastes, quatro de ferro e três de aço, aquecido-as e depois martelado até formar uma lâmina comprida, de dois gumes, com ponta em forma de folha. As quatro hastes de ferro mais macio haviam sido torcidas no fogo, e essas torções sobreviveram na lâmina como fiapos fantasmagóricos de um padrão que parecia o hálito de um dragão, com chamas enroladas, e foi assim que Bafo de Serpente ganhou seu nome.

Um homem de barba eriçada girou em minha direção um machado, que enfrentei com o escudo, e enfiei os fiapos de dragão em sua barriga. Torci ferozmente com a mão direita, de modo que sua carne e as entranhas agonizantes não prendessem a lâmina, depois a puxei, fazendo jorrar mais sangue, e trouxe o escudo empalado com o machado para perto do corpo, aparando um golpe de espada. Sihtric estava a meu lado, cravando sua espada curta na virilha de meu mais recente atacante. O homem gritou. Acho que eu estava gritando. Mais e mais de meus homens estavam a bordo agora, espadas e machados brilhando. Crianças choravam, mulheres gemiam, saqueadores morriam.

A proa do navio inimigo bateu na lama da margem enquanto a popa começava a girar para fora, dominada pelo rio. Alguns saqueadores, sentindo a morte caso ficassem a bordo, pularam em terra e isso provocou um pânico. Mais e mais saltavam em direção à margem, e foi então que Finan veio do oeste. Havia uma pequena névoa na campina junto ao rio, apenas uma madeixa perolada pairando sobre as poças com crostas de gelo, e por ela vieram os brilhantes cavaleiros de Finan. Chegaram em suas fileiras, espadas erguidas como se fossem lanças, e Finan, meu irlandês mortal, conhecia seu trabalho. Fez a primeira fileira passar galopando pelos homens que escapavam, para cortar sua retirada, e deixou a segunda se chocar contra o inimigo, antes de se virar e comandar seus homens de volta à matança.

— Matem todos! — gritei para ele. — Matem até o último!

Sua resposta foi uma onda de espadas avermelhadas de sangue. Vi Clapa, meu grande dinamarquês, cravando a lança num inimigo na água rasa do rio. Rypere estava girando a espada sobre um homem abaixado de medo. A mão de Sihtric estava vermelha segurando a espada. Cerdic girava um machado, gritando incompreensivelmente enquanto a lâmina esmagava e cortava o elmo de um dinamarquês derramando sangue e miolos nos prisioneiros aterrorizados. Acho que matei mais dois, porém minha memória não tem certeza. Lembro-me de ter empurrado um homem para o convés e, enquanto ele girava para me encarar, de ter cravado Bafo de Serpente em sua goela, olhado seu rosto se contorcer e a língua se projetar do poço de sangue que brotava passando pelos dentes enegrecidos. Apoiei-me na espada enquanto o homem morria e fiquei olhando os homens de Finan girarem os cavalos para retornar ao inimigo cercado. Os cavaleiros golpeavam e retalhavam, vikings gritavam e alguns tentavam se render. Um rapaz se ajoelhou num banco de remador, tendo descartado o machado e o escudo, e estendeu as mãos para mim, suplicando.

— Pegue o machado — falei para ele em dinamarquês.

— Senhor... — começou ele.

— Pegue! — interrompi. — E espere por mim no castelo dos cadáveres. — Esperei até ele estar armado, então deixei Bafo de Serpente tirar sua vida. Fiz isso depressa, demonstrando misericórdia ao cortar sua garganta com um golpe rápido. Olhei seus olhos enquanto o matava, vi sua alma voar, depois pisei no corpo que se retorcia e escorregou do banco de remador, despencando sangrento no colo de uma jovem que começou a berrar histericamente. — Quieta! — gritei para ela. Fiz uma careta para todas as outras mulheres e crianças que gritavam ou choravam encolhidas no casco. Pus Bafo de Serpente na mão que prendia o escudo, segurei a gola da cota de malha do homem agonizante e puxei-o de volta para o banco.

Uma criança não estava chorando. Era um menino de 9 ou 10 anos e só estava me encarando, boquiaberto, e me lembrei de mim, naquela idade. O que aquele garoto viu? Viu um homem de metal, porque eu lutava com as placas faciais do meu elmo fechadas. Você vê menos com as placas sobre as bochechas, mas a aparência é mais amedrontadora. Aquele garoto viu um homem alto, coberto com cota de malha, espada sangrenta, rosto de aço, enchendo um barco de morte. Tirei o elmo e balancei a cabeça para soltar os cabelos, depois joguei para ele o metal com crista de lobo.

— Cuide dele, garoto — falei, depois dei Bafo de Serpente à garota que estivera chorando. — Lave a espada na água do rio — ordenei — e seque na capa de algum morto. — Dei o escudo a Sihtric, depois estiquei os braços abertos e levantei o rosto para o sol da manhã.

Haviam sido 54 saqueadores e 16 ainda viviam. Eram prisioneiros. Nenhum havia escapado passando pelos homens de Finan. Desembainhei Ferrão de Vespa, minha espada curta que era tão letal lutando numa parede de escudos, quando os homens ficam comprimidos como amantes.

— Qualquer uma de vocês que queira matar o homem que a estuprou — olhei para as mulheres — faça isso agora!

Duas mulheres quiseram vingança e eu deixei que usassem Ferrão de Vespa. As duas trucidaram suas vítimas. Uma cravou a lâmina repetidamente, a outra retalhou, e os dois homens morreram devagar. Dos 14 que restavam, um não usava malha. Era o comandante do navio inimigo. Era grisalho, com barba rala e olhos castanhos que me espiavam com beligerância.

— De onde vocês vieram? — perguntei-lhe.

Ele pensou em não responder, depois reavaliou.

— Beamfleot — respondeu.

— E Lundene? — perguntei. — A velha cidade continua em mãos dinamarquesas?

— Sim.

— Sim, senhor — corrigi.

— Sim, senhor — admitiu ele.

— Então você irá a Lundene, depois a Beamfleot, e depois aonde quiser, e contará aos noruegueses que Uhtred de Bebbanburg guarda o rio Temes. E dirá a eles que são bem-vindos aqui quando quiserem.

Aquele homem viveu. Decepei sua mão direita antes de soltá-lo. Fiz isso para que ele nunca mais segurasse uma espada. Nesse ponto havíamos acendido uma fogueira e enfiei seu cotoco sangrento nas brasas para lacrar o ferimento. Ele era um homem corajoso. Encolheu-se enquanto cauterizávamos o cotoco, mas não gritou quando seu sangue borbulhou e a carne chiou. Enrolei seu braço encurtado num pedaço da camisa de um morto.

— Vá — ordenei, apontando rio abaixo. — Simplesmente vá. — Ele caminhou para o leste. Se tivesse sorte, sobreviveria à jornada para espalhar a notícia de minha selvageria.

Matamos os outros. Todos.

— Por que os matou? — perguntou uma vez minha nova esposa, com repulsa evidente na voz por minha meticulosidade.

— Para que aprendessem a temer, claro.

— Homens mortos não temem.

Tento ser paciente com ela.

— Um navio partiu de Beamfleot e jamais retornou — expliquei. — E outros homens que desejavam atacar Wessex ouviram falar do destino daquele navio. E esses homens decidiram levar suas espadas a outros lugares. Matei a tripulação daquele navio para não ter de matar centenas de outros dinamarqueses.

— O senhor Jesus teria desejado que você mostrasse misericórdia — disse ela, arregalada.

É uma idiota.

Finan levou alguns aldeãos de volta às casas queimadas, onde cavaram sepulturas para seus mortos enquanto meus homens penduravam os corpos dos inimigos em árvores junto ao rio. Tiramos suas cotas de malha, as armas e os braceletes. Cortamos seus cabelos compridos, porque eu gostava de calafetar as tábuas de meus navios com o cabelo de inimigos mortos, e depois os penduramos, e seus corpos nus e pálidos balançavam ao vento fraco enquanto os corvos vinham arrancar os olhos mortos.

Cinquenta e três corpos foram pendurados junto ao rio. Um alerta aos que poderiam vir depois. Cinquenta e três sinais de que outros saqueadores estariam se arriscando à morte se remassem subindo o Temes.

Então fomos para casa, levando o navio inimigo.

E Bafo de Serpente dormiu em sua bainha.

PRIMEIRA PARTE

A noiva

Um

— O MORTO FALA — DISSE-ME ÆTHELWOLD. Para variar, estava sóbrio. Sóbrio, espantado e sério. O vento da noite batia na casa e as velas feitas de junco e sebo tremeluziam vermelhas nas correntes de ar de inverno que chicoteavam pelo buraco de fumaça do teto, pelas portas e os postigos.

— O morto fala? — perguntei.

— Um cadáver se ergue da sepultura e fala. — Æthelwold me encarou arregalado, depois assentiu como se quisesse enfatizar que dizia a verdade. Estava inclinado em minha direção, as mãos fechadas se remexendo entre os joelhos. — Eu vi.

— Um cadáver fala?

— Ele se levanta! — Æthelwold ergueu a mão, mostrando o que queria dizer.

— Ele?

— O morto. Ele se levanta e fala. — Æthelwold continuava me encarando, com expressão indignada. — É verdade — acrescentou numa voz sugerindo que sabia que eu não acreditava.

Puxei meu banco mais para perto do fogo. Eram dez dias depois de eu ter matado os saqueadores e pendurado seus corpos junto ao rio, e agora uma chuva gelada batucava na palha do teto e golpeava os postigos fechados. Dois de meus cães estavam na frente do fogo, e um me lançou um olhar ressentido quando fiz barulho com o banco, depois pousou a cabeça de novo. A casa fora construída pelos romanos, o que significava que o piso era de ladrilhos e as paredes, feitas de pedra, mas eu mesmo havia preparado o teto de palha. A chuva passava pelo buraco da fumaça.

— O que o morto diz? — perguntou Gisela. Era minha mulher e mãe de meus dois filhos.

Æthelwold não respondeu imediatamente, talvez porque acreditasse que uma mulher não deveria participar de uma conversa séria, mas meu silêncio lhe disse que Gisela podia falar em sua própria casa e ele estava nervoso demais para insistir que eu a mandasse embora.

— Ele diz que eu deveria ser o rei — admitiu baixinho, depois me olhou, temendo minha reação.

— Rei de quê? — perguntei em tom chapado.

— De Wessex, claro.

— Ah, de Wessex — repeti, como se nunca tivesse ouvido falar desse local.

— E eu deveria ser o rei! — protestou Æthelwold. — Meu pai era o rei!

— E agora o irmão de seu pai é o rei — disse eu — e os homens dizem que ele é um bom rei.

— Você diz isso? — desafiou ele.

Não respondi. Era bem sabido que eu não gostava de Alfredo e que Alfredo não gostava de mim, mas isso não significava que o sobrinho de Alfredo, Æthelwold, seria um rei melhor. Æthelwold, como eu, tinha quase 30 anos, e havia ganhado reputação de bêbado e idiota libidinoso. No entanto, realmente tinha o direito de reivindicar o trono de Wessex. Seu pai havia de fato sido rei, e se Alfredo tivesse um mínimo de bom senso mandaria cortar a garganta de seu sobrinho até o osso. Em vez disso, confiava na sede de Æthelwold por cerveja para impedi-lo de causar problema.

— Onde você viu esse cadáver vivo? — perguntei, em vez de responder à sua pergunta.

Ele balançou em direção ao lado norte da casa.

— Do outro lado da estrada. Logo do outro lado.

— Da Wæclingastræt? — perguntei, e ele assentiu.

Então ele estava falando com os dinamarqueses, e não só com o morto. A Wæclingastræt é uma estrada que parte de Lundene em direção ao noroeste. Inclina-se atravessando a Britânia e terminando no mar da Irlanda, logo ao norte de Gales, e tudo ao sul da estrada era supostamente terra saxã, e tudo ao norte ficava na mão dos dinamarqueses. Essa era a paz que tínhamos naquele ano de 885, mas era uma paz com uma cobertura espumante de escaramuças e ódio.

Æthelwold assentiu.

— O nome dele é Bjorn — disse. — Era um *skald* na corte de Guthrum e se recusou a virar cristão, por isso Guthrum o matou. Ele pode ser invocado da sepultura. Eu vi.

Olhei para Gisela. Ela era dinamarquesa, e a feitiçaria descrita por Æthelwold não se parecia com nada que eu conhecera entre meus colegas saxões. Gisela deu de ombros, sugerindo que a magia era igualmente estranha para ela.

— Quem invoca o morto? — perguntou.

— Um cadáver recente — disse Æthelwold.

— Um cadáver recente? — perguntei.

— Alguém deve ser mandado ao mundo dos mortos — explicou ele, como se fosse óbvio — para encontrar Bjorn e trazê-lo de volta.

— Então eles matam alguém? — perguntou Gisela.

— De que outro modo podem mandar um mensageiro aos mortos? — perguntou Æthelwold em tom belicoso.

— E esse tal de Bjorn fala inglês? — perguntei. Fiz a pergunta porque sabia que Æthelwold falava pouco ou nenhum dinamarquês.

— Ele fala inglês — respondeu Æthelwold, carrancudo. Não gostava de ser questionado.

— Quem o levou até ele?

— Uns dinamarqueses — disse ele vagamente.

Dei um risinho de desprezo.

— Então uns dinamarqueses vieram e lhe disseram que um poeta morto queria falar com você, e você humildemente viajou para a terra de Guthrum?

— Eles me pagaram com ouro — respondeu Æthelwold defensivamente. Ele vivia com dívidas.

— E por que você veio falar conosco?

Æthelwold não respondeu. Ficou se remexendo e olhou para Gisela, que estava fiando lã em sua roca.

— Você vai à terra de Guthrum — insisti —, fala com um morto e depois vem me procurar. Por quê?

— Porque Bjorn disse que você também será rei. — Æthelwold não havia falado alto, mas mesmo assim estendi a mão para silenciá-lo e olhei ansioso na direção da porta, como se esperasse ver um espião ouvindo na escuridão do cômodo ao lado. Eu não tinha dúvida de que Alfredo possuía espiões em minha casa, e achava que sabia quem eram, mas não estava totalmente certo de ter identificado todos, motivo pelo qual me certificava de que todos os serviçais estivessem bem longe do cômodo em que Æthelwold e eu conversávamos. Mesmo assim não era sensato dizer essas coisas em voz alta.

Gisela havia parado de fiar a lã e estava olhando Æthelwold. Eu também.

— Ele disse o quê? — perguntei.

— Disse que você, Uhtred — continuou Æthelwold mais rapidamente —, será coroado rei da Mércia.

— Você andou bebendo?

— Não. Só cerveja. — Ele se inclinou para mim. — Bjorn, o morto, deseja falar com você também, para contar-lhe seu destino. Você e eu, Uhtred, seremos reis e vizinhos. Os deuses querem isso e mandaram um morto me dizer. — Æthelwold estava tremendo ligeiramente e suando, mas não estava bebendo. Alguma coisa o havia amedrontado para ficar sóbrio, e isso me convenceu de que ele falava a verdade. — Eles querem saber se está disposto a se encontrar com o morto, e se estiver, mandarão chamar você.

Olhei para Gisela, que meramente me olhou de volta, com o rosto inexpressivo. Encarei-a, não esperando resposta, mas porque ela era linda, linda demais. Minha dinamarquesa morena, minha linda Gisela, minha jovem esposa, meu amor. Ela devia saber o que eu estava pensando, porque seu rosto comprido e sério foi transformado por um sorriso lento.

— Uhtred será rei? — perguntou ela, rompendo o silêncio e olhando para Æthelwold.

— É o que diz o morto — respondeu Æthelwold em tom de desafio. — E Bjorn ouviu isso das três irmãs. — Ele queria dizer as Fiandeiras, as Norns, as três irmãs que tecem nosso destino.

— Uhtred será rei da Mércia? — perguntou Gisela, em dúvida.

— E você será a rainha — disse Æthelwold.

Gisela me olhou de novo. Tinha uma expressão interrogativa, mas não tentei responder ao que sabia que ela estava pensando. Em vez disso, estava refletindo que não havia rei na Mércia. O antigo, um vira-lata saxão com coleira dinamarquesa, havia morrido e não existia sucessor, enquanto o reino propriamente dito estava dividido entre dinamarqueses e saxões. O irmão da minha mãe fora *ealdorman* na Mércia antes de ser morto pelos galeses, por isso eu tinha sangue mércio. E não havia rei na Mércia.

— Acho que é melhor você ouvir o que o morto diz — observou Gisela seriamente.

— Se eles mandarem me chamar — prometi —, irei. — E iria mesmo, porque um morto estava falando e queria que eu fosse rei.

Alfredo chegou uma semana depois. Era um belo dia com céu azul pálido no qual o sol do meio-dia pairava baixo sobre uma terra gélida. O gelo bordejava os canais preguiçosos onde o rio Temes fluía ao redor da Sceaftes Eye e da Wodenes Eye. Galeirões, galinholas e mergulhões chapinhavam na beira do gelo, enquanto na lama que ia descongelando na Sceaftes Eye um bando de tordos e melros caçava minhocas e caramujos.

Isso era o lar. Este era meu lar havia dois anos. Meu lar era Coccham, na borda de Wessex, onde o Temes fluía em direção a Lundene e ao mar. Eu, Uhtred, um senhor da Nortúmbria, exilado e guerreiro, havia me tornado construtor, comerciante e pai. Servia a Alfredo, rei de Wessex, não porque desejasse, mas porque lhe havia feito um juramento.

E Alfredo me dera uma tarefa: construir seu novo *burh* em Coccham. Um *burh* era uma cidade transformada em fortaleza, e Alfredo estava enchendo seu reino de Wessex com lugares assim. Em todas as fronteiras de Wessex, no mar, as muralhas iam sendo construídas. Um exército dinamarquês poderia invadir entre as fortalezas, mas descobriria mais fortificações ainda no coração das terras de Alfredo, e cada *burh* tinha uma guarnição. Alfredo, num raro momento de empolgação selvagem, havia descrito os *burhs* a mim como vespeiros dos quais homens podiam saltar em enxames para ferroar os atacantes dinamarqueses. Estavam sendo feitos *burhs* em Exanceaster e Werham, em Cisseceastre e Hastengas, em Æscengum e Oxnaforda, em Cracgelad e Wæced, e em dezenas de lugares no meio. Suas muralhas e paliçadas eram protegidas por lanças e escudos. Wessex estava se tornando uma terra de fortalezas, e minha tarefa era transformar a pequena cidade de Coccham num *burh*.

O trabalho era feito por cada saxão ocidental do sexo masculino com mais de 12 anos. Metade deles trabalhava enquanto a outra metade cuidava dos campos. Em Coccham eu deveria ter quinhentos homens servindo a qualquer hora do dia, mas em geral havia menos de trezentos. Eles cavavam, socavam terra, cortavam madeira para as muralhas, e assim havíamos erguido uma fortificação nas margens do Temes. Na verdade, eram duas fortificações, uma na margem sul do rio e a outra na Sceaftes Eye, que era uma ilha partindo o rio em dois canais. Naquele janeiro de 885 o trabalho estava quase pronto e agora nenhum navio dinamarquês podia remar rio acima para atacar as fazendas e as aldeias ao longo da margem do rio. Podiam tentar, mas deviam passar por minhas novas fortificações e saberiam que minhas tropas iriam segui-los, encurralá-los em terra e matá-los.

Um comerciante dinamarquês chamado Ulf havia chegado naquela manhã, atracando seu barco no cais da Sceaftes Eye, onde um de meus oficiais examinou a carga para avaliar o imposto. O próprio Ulf, rindo sem dentes, subiu para me cumprimentar. Deu-me um pedaço de âmbar enrolado em pelica.

— Para a senhora Gisela, senhor — disse ele. — Ela está bem?

— Está — respondi, tocando o martelo de Tor pendurado no pescoço.

— E ouvi dizer que o senhor tem um segundo filho.

— Uma menina. E onde você ouviu falar disso?

— Em Beamfleot — respondeu ele, o que fazia sentido. Ulf era do norte, mas nenhum navio estava fazendo a viagem da Nortúmbria a Wessex nas profundezas deste inverno frio. Ele devia ter passado a estação no sul da Ânglia Oriental, nas longas e intricadas planícies lamacentas do estuário do

Temes. — Não é grande coisa — disse ele, indicando a carga. — Comprei algumas peles e lâminas de machados em Grantaceaster, e pensei em vir rio acima, ver se vocês, saxões, ainda têm algum dinheiro.

— Você veio rio acima para ver se terminamos a fortaleza — disse eu. — Você é espião, Ulf, e acho que vou enforcá-lo numa árvore.

— Não vai, não — disse ele, sem se abalar com minhas palavras.

— Estou entediado — respondi, pondo o âmbar em minha bolsa. — E olhar um dinamarquês se retorcer numa corda seria divertido, não?

— Então o senhor deve ter gargalhado ao pendurar a tripulação de Jarrel.

— Era esse o nome? — perguntei. — Jarrel? Não perguntei.

— Eu vi trinta corpos — disse Ulf, balançando a cabeça rio abaixo. — Talvez mais, não? Todos pendurados em árvores, e pensei: isso parece obra do senhor Uhtred.

— Só trinta? Eram 53. Eu deveria acrescentar seu cadáver miserável, Ulf, para ajudar a compensar os números.

— O senhor não me quer — disse Ulf, animado. — Quer um jovem, porque os jovens se retorcem muito mais do que nós, velhos. — Ele espiou seu barco e cuspiu na direção de um garoto ruivo que estava olhando distraído para o rio. — O senhor poderia enforcar aquele desgraçadozinho. É o filho mais velho da minha mulher, e não passa de um cocô de sapo. Ele vai se retorcer.

— Então quem está em Lundene esses dias?

— O *earl* Haesten vem e vai. Mais vem do que vai.

Fiquei surpreso com isso. Eu conhecia Haesten. Era um jovem dinamarquês que já fora jurado a mim, mas havia quebrado o juramento e agora aspirava a ser um senhor guerreiro. Dizia-se *earl*, o que me divertia, mas fiquei surpreso ao saber que fora para Lundene. Sabia que ele fizera um acampamento murado no litoral da Ânglia Oriental, mas agora havia se movido para muito mais perto de Wessex, o que sugeria que estava procurando encrenca.

— E o que ele está fazendo? — perguntei com escárnio. — Roubando os patos dos vizinhos?

Ulf respirou fundo e balançou a cabeça.

— Ele tem aliados, senhor.

Algo em seu tom de voz me deixou cauteloso.

— Aliados?

— Os irmãos Thurgilson — disse Ulf, e tocou seu amuleto do martelo.

O nome não significava nada para mim, na época.

— Thurgilson?

— Sigefrid e Erik — disse Ulf, ainda tocando o martelo. — *Earls* noruegueses, senhor.

Isso era novidade. Em geral os noruegueses não vinham à Ânglia Oriental ou a Wessex. Com frequência ouvíamos histórias de seus ataques às terras escocesas e à Irlanda, mas raramente os chefes noruegueses vinham perto de Wessex.

— O que os noruegueses estão fazendo em Lundene?

— Chegaram há dois dias, senhor — disse Ulf —, com 22 navios. Haesten estava com eles, e levava nove navios.

Assobiei baixinho. Trinta e um navios era uma frota, e isso significava que os irmãos e Haesten juntos comandavam um exército de pelo menos mil homens. E esses homens estavam em Lundene, que ficava na fronteira de Wessex.

Lundene era uma cidade estranha naquela época. Oficialmente fazia parte da Mércia, mas esta não tinha rei, de modo que Lundene não tinha governante. Não era saxã nem dinamarquesa, e sim uma mistura de ambos, um lugar em que um homem podia enriquecer, morrer ou as duas coisas. Ficava onde Mércia, Ânglia Oriental e Wessex se encontravam, cidade de mercadores, comerciantes e marinheiros. E agora, se Ulf estava certo, tinha um exército de vikings dentro de seus muros.

Ulf deu um risinho.

— Eles encurralaram o senhor como um rato num saco.

Fiquei imaginando como uma frota havia se reunido e subido na maré até Lundene sem que eu descobrisse muito antes que ela partisse. Coccham era o *burh* mais próximo de Lundene e, em geral, eu ficava sabendo em menos de um dia o que se passava lá, mas agora um inimigo ocupara a cidade e eu não soubera de nada.

— Os irmãos mandaram você para me contar isso? — perguntei a Ulf. Estava presumindo que os irmãos Thurgilson e Haesten só haviam capturado Lundene para que alguém, provavelmente Alfredo, lhes pagasse para irem embora. Caso em que era do interesse deles que soubéssemos de sua chegada.

Ulf balançou a cabeça.

— Parti enquanto eles chegavam, senhor. Já é suficientemente ruim ter de pagar as suas taxas sem ter de dar metade de minhas mercadorias a eles. — Ulf estremeceu. — O *earl* Sigefrid é um homem mau, senhor. Não é alguém com quem se façam negócios.

— Por que eu não soube que eles estavam com Haesten? — perguntei.

— Não estavam. Estavam na Frankia. Atravessaram direto o mar e subiram o rio.

— Com 22 navios cheios de noruegueses — falei azedamente.

— Eles têm de tudo, senhor. Dinamarqueses, frísios, saxões, noruegueses, tudo. Sigefrid encontra homens sempre que os deuses esvaziam seus penicos. São homens famintos. Homens sem senhor. Bandidos. Vêm de toda parte.

O homem sem senhor era o pior tipo. Não devia qualquer aliança. Não tinha nada além de sua espada, sua fome e sua ambição. Eu já fora um homem assim.

— Então Sigefrid e Erik vão significar encrenca? — sugeri afavelmente.

— Sigefrid sim — disse Ulf. — Erik? Ele é o mais novo. Os homens falam bem dele, mas Sigefrid mal pode esperar por encrenca.

— Ele quer cobrar resgates?

— Pode ser — disse Ulf, em dúvida. — Ele tem de pagar a todos aqueles homens, e não conseguiu nada além de cocô de rato na Frankia. Mas quem vai lhe pagar resgate? Lundene pertence à Mércia, não é?

— Pertence.

— E não há rei na Mércia — disse Ulf. — Isso não é natural, é? Um reino sem rei.

Pensei na visita de Æthelwold e toquei meu amuleto do martelo de Tor.

— Já ouviu falar de mortos se erguendo? — perguntei a Ulf.

— De mortos se erguendo? — Ele me encarou, alarmado, e tocou seu amuleto do martelo. — É melhor que os mortos fiquem no Hiflheim, senhor.

— Uma magia antiga, talvez? — sugeri. — Trazendo os mortos de volta?

— A gente ouve histórias — disse Ulf, agora segurando seu amuleto com força.

— Que histórias?

— Do norte distante, senhor. Da terra de gelo e bétulas. Coisas estranhas acontecem lá. Dizem que homens conseguem voar na escuridão, e ouvi falar que os mortos andam nos mares congelados, mas nunca vi uma coisa assim. — Ele levou o amuleto aos lábios e beijou-o. — Acho que são apenas histórias para amedrontar crianças nas noites de inverno, senhor.

— Talvez — disse eu, e me virei quando um menino veio correndo junto à base da muralha recém-erguida. Ele pulou as tábuas que eventualmente formariam a plataforma de luta, escorregou num trecho de lama, subiu o barranco e depois parou, ofegando demais para conseguir falar. Esperei até ele recuperar o fôlego.

— *Haligast*, senhor — disse o menino. — *Haligast*!

Ulf me olhou interrogativamente. Como todos os comerciantes, ele falava um pouco de inglês, mas *haligast* o deixou perplexo.

— Espírito Santo — traduzi para o dinamarquês.

— Está vindo, senhor — ofegou o garoto, empolgado, e apontou rio acima. — Está vindo agora.

— O Espírito Santo está vindo? — pergunto Ulf, alarmado. Provavelmente não tinha ideia do que fosse o Espírito Santo, mas sabia o suficiente para temer todos os espectros, e minha pergunta recente sobre os mortos-vivos o havia apavorado.

— O navio de Alfredo — expliquei, depois me virei de novo para o garoto. — O rei está a bordo?

— A bandeira dele está voando, senhor.

— Então está — disse eu.

Ulf ajeitou a túnica.

— Alfredo? O que ele quer?

— Quer descobrir minhas lealdades — respondi secamente.

Ulf riu.

— Então talvez seja o senhor a se sacudir pendurado numa corda, hein?

— Preciso de lâminas de machado — falei. — Leve suas melhores à casa e mais tarde discutiremos o preço.

Não fiquei surpreso com a chegada de Alfredo. Naqueles anos ele passava boa parte do tempo entre os *burhs* que iam crescendo, para inspecionar o trabalho. Estivera em Coccham uma dúzia de vezes em 12 meses, mas eu achava que esta visita não era para examinar as muralhas, e sim para descobrir por que Æthelwold viera me ver. Os espiões do rei haviam feito seu trabalho, assim o rei tinha vindo me interrogar.

Seu navio ia chegando rapidamente, carregado pela corrente de inverno do Temes. Nos meses frios era mais rápido viajar de navio, e Alfredo gostava do *Haligast* porque lhe permitia trabalhar a bordo enquanto viajava ao longo da fronteira norte de Wessex. O *Haligast* possuía vinte remos e espaço suficiente para metade da guarda pessoal de Alfredo e a tropa inevitável de padres. O estandarte do rei, um dragão verde, voava no topo do mastro, enquanto duas bandeiras pendiam da verga, que sustentaria uma vela caso o navio estivesse no mar. Uma bandeira mostrava um santo, e a outra era um tecido verde bordado com uma cruz branca. Na popa do navio existia uma pequena cabine que atrapalhava o piloto, mas dava a Alfredo espaço para manter sua mesa. Um segundo navio, o *Heofonhlaf*, levava o restante da guarda pessoal e mais padres ainda. *Heofonhlaf* significava pão do céu. Alfredo jamais conseguiria dar nome a um navio.

O *Heofonhlaf* atracou primeiro e uns vinte homens em cota de malha, levando escudos e lanças, desceram para se enfileirar no cais de madeira. O *Haligast* veio em seguida, com o piloto fazendo a proa bater forte numa estaca, de modo que Alfredo, que esperava no meio do navio, cambaleou. Havia reis que poderiam ter estripado um piloto por essa perda de dignidade, mas Alfredo não pareceu notar. Estava falando sério com um monge de rosto fino, queixo raspado e bochechas pálidas. Era Asser, de Gales. Eu tinha ouvido falar que o irmão Asser era o novo bicho de estimação do rei, e sabia que ele me odiava, o que era certo, porque eu o odiava. Mesmo assim sorri para ele e ele estremeceu como se eu tivesse vomitado em seu manto, inclinando a cabeça mais perto de Alfredo, que poderia ser gêmeo dele, porque Alfredo de Wessex parecia muito mais um padre do que um rei. Usava manto preto e longo e a careca que ia aumentando lhe dava o ar tonsurado de um monge. As mãos, como de um escrivão, estavam sempre manchadas de tinta, ao passo que o rosto ossudo era magro, sério, carrancudo e pálido. A barba era rala. Barbeava-se com frequência, mas agora tinha uma barba entremeada de fios brancos.

Tripulantes prenderam o *Haligast*, em seguida Alfredo segurou o cotovelo de Asser e desembarcou com ele. O galês usava uma cruz enorme no peito, e Alfredo tocou-a brevemente antes de se virar para mim.

— Meu senhor Uhtred — disse com entusiasmo. Estava sendo incomumente agradável, não porque estivesse feliz em me ver, mas porque achava que eu estaria tramando traição. Havia poucos outros motivos para eu jantar com seu sobrinho Æthelwold.

— Meu senhor rei — respondi e fiz uma reverência. Ignorei o irmão Asser. O galês já havia me acusado de pirataria, assassinato e uma dúzia de outras coisas, e a maior parte de suas acusações era exata, mas eu continuava vivo. Ele me lançou um olhar de desprezo, depois foi andando pela lama, evidentemente indo se certificar de que as freiras do convento de Coccham não estivessem grávidas, bêbadas ou felizes.

Alfredo, seguido por Egwine, que agora comandava a guarda pessoal, e por seis soldados dessa guarda, caminhou ao longo de minhas fortificações. Olhou para o navio de Ulf, mas não disse nada. Eu soube que precisava lhe contar sobre a captura de Lundene, mas decidi deixar essa notícia esperar até que ele tivesse feito suas perguntas. Por enquanto, ele se contentou em inspecionar o trabalho que vínhamos fazendo e não encontrou nada para criticar, e nem esperava isso. O *burh* de Coccham estava muito mais avançado do que os outros. A próxima fortaleza a oeste no Temes, em Welengaford, mal havia saído do chão, muito menos havia construído uma paliçada, e os muros em Oxnaforda haviam caído no fosso depois de uma semana de chuva violenta antes do período do Yule. Mas o *burh* de Coccham estava quase terminado.

— Disseram-me que o *fyrd* está relutando em trabalhar — observou Alfredo. — Com você isso não aconteceu?

O *fyrd* era o exército temporário, reunido pelo distrito, e não somente construía os *burhs*, mas também compunha suas guarnições.

— O *fyrd* está muito relutante em trabalhar, senhor — respondi.

— No entanto, você quase terminou, não é?

Sorri.

— Enforquei dez homens e encorajei o restante a se entusiasmar.

Ele parou num local de onde podia olhar rio abaixo. Cisnes tornavam a paisagem linda. Observei-o. As rugas em seu rosto estavam mais fundas e a pele, mais pálida. Parecia doente, mas afinal de contas Alfredo de Wessex era um homem sempre doente. Seu estômago doía e as tripas doíam, e vi uma careta e quando uma pontada de dor o atravessou.

— Ouvi dizer — disse ele friamente — que você os enforcou sem julgamento?

— Sim, senhor.

— Há leis em Wessex — disse ele, sério.

— E se o *burh* não for construído não haverá Wessex.

— Você gosta de me desafiar — observou ele em tom afável.

— Não, senhor, eu lhe fiz um juramento. Cumpro o seu trabalho.

— Então não enforque mais homens sem julgamento justo — disse incisivamente, depois se virou e olhou para a margem mércia, do outro lado do rio. — Um rei deve trazer justiça, senhor Uhtred. Esse é o trabalho do rei. E se uma terra não tiver rei, como pode haver lei? — Ele ainda falava em tom ameno, mas estava me testando, e por um momento senti alarma. Eu havia presumido que ele viera descobrir o que Æthelwold havia me dito, mas sua menção à Mércia e à falta de um rei naquele lugar sugeria que já soubesse do que fora discutido naquela noite de inverno frio e chuva forte. — Há homens — continuou ele, ainda olhando para a margem mércia — que gostariam de ser rei da Mércia. — Alfredo parou e eu tive certeza de que ele sabia tudo o que Æthelwold havia me dito, mas então ele traiu sua ignorância. — Meu sobrinho Æthelwold? — sugeriu.

Dei uma gargalhada que saiu alta demais por causa de meu alívio.

— Æthelwold! — respondi. — Ele não quer ser rei da Mércia! Ele quer seu trono, senhor.

— Ele lhe disse isso? — perguntou Alfredo incisivamente.

— Claro que disse. Ele diz isso a todo mundo!

— Foi por isso que veio ver você? — perguntou Alfredo, incapaz de continuar escondendo a curiosidade.

— Ele veio comprar um cavalo, senhor — menti. — Æthelwold quer meu garanhão, Smoca, e eu disse que não. — O pelo de Smoca era uma mistura incomum de cinza e preto, daí o seu nome, que significava fumaça, e havia ganhado todas as corridas que disputara na vida e, melhor, não tinha medo de homens, escudos, armas ou barulho. Eu poderia vender Smoca a qualquer guerreiro da Britânia.

— E falou que quer ser rei? — perguntou Alfredo cheio de suspeitas.

— Claro que falou.

— Você não me disse na ocasião — disse ele em tom de censura.

— Se eu lhe contasse todas as vezes que Æthelwold falasse de traição, o senhor jamais deixaria de ter notícias minhas. O que lhe digo agora é que o senhor deveria cortar a cabeça dele.

— Ele é meu sobrinho — respondeu Alfredo rigidamente — e tem sangue real.

— Mesmo assim pode ter a cabeça cortada — insisti.

Ele balançou a mão, petulante, como se minha ideia fosse ridícula.

— Pensei em torná-lo rei da Mércia, mas ele perderia o trono.

— Perderia — concordei.

— Ele é fraco — disse Alfredo com escárnio. — E a Mércia precisa de um governante forte. Alguém para amedrontar os dinamarqueses. — Confesso que naquele momento pensei que ele falava de mim e estava pronto para agradecer, até mesmo cair de joelhos e segurar sua mão, mas então ele me esclareceu. — Seu primo, acho.

— Æthelred? — perguntei, incapaz de esconder o desprezo. Meu primo era um idiota presunçoso, cheio de si, mas também era próximo de Alfredo. Tão próximo que iria se casar com a filha mais velha de Alfredo.

— Ele pode ser *ealdorman* na Mércia — disse Alfredo — e governar com minha bênção. — Em outras palavras, meu primo miserável governaria a Mércia preso às rédeas de Alfredo e, para ser sincero, essa era uma solução melhor para Alfredo do que deixar alguém como eu herdar o trono da Mércia. Æthelred, casado com Æthelflaed, tinha mais probabilidade de ser homem de Alfredo, e a Mércia, ou pelo menos a parte dela ao sul da Wæclingastræet, seria como uma província de Wessex.

— Se meu primo será senhor da Mércia, então será senhor de Lundene?

— Claro.

— Então ele tem um problema, senhor — disse eu, e confesso que falei com algum prazer diante da perspectiva de meu primo presunçoso ter de lidar com mil bandidos comandados por *earls* noruegueses. — Uma frota de 31 navios chegou a Lundene há dois dias. Os *earls* Sigefrid e Erik Thurgilson os comandam. Haesten, de Beamfleot, é aliado deles. Pelo que sei, senhor, Lundene agora pertence aos noruegueses e dinamarqueses.

Por um momento Alfredo não disse nada, apenas olhou para as águas das enchentes assombradas pelos cisnes. Parecia mais pálido do que nunca. Sua mandíbula se apertou.

— Você parece satisfeito — disse ele com amargura.

— Não é o que eu pretendia, senhor.

— Como, em nome de Deus, isso pôde acontecer? — perguntou irado. Em seguida se virou e olhou para os muros do *burh*. — Os irmãos Thurgilson estavam na Frankia.

Eu podia nunca ter ouvido falar de Sigefrid e Erik, mas Alfredo fazia questão de saber onde os bandos vikings perambulavam.

— Agora estão em Lundene — observei sem remorso.

Alfredo ficou quieto de novo, e eu soube o que ele estava pensando. Estava pensando que, se o Temes era nossa estrada para outros reinos, para o restante do mundo, e se os dinamarqueses e os noruegueses bloqueassem o Temes, Wessex estava separado de boa parte do comércio com o mundo. Claro que havia outros portos e outros rios, mas o Temes é o grande rio que suga as embarcações de todos os grandes mares.

— Eles querem dinheiro? — perguntou amargo.

— Isso é problema da Mércia, senhor — sugeri.

— Não seja idiota! — respondeu ele com rispidez. — Lundene pode ficar na Mércia, mas o rio pertence aos dois reinos. — Ele se virou de novo, olhando rio abaixo quase como se esperasse ver os mastros dos navios noruegueses aparecendo a distância. — Se eles não forem embora — disse baixinho —, terão de ser expulsos.

— Sim, senhor.

— E isso — disse Alfredo decisivamente — será meu presente de casamento ao seu primo.

— Lundene?

— E você irá consegui-lo — disse Alfredo com selvageria. — Você irá restaurar Lundene ao domínio mércio, senhor Uhtred. Na festa de São David diga-me de que força você precisa para garantir o presente. — Ele franziu a testa, pensando. — Seu primo comandará o exército, mas ele é ocupado demais para planejar a campanha. Você fará os preparativos necessários e irá aconselhá-lo.

— Irei? — perguntei azedamente.

— Sim, irá.

Alfredo não ficou para a refeição. Fez suas orações na igreja, deu prata ao convento e em seguida embarcou no *Haligast* e desapareceu rio acima.

E eu deveria capturar Lundene e dar toda a glória a meu primo Æthelred.

O chamado para encontrar o morto veio duas semanas depois e me pegou de surpresa.

A cada manhã, a não ser que a neve estivesse densa demais para uma viagem fácil, uma multidão de pedintes esperava diante de meu portão. Eu era o governante de Coccham, o homem que distribuía justiça, e Alfredo me dera esse poder, sabendo que era essencial para que seu *burh* fosse construído. Ele havia me dado mais. Eu tinha direito a um décimo de cada colheita no norte de Berrocscire, recebia porcos, gado e grãos, e desses rendimentos pagava a madeira que fazia as muralhas e as armas que as guardavam. Havia oportunidade nisso, e Alfredo suspeitava de mim, motivo pelo qual havia me dado um padre ardiloso chamado Wulfstan, cuja tarefa era garantir que eu não roubasse demais. No entanto, era Wulfstan que roubava. Tinha vindo para mim naquele verão, meio rindo, e observou que as taxas que coletávamos dos mercadores que usavam o rio eram imprevisíveis, o que significava que Alfredo jamais poderia avaliar se estávamos mantendo a contabilidade correta. Ele esperou minha aprovação e, em vez disso, ganhou um cascudo em seu crânio tonsurado. Mandei-o para Alfredo sob guarda, com uma carta descrevendo sua desonestidade, então roubei eu mesmo as taxas. O padre havia sido idiota. Você nunca, nunca deve contar seus crimes aos outros, a não ser que sejam tão grandes a ponto de não poderem ficar escondidos, e nesse caso descreva-os como política ou ação de Estado.

Eu não roubava muito, não mais do que outro homem em minha posição colocaria de lado, e o trabalho nas muralhas do *burh* provou a Alfredo que eu estava fazendo meu serviço. Sempre adorei construir, e a vida tem poucos prazeres comuns maiores do que bater papo com os homens que cortam, moldam e juntam madeira. Eu também distribuía a justiça, e fazia isso bem, porque meu pai, que fora senhor de Bebbanburg, na Nortúmbria, havia me ensinado que o serviço de um senhor era para com o povo que ele governava, e que o povo perdoaria muitos pecados do senhor enquanto ele o protegesse. Assim, a cada dia eu ouvia os sofrimentos, e cerca de duas semanas depois da visita de Alfredo lembro-me de uma manhã de chuva fraca em que mais ou menos dúzias de pessoas se ajoelharam diante de mim na lama em frente de meu castelo. Não me lembro de todas as petições, mas sem dúvida eram as reclamações de sempre, que marcos de limite haviam sido movidos ou que o preço de um casamento não fora pago. Tomei as decisões rapidamente, avaliando os julgamentos segundo a postura dos suplicantes. Em geral, achava que um suplicante desafiador provavelmente estava mentindo, ao passo que o lacrimoso provocava minha piedade. Duvido de que eu tomasse todas as decisões corretamente, mas as pessoas ficavam bem contentes com meus julgamentos e sabiam que eu não recebia subornos para favorecer os ricos.

Mas me lembro de um suplicante naquela manhã. Estava sozinho, o que era incomum, já que a maioria das pessoas chegava com amigos ou parentes para jurar a verdade das solicitações, mas esse homem veio sozinho e continuamente deixava os outros passarem à frente. Sem dúvida queria ser o último a falar comigo, e suspeitei de que ele queria muito de meu tempo e fiquei tentado a terminar a sessão da manhã sem lhe conceder audiência, mas no fim deixei que o sujeito falasse e ele foi misericordiosamente breve.

— Bjorn perturbou minha terra, senhor — disse ele. Estava ajoelhado e eu só podia ver dele seu cabelo emaranhado e com uma crosta de sujeira.

Por um momento não reconheci o nome.

— Bjorn? Quem é Bjorn?

— O homem que perturba minha terra à noite, senhor.

— Um dinamarquês? — perguntei perplexo.

— Ele vem da sepultura, senhor — disse o homem, e então entendi e o fiz silenciar, para que o padre que anotava meus julgamentos não ficasse sabendo muita coisa.

Levantei a cabeça do suplicante e vi um rosto esquelético. Pela linguagem achei que era saxão, mas talvez fosse um dinamarquês que falasse nossa língua perfeitamente, por isso testei-o falando dinamarquês.

— De onde você vem?

— Do terreno perturbado, senhor — respondeu ele em dinamarquês, mas, pelo modo como embolava as palavras, era óbvio que não era dinamarquês.

— Do outro lado da estrada? — falei inglês de novo.

— Sim, senhor.

— E quando Bjorn perturbará sua terra de novo?

— Depois de amanhã, senhor. Virá depois do nascer da lua.

— Você foi mandado para me guiar?

— Sim, senhor.

Partimos no dia seguinte. Gisela queria ir, mas não deixei porque não confiava totalmente no chamado, e por causa dessa desconfiança fui com seis homens: Finan, Clapa, Sihtric, Rypere, Eadric e Cenwulf. Os últimos três eram saxões, Clapa e Sihtric eram dinamarqueses e Finan era o feroz irlandês que comandava minhas tropas domésticas, e todos os seis eram jurados a mim. Minha vida era deles assim como a deles era minha. Gisela ficou atrás dos muros de Coccham, guardada pelo *fyrd* e pelo restante de minhas tropas domésticas.

Cavalgávamos usando cota de malha e levávamos armas. Fomos para o oeste e o norte primeiro, porque o Temes estava inchado pelo inverno e precisávamos seguir por um longo caminho rio acima até encontrar um vau suficientemente raso para ser atravessado. Isso foi em Welengaford, outro *burh*, e notei como os muros de terra estavam inacabados e como a madeira para fazer as paliçadas estava apodrecendo na lama, sem acabamento. O comandante da guarnição, um homem chamado Oslac, quis saber por que estávamos atravessando o rio, e era seu direito saber porque ele guardava essa parte da fronteira entre Wessex e a Mércia sem lei. Eu disse que um fugitivo havia escapado de Coccham e supostamente estaria escondido na margem norte do Temes, e Oslac acreditou. A história chegaria logo a Alfredo.

O homem que trouxera a convocação era nosso guia. Chamava-se Huda e contou que servia a um dinamarquês chamado Eilaf, dono de uma propriedade que acompanhava o lado leste da Wæclingastræt. Isso tornava Eilaf um homem da Ânglia Oriental e súdito do rei Guthrum.

— Eilaf é cristão? — perguntei a Huda.

— Todos somos cristãos, senhor — disse Huda. — O rei Guthrum exige isso.

— Então o que Eilaf usa no pescoço?

— O mesmo que o senhor.

Eu usava o martelo de Tor porque não era cristão, e a resposta de Huda me informou que Eilaf, como eu, cultuava os deuses mais antigos, mas para agradar ao rei, Guthrum, fingia crença no deus cristão. Eu conhecera Guthrum nos dias em que ele liderava grandes exércitos para atacar Wessex, mas agora ele estava ficando velho. Havia adotado a religião do inimigo, parecia que não queria mais governar toda a Britânia e se contentava com os amplos campos férteis da Ânglia Oriental como seu reino. No entanto, havia muitos descontentes em suas terras. Sigefrid, Erik, Haesten e provavelmente Eilaf. Eram noruegueses e dinamarqueses, eram guerreiros, faziam sacrifícios a Tor e a Odin, mantinham as espadas afiadas e sonhavam, como sonham todos os nórdicos, com as terras mais ricas de Wessex.

Cavalgamos através da Mércia, a terra sem rei, e notei que muitas fazendas haviam sido queimadas, de modo que agora o único traço de sua existência era um trecho de terra calcinada onde crescia o mato. Mais mato cobria o que já fora terra arada. Jovens aveleiras tinham invadido os pastos. Onde as pessoas ainda viviam, no medo, e quando nos viam chegando corriam para as florestas ou então se trancavam atrás de paliçadas.

— Quem governa aqui? — perguntei a Huda.

— Dinamarqueses — disse ele, e em seguida balançou a cabeça para o oeste. — Lá, saxões.

— Eilaf não quer esta terra?

— Ele tem muitas, senhor, mas os saxões o incomodam.

Segundo o tratado entre Alfredo e Guthrum, esta terra era saxã, mas os dinamarqueses são famintos por terras e Guthrum não podia controlar todos os seus *thegns*. Portanto, esta era uma terra de batalhas, um lugar em que os dois lados travavam uma guerra soturna, pequena e interminável, e os dinamarqueses estavam me oferecendo a coroa.

Sou saxão. Do norte. Sou Uhtred de Bebbanburg, mas fui criado pelos dinamarqueses e conhecia seus costumes. Falava sua língua, havia me casado com uma dinamarquesa e cultuava seus deuses. Se eu fosse rei ali, os saxões saberiam que tinham um governante saxão, enquanto os dinamarqueses me aceitariam porque eu fora filho do *earl* Ragnar. Mas ser rei aqui era me virar contra Alfredo e, se o morto havia falado a verdade sobre colocar o sobrinho bêbado de Alfredo no trono de Wessex, quanto tempo Æthelwold duraria? Menos de um ano, eu achava, antes que os dinamarqueses o matassem, e então toda a Inglaterra estaria sob domínio dinamarquês, menos a Mércia, onde eu, um saxão que pensava como dinamarquês, seria rei. E quanto tempo os dinamarqueses iriam me tolerar?

— Você quer ser rei? — havia me perguntado Gisela na noite anterior à nossa partida.

— Nunca pensei que quisesse — respondi cautelosamente.

— Então por que vai?

Eu havia olhado para o fogo.

— Porque o morto traz uma mensagem das fiandeiras do destino.

— Não se pode evitar as fiandeiras do destino — disse ela baixinho. *Wyrd bið ful ãræd.*

— Portanto, devo ir — falei —, porque o destino exige. E porque quero ver um morto falar.

— E se o morto disser que você será rei?

— Então você será rainha.

— E você lutará contra Alfredo?

— Se as fiandeiras do destino disserem isso.

— E seu juramento a ele?

— As fiandeiras sabem a resposta, mas eu não.

E agora cavalgávamos junto a colinas cobertas de bétulas que se inclinavam a leste e a norte. Passamos a noite numa fazenda deserta e um de nós ficava sempre acordado. Nada nos perturbou e, ao amanhecer, sob um céu cor de aço de espada, continuamos cavalgando. Huda ia à frente, montando um de meus cavalos. Conversei com ele durante um tempo, e descobri que ele era caçador e que havia servido a um senhor saxão morto por Eilaf, e que se considerava contente sob o comando do dinamarquês. Suas respostas ficaram mais carrancudas e mais curtas à medida que nos aproximávamos da Wæclingastræt, de modo que, depois de um tempo, fiquei para trás, cavalgando ao lado de Finan.

— Confia nele? — perguntou Finan, assentindo para Huda.

Dei de ombros.

— O dono dele obedece a Sigefrid e Haesten, e eu conheço Haesten. Salvei a vida dele, e isso significa alguma coisa.

Finan pensou nisso.

— Você salvou a vida dele? Como?

— Eu o resgatei dos frísios. Ele fez juramento a mim.

— E violou o juramento?

— Violou.

— Então Haesten não é de confiança — disse Finan com firmeza. Não falei nada. Três cervos estavam prontos para fugir, do lado oposto de uma pastagem vazia. Seguimos até uma trilha cheia de mato ao lado de uma cerca viva, onde cresciam crocos. — O que eles querem — continuou Finan — é Wessex. E para tomar Wessex precisam lutar. E sabem que você é o maior guerreiro de Alfredo.

— O que eles querem é o *burh* de Coccham.

E para conseguir isso me ofereceriam a coroa da Mércia, mas eu não havia revelado essa oferta a Finan nem a qualquer outro homem. Só havia dito a Gisela.

Claro que eles queriam muito mais. Queriam Lundene porque isso lhes garantia uma cidade murada no Temes, mas Lundene ficava na margem mércia e não iria ajudá-los a invadir Wessex. Mas se eu lhes desse Coccham eles estariam na margem sul e poderiam usar Coccham como base para atacar o interior de Wessex. No mínimo Alfredo lhes pagaria para deixar Coccham, e assim eles ganhariam muita prata mesmo que fracassassem em desalojá-lo do trono.

Mas eu achava que Sigefrid, Erik e Haesten não estavam atrás meramente de prata. O prêmio era Wessex, e para ganhar Wessex precisavam de homens. Guthrum não iria ajudá-los, a Mércia estava dividida entre dinamarqueses e saxões e podia oferecer poucos homens dispostos a deixar seus lares desguarnecidos, mas para além da Mércia ficava a Nortúmbria, e esta tinha um rei dinamarquês que comandava a lealdade de um grande guerreiro dinamarquês. O rei era irmão de Gisela, e o guerreiro, Ragnar, era meu amigo. Ao me comprar eles acreditavam que poderiam trazer a Nortúmbria para sua guerra. O norte dinamarquês conquistaria o sul saxão. Era isso que desejavam. Era isso que os dinamarqueses haviam desejado durante toda a minha vida. Eu só precisava violar meu juramento para com Alfredo e me tornar rei da Mércia, e a terra que alguns chamavam de Inglaterra iria se tornar Daneland, terra dinamarquesa. Eu achava que era por isso que o morto havia me chamado.

Chegamos à Wæclingastræet ao pôr do sol. Os romanos haviam reforçado a estrada com um leito de cascalho e bordas de pedras, e parte do trabalho ainda aparecia através do pálido capim de inverno ao lado do qual, num marco coberto de musgo, estava escrito Durocobrivis V.

— O que é Durocobrivis? — perguntei a Huda.

— Nós chamamos de Dunastopol — disse ele dando de ombros, para indicar que o lugar era insignificante.

Atravessamos a estrada. Num país bem-governado eu poderia esperar guardas patrulhando-a para proteger os viajantes, mas não havia nenhum à vista. Apenas corvos voando até uma floresta ali perto e nuvens prateadas se estendendo pelo céu do oeste, enquanto à nossa frente a escuridão permanecia inchada e pesada acima da Ânglia Oriental. Morros baixos ficavam ao norte, na direção de Dunastopol, e Huda nos guiou em direção àqueles morros subindo por um vale comprido e raso em que macieiras nuas se destacavam na semiescuridão. A noite havia caído quando chegamos ao castelo de Eilaf.

Os homens de Eilaf me receberam como se eu já fosse rei. Serviçais me esperavam junto ao portão de sua paliçada para pegar nossos cavalos, e outro se ajoelhou junto à porta do castelo para me oferecer uma tigela de água para me lavar e um pano para enxugar as mãos. Um guardião pegou minhas duas espadas, a comprida Bafo de Serpente e a estripadora chamada Ferrão de Vespa. Pegou-as respeitosamente, como se lamentasse o costume de que nenhum homem poderia portar espada dentro de um castelo, mas esse era um bom costume. Espadas e cerveja não combinam bem.

O castelo estava apinhado. Havia pelo menos quarenta homens, a maioria usando malha ou couro, de pé dos dois lados da lareira central na qual um grande fogo chamejava enchendo de fumaça as traves do teto. Alguns homens fizeram reverência quando entrei, outros só me olharam enquanto eu ia cumprimentar o anfitrião, que estava com a esposa e dois filhos ao lado da lareira. Haesten se encontrava ao lado deles, rindo. Um serviçal me trouxe um chifre contendo cerveja.

— Senhor Uhtred! — cumprimentou Haesten em voz alta, de modo que cada homem e mulher no castelo soubessem quem eu era. O riso de Haesten era um tanto malicioso, como se ele e eu compartilhássemos uma piada secreta naquele castelo. Haesten tinha cabelo cor de ouro, rosto quadrado, olhos brilhantes e usava uma túnica de lã fina, tingida de verde, sobre a qual havia uma grossa corrente de prata. Seus braços estavam cheios de braceletes de prata e ouro, e broches de prata estavam presos em suas botas longas.
— É bom vê-lo, senhor — disse ele, e me fez uma levíssima reverência.

— Ainda vivo, Haesten? — perguntei, ignorando meu anfitrião.

— Ainda vivo, senhor.

— E não é de espantar — disse eu. — Na última vez em que o vi, você estava em Ethandun.

— Um dia chuvoso, senhor, pelo que me lembro.

— E você estava correndo como uma lebre, Haesten.

Vi a sombra atravessar seu rosto. Eu o havia acusado de covardia, mas ele merecia um ataque de minha parte porque havia prestado juramento de ser meu homem, e traíra o juramento ao me abandonar.

Eilaf, sentindo encrenca, pigarreou. Era um homem pesado, alto, com o cabelo ruivo mais luminoso que já vi. Era encaracolado, a barba também era, e ambos tinham cor de fogo. Eilaf, o Vermelho, como era chamado, mesmo sendo alto e pesado, de algum modo parecia menor do que Haesten, que tinha uma confiança sublime em suas próprias capacidades.

— Seja bem-vindo, senhor Uhtred — disse Eilaf.

Ignorei-o. Haesten estava me observando, o rosto ainda anuviado, mas então eu ri.

— Mas todo o exército de Guthrum correu naquele dia — disse eu —, e os que não fugiram estão todos mortos. Portanto, fico feliz por ter visto você correr.

Então ele sorriu.

— Matei oito homens em Ethandun — disse ele, ansioso para que seus homens soubessem que não era covarde.

— Então fico aliviado porque não enfrentei sua espada — respondi, recuperando meu insulto anterior com lisonja falsa. Depois me virei para o ruivo Eilaf. — E você — perguntei —, esteve em Ethandun?

— Não, senhor — disse ele.

— Então perdeu uma luta rara. Não foi, Haesten? Uma luta para ser lembrada.

— Um massacre na chuva, senhor — disse Haesten.

— E eu ainda manco por causa daquilo — falei, o que era verdade, mas a coxeadura era pequena e nem um pouco inconveniente.

Fui apresentado a mais três homens, todos dinamarqueses. Estavam bem-vestidos e tinham braceletes para mostrar as proezas. Agora esqueci seus nomes, mas estavam ali para me ver e haviam trazido seus seguidores. Enquanto Haesten fazia as apresentações, entendi que ele estava querendo aparecer à minha custa. Estava provando que eu havia me juntado a ele, e que, portanto, era seguro se juntarem a ele. Haesten estava preparando a rebelião naquele castelo. Puxei-o de lado.

— Quem são esses sujeitos? — perguntei.

— Eles têm terras e homens nesta parte do reino de Guthrum.

— E você quer os homens deles?

— Devemos fazer um exército — disse Haesten simplesmente.

Olhei-o de cima a baixo. Essa rebelião, pensei, não era somente contra Guthrum da Ânglia Oriental, mas contra Alfredo de Wessex, e se quisesse ter sucesso, toda a Britânia teria de ser erguida por meio de espada, lança e machado.

— E se eu me recusar a me juntar a você?

— O senhor irá se juntar — disse ele com confiança.

— Irei?

— Porque esta noite, senhor, o morto irá lhe falar. — Haesten sorriu, e nesse momento Eilaf interveio dizendo que tudo estava pronto.

— Vamos levantar o morto — disse Haesten dramaticamente, tocando o amuleto do martelo pendurado no pescoço. — Em seguida festejaremos. — Ele indicou a porta no fundo do salão. — Por aqui, por favor, senhor. Por aqui.

Assim, fui conhecer o morto.

Haesten nos guiou para a escuridão e me lembro de ter pensado em como era fácil dizer que os mortos se erguiam e falavam se o negócio era feito numa escuridão tamanha. Como saberíamos? Poderíamos ouvir o cadáver, talvez, mas não poderíamos vê-lo, e eu já ia protestar quando dois homens de Eilaf vieram do castelo com galhos acesos que chamejavam luminosos na noite úmida. Guiaram-nos passando por um cercado de porcos, e os olhos dos animais refletiram a luz do fogo. Havia chovido enquanto estávamos no castelo, apenas uma chuva passageira de inverno, mas a água ainda pingava dos galhos nus. Finan, nervoso com a feitiçaria que iríamos testemunhar, ficou perto de mim.

Seguimos um caminho morro abaixo até um pequeno pasto ao lado do que achei tratar-se de um celeiro, e ali as tochas foram jogadas em montes de madeira já preparados, que pegaram fogo rápido, de modo que as chamas saltaram iluminando a parede de madeira e a palha molhada do teto do celeiro. Enquanto a luz aumentava, vi que não era um pasto, e sim um cemitério. O pequeno campo era pontilhado de pequenos montes de terra, e era bem cercado para impedir que animais desenterrassem os mortos.

— Aquela era nossa igreja — explicou Huda. Ele havia aparecido a meu lado e assentiu para o que eu havia presumido que fosse um celeiro.

— Você é cristão? — perguntei.

— Sim, senhor. Mas agora não temos padre. — Ele fez o sinal da cruz. — Nossos mortos vão para o descanso sem confissão.

— Eu tenho um filho num cemitério cristão — falei, e me perguntei por que teria dito isso. Raramente pensava em meu filho morto na infância. Eu não o havia conhecido. Sua mãe e eu estávamos separados. No entanto, me lembrei dele naquela noite escura, naquele lugar molhado dos mortos. — Por que um *scald* dinamarquês está enterrado numa sepultura cristã? — perguntei a Huda. — Você me disse que ele não era cristão.

— Ele morreu aqui, senhor, e nós o enterramos antes de sabermos disso. Talvez por isso ele esteja inquieto, não?

— Talvez — respondi, depois ouvi a agitação atrás de mim e desejei ter pensado em pedir minhas espadas antes de sair do castelo de Eilaf.

Virei-me, esperando um ataque, e em vez disso vi dois homens arrastando um terceiro em nossa direção. O terceiro era magro, jovem e louro. Seus olhos pareciam enormes à luz das chamas. Estava gemendo. Os homens que o arrastavam eram muito maiores e a luta dele era inútil. Olhei interrogativamente para Haesten.

— Para levantar o morto, senhor — explicou ele —, temos de mandar um mensageiro atravessar o golfo.

— Quem é ele?

— Um saxão — respondeu Haesten sem dar importância.

— Ele merece morrer? — perguntei. Eu não tinha escrúpulos com relação à morte, mas sentia que Haesten mataria como uma criança afogando um camundongo, e não queria ter a morte de um homem em minha consciência se esse homem não tivesse merecido morrer. Isto não era uma batalha, em que um homem tinha a chance de ir para as alegrias eternas do castelo de Odin.

— Ele é ladrão — disse Haesten.

— Duas vezes ladrão — acrescentou Eilaf.

Fui até o rapaz e levantei sua cabeça pelo queixo, assim vi que ele tinha a marca de um ladrão condenado, queimada na testa.

— O que você roubou? — perguntei.

— Uma capa, senhor — disse ele num sussurro. — Estava com frio.

— Esse foi o primeiro roubo? Ou o segundo?

— O primeiro foi um cordeiro — respondeu Eilaf atrás de mim.

— Eu estava faminto, senhor — disse o rapaz —, e meu filho estava morrendo de fome.

— Você roubou duas vezes — falei —, o que significa que deve morrer. — Essa era a lei, mesmo neste lugar sem lei. O rapaz estava chorando, mas continuou a me olhar. Pensou que eu poderia ceder e ordenar que sua vida fosse poupada, mas virei-me. Eu havia roubado muitas coisas na vida, quase todas mais valiosas do que um cordeiro ou uma capa, mas eu roubo enquanto o dono está olhando e enquanto pode defender sua propriedade com a espada. O ladrão que rouba no escuro é que merece morrer.

Huda estava fazendo o sinal da cruz repetidamente. Estava nervoso. O jovem ladrão gritou palavras incompreensíveis para mim até que um de seus guardas lhe deu um tapa na boca, e então ele simplesmente baixou a cabeça e chorou. Finan e meus três saxões seguravam as cruzes penduradas no pescoço.

— Está pronto, senhor? — perguntou-me Haesten.

— Sim — respondi, tentando parecer confiante, mas na verdade me sentia tão nervoso quanto Finan. Há uma cortina entre nosso mundo e as terras dos mortos, e parte de mim queria que ela permanecesse fechada. Procurei instintivamente o punho de Bafo de Serpente, mas, claro, ela não estava comigo.

— Ponha a mensagem na boca dele — ordenou Haesten. Um dos guardas tentou abrir a boca do rapaz, mas o prisioneiro resistiu até que uma faca foi enfiada entre seus lábios e ele a escancarou. Um objeto foi enfiado sobre sua língua. — Uma corda de harpa — explicou Haesten —, e Bjorn saberá o significado. Matem-no agora — acrescentou aos guardas.

— Não! — gritou o rapaz, cuspindo a corda enrolada. Começou a gritar e chorar enquanto os dois homens o arrastavam até um dos montes de terra. Cada um ficou de um dos lados do monte, segurando o prisioneiro acima da sepultura. A lua estava prateando uma abertura entre as nuvens. O pátio da igreja cheirava a chuva nova. — Não, por favor, não. — O rapaz estava tremendo, chorando. — Eu tenho mulher, tenho filhos, não! Por favor!

— Matem-no — ordenou Eilaf.

Um dos guardas empurrou a corda de harpa de volta para a boca do mensageiro, depois manteve a mandíbula fechada. Em seguida, inclinou para trás a cabeça do jovem, com força, expondo a garganta, e o segundo dinamarquês cortou-a com um movimento de ida e volta, rápido e treinado. Ouvi um som contido, gutural, e vi o sangue saltar negro à luz das chamas. Molhou os dois homens, caiu sobre a sepultura e bateu molhado na grama úmida. O corpo do mensageiro se contorceu e lutou por um tempo enquanto o fluxo de sangue ia diminuindo. Então, finalmente, o rapaz se afrouxou em meio aos guardas que deixaram as últimas gotas de sangue caírem fracamente na sepultura. Só quando não corria mais sangue eles o arrastaram para longe, largando o cadáver ao lado da cerca de madeira do cemitério. Eu estava prendendo o fôlego. Nenhum de nós se mexia. Uma coruja, com as asas espantosamente brancas na noite, voou logo acima de mim e eu toquei instintivamente o amuleto do martelo, convencido de que tinha visto a alma do ladrão ir para o outro mundo.

Haesten ficou perto da sepultura encharcada de sangue.

— Você tem sangue, Bjorn! — gritou ele. — Eu lhe dei uma vida! Mandei-lhe uma mensagem!

Nada aconteceu. O vento suspirou na palha da igreja. Em algum lugar um animal se moveu na escuridão e depois ficou parado. Um pedaço de lenha despencou numa das fogueiras e fagulhas saltaram para cima.

— Você tem sangue! — gritou Haesten de novo. — Precisa de mais sangue?

Pensei que nada iria acontecer. Que eu havia desperdiçado a viagem.

E então a sepultura se mexeu.

Dois

O monte da sepultura se mexeu.

Lembro-me de um frio apertando meu coração e do terror me consumindo, mas não podia respirar nem me mover. Fiquei fixo, olhando, esperando o horror.

A terra caiu para dentro, ligeiramente, como se uma toupeira estivesse cavando para sair de seu morrinho. Mais solo se remexeu e uma coisa cinza surgiu. A coisa cinza estremeceu e eu vi que a terra estava caindo mais depressa enquanto a coisa cinza se erguia do monte. Estava na semiescuridão porque as fogueiras ficavam atrás de nós e nossas sombras eram lançadas sobre o fantasma que nascera da terra invernal, um fantasma em forma de um cadáver imundo que saiu cambaleando de sua cova partida. Vi um morto que estremeceu, meio caiu, lutou para encontrar o equilíbrio e finalmente ficou de pé.

Finan agarrou meu braço. Ele não teve ideia de que fez isso. Huda estava ajoelhado e segurando a cruz no pescoço. Eu só olhava.

E o cadáver fez um ruído como de uma tosse, engasgado, como o estertor de morte de um homem. Algo foi cuspido de sua boca, e ele engasgou de novo, e lentamente se desdobrou para ficar totalmente de pé, e à luz sombreada das fogueiras vi que o morto vestia uma mortalha cinza e suja. Tinha um rosto pálido sujo de terra, um rosto intocado pela podridão. O cabelo comprido pendia escorrido e branco nos ombros magros. Ele respirava, mas com dificuldade, assim como um homem agonizante tinha dificuldade para respirar. E isso estava certo, lembro-me de ter pensado, porque esse homem estava retornando da morte e estaria exatamente como quando havia feito a jornada rumo a ela. Deu um gemido longo, depois tirou algo da boca. Jogou aquilo em nossa direção e dei um passo involuntário para trás antes de ver que era uma corda de harpa enrolada. Então eu soube que a coisa impossível que via era real, porque tinha visto os guardas forçarem a corda de harpa para dentro da boca do mensageiro, e agora o cadáver nos mostrava que havia recebido o objeto.

— Vocês não me deixam em paz — disse o morto numa meia-voz rouca, e a meu lado Finan fez um som que era como um gemido de desespero.

— Bem-vindo, Bjorn — disse Haesten. Dentre nós, Haesten era o único que parecia despreocupado com a presença viva do cadáver. Havia até mesmo diversão em sua voz.

— Quero paz — disse Bjorg, com a voz parecendo um grasnado.

— Este é o senhor Uhtred — disse Haesten, apontando para mim —, que mandou muitos bons dinamarqueses para o lugar onde você vive.

— Eu não vivo — respondeu Bjorg com amargura. Em seguida começou a grunhir e seu peito arfava espasmodicamente como se o ar da noite doesse nos pulmões. — Amaldiçoo você — disse ele a Haesten, mas tão debilmente que as palavras não representavam ameaça.

Haesten riu.

— Hoje eu tive uma mulher, Bjorn. Você se lembra das mulheres? Da sensação das coxas macias? Do calor da pele? Lembra-se do barulho que elas fazem quando a gente as monta?

— Que Hel beije você por todo o tempo — disse Bjorn — até o caos final. — Hel era a deusa dos mortos, um cadáver podre de uma deusa, e a maldição era pavorosa, mas Bjorn falou de novo de modo obtuso que essa segunda maldição, como a primeira, era vazia. Os olhos do morto estavam fechados, mas o peito ainda arfava e as mãos faziam movimentos como se quisessem agarrar o ar frio.

Eu estava aterrorizado e não me importo em confessar. Neste mundo é uma certeza que os mortos vão para suas casas longas na terra e ficam lá. Os cristãos dizem que nossos cadáveres irão todos ressuscitar um dia e que o ar ficará cheio com as trombetas dos anjos e o céu irá luzir como o ouro batido enquanto os mortos saem do chão, mas nunca acreditei nisso. Nós morremos, vamos para o outro mundo e ficamos lá, mas Bjorn havia retornado. Havia brigado com os ventos da escuridão e as marés da morte, havia lutado para retornar a esse mundo e agora estava de pé diante de nós, magro, alto, imundo e rouco, e eu tremia. Finan havia se abaixado sobre um dos joelhos. Meus outros homens estavam atrás de mim, mas eu sabia que tremiam tanto quanto eu. Só Haesten parecia não se afetar com a presença do morto.

— Diga ao senhor Uhtred — ordenou ele a Bjorn — o que as Norns lhe disseram.

As Norns são as fiandeiras do destino, as três mulheres que tecem os fios da vida nas raízes de Yggdrasil, a árvore da vida. Sempre que uma criança nasce, elas iniciam um fio novo, e sabem até onde ele irá, com que outros fios irá se entrelaçar e como terminará. Sabem tudo. Ficam sentadas, fiam e riem de nós, e algumas vezes nos banham de sorte e algumas vezes nos condenam à dor e às lágrimas.

— Diga — ordenou Haesten com impaciência — o que as Norns falaram sobre ele.

Bjorn ficou quieto. Seu peito arfou e as mãos estremeceram. Seus olhos estavam fechados.

— Diga a ele — disse Haesten — e eu lhe devolverei sua harpa.

— Minha harpa — repetiu Bjorn pateticamente. — Quero minha harpa.

— Vou colocá-la de volta em sua sepultura — disse Haesten — e você poderá cantar para os mortos. Mas primeiro fale com o senhor Uhtred.

Bjorn abriu os olhos e me encarou. Encolhi-me diante daqueles olhos escuros, mas me obriguei a olhar de volta, fingindo uma coragem que não sentia.

— O senhor será rei, senhor Uhtred — disse Bjorn, depois deu um gemido longo, como uma criatura que sentisse dor. — O senhor será rei — soluçou ele.

O vento estava frio. Uma gota de chuva tocou minha bochecha. Não falei nada.

— Rei da Mércia — disse Bjorn em voz súbita e surpreendentemente alta. — Será rei de saxões e dinamarqueses, inimigo dos galeses, rei entre os rios e senhor de tudo o que governar. Será poderoso, senhor Uhtred, porque as três fiandeiras o amam. — Ele me encarou e, ainda que o destino que tivesse pronunciado fosse de ouro, havia uma malignidade em seus olhos mortos. — O senhor será rei — disse, e a última palavra soou como veneno em sua língua.

Então meu temor passou, sendo substituído por um jorro de orgulho e poder. Não duvidava da mensagem de Bjorn porque os deuses não falam em vão, e as fiandeiras conhecem nosso destino. Nós, saxões, dizemos *wyrd bið ful ãræd*, e até os cristãos aceitam essa verdade. O destino nos governa. Nossa vida é feita antes de a vivermos, e eu seria rei da Mércia.

Naquele momento não pensei em Bebbanburg, que é minha terra, minha fortaleza junto ao mar no norte, meu lar. Eu acreditava que toda a minha vida era dedicada a recuperá-la de meu tio, que a havia roubado de mim quando eu era criança. Eu sonhava com Bebbanburg, e nos sonhos via suas rochas partindo o mar cinza em branco e sentia os vendavais golpeando a palha do teto do castelo, mas quando Bjorn falou não pensei em Bebbanburg. Pensei em ser rei. Em governar uma terra. Em liderar um grande exército para esmagar meus inimigos.

E pensei em Alfredo, no dever para com ele e nas promessas que havia lhe feito. Sabia que precisaria violar um juramento para ser rei, mas a quem os juramentos são feitos? Aos reis, portanto, um rei tem o poder de liberar um homem de um juramento, e eu me disse que, como rei, poderia me liberar de qualquer juramento, e tudo isso chicoteou minha mente como um redemoinho de vento soprando num pátio de debulha para lançar a palha no céu. Não pensava com clareza. Estava tão confuso quanto a palha girando na brisa, e não pesei meu juramento a Alfredo contra meu futuro como rei. Só via dois caminhos adiante, um duro e montanhoso, o outro uma grande estrada verdejante levando a um reino. E, além disso, que opção eu tinha? *Wyrd bið ful ãræd.*

Então, no silêncio, Haesten se ajoelhou subitamente diante de mim.

— Senhor rei — disse ele, e havia uma reverência inesperada em sua voz.

— Você violou um juramento feito a mim — falei asperamente. Por que disse isso naquela hora? Eu poderia tê-lo confrontado antes, no castelo, mas foi junto àquela cova aberta que fiz a acusação.

— Violei, senhor rei, e me arrependo.

Fiz uma pausa. O que eu estava pensando? Que já era rei?

— Eu o perdoo — falei. Podia ouvir meu coração batendo. Bjorn apenas olhava e a luz das tochas acesas lançavam sombras fundas em seu rosto.

— Obrigado, senhor rei — disse Haesten, e a seu lado Eilaf, o Vermelho, se ajoelhou, em seguida todos os homens naquele cemitério molhado se ajoelharam diante de mim.

— Ainda não sou rei — falei, subitamente envergonhado com o tom senhorial que havia usado com Haesten.

— Será, senhor — disse Haesten. — As fiandeiras dizem.

Virei-me para o cadáver.

— O que mais as três fiandeiras dizem?

— Que o senhor será rei — respondeu Bjorn — e que será rei de outros reis. Será senhor da terra entre os rios e flagelo de seus inimigos. Será rei. — Ele parou subitamente e entrou num espasmo, com a parte superior do corpo se sacudindo à frente, depois os espasmos pararam e ele ficou imóvel, inclinado adiante, com ânsias de vômito, antes de desmoronar lentamente na terra mexida.

— Enterrem-no de novo — ordenou Haesten com aspereza, levantando-se e falando aos homens que haviam cortado a garganta do saxão.

— A harpa dele — disse eu.

— Vou devolvê-la amanhã, senhor — respondeu Haesten, em seguida fez um gesto na direção do castelo de Eilaf. — Há comida, senhor rei, e cerveja. E uma mulher para o senhor. Duas, se quiser.

— Tenho uma esposa — respondi asperamente.

— Então há comida, cerveja e calor para o senhor — disse ele com humildade. Os outros homens se levantaram. Meus guerreiros me olhavam estranhamente, confusos com a mensagem que tinham ouvido, mas ignorei-os. Rei de outros reis. Senhor da terra entre os rios. Rei Uhtred.

Olhei para trás uma vez e vi os dois homens raspando o solo para refazer a sepultura de Bjorn, em seguida acompanhei Haesten para o castelo e ocupei a cadeira no centro da mesa, a do senhor, e observei os homens que tinham visto o morto se erguer, e vi que estavam tão convencidos quanto eu, e isso significava que levariam suas tropas para o lado de Haesten. A rebelião contra Guthrum, a rebelião destinada a se espalhar pela Britânia e destruir Wessex, estava sendo liderada por um morto. Pousei a cabeça nas mãos e pensei. Pensei em ser rei. Pensei em liderar exércitos.

— Soube que sua esposa é dinamarquesa, não? — disse Haesten, interrompendo meus pensamentos.

— É — respondi.

— Então os saxões da Mércia terão um rei saxão e os dinamarqueses da Mércia terão uma rainha dinamarquesa. Ambos ficarão felizes.

Levantei a cabeça e o encarei. Sabia que ele era inteligente e ardiloso, mas naquela noite ele estava sendo cuidadosamente subserviente e demonstrando respeito genuíno.

— O que você quer, Haesten?

— Sigefrid e seu irmão querem conquistar Wessex — disse ele, ignorando minha pergunta.

— O velho sonho — respondi com escárnio.

— E para fazer isso — disse ele, desconsiderando meu escárnio — precisaremos de homens da Nortúmbria. Ragnar virá, se você pedir.

— Virá — concordei.

— E se Ragnar vier, outros o seguirão. — Ele partiu um pão e empurrou o pedaço maior para mim. Uma tigela de cozido estava à minha frente, mas não a toquei. Em vez disso, comecei a esmigalhar o pão, sentindo as lascas de granito que sobram da pedra de moer. Eu não estava pensando no que fazia, apenas mantendo as mãos ocupadas enquanto observava Haesten.

— Você não respondeu à minha pergunta — disse eu. — O que você quer?

— A Ânglia Oriental.

— Rei Haesten?

— Por que não? — perguntou ele, sorrindo.

— Por que não, senhor rei? — retruquei provocando um sorriso mais largo.

— Rei Æthelwold em Wessex — disse Haesten —, rei Haesten na Ânglia Oriental e rei Uhtred na Mércia.

— Æthelwold? — perguntei com escárnio, pensando no sobrinho bêbado de Alfredo.

— Ele é o rei por direito de Wessex, senhor — disse Haesten.

— E quanto tempo viverá?

— Não muito — admitiu Haesten —, a não ser que seja mais forte do que Sigefrid.

— Então será Sigefrid de Wessex?

Haesten sorriu.

— Eventualmente, senhor, sim.

— E quanto ao irmão dele, Erik?

— Erik gosta de ser viking. O irmão dele toma Wessex e Erik pega os navios. Erik será um rei do mar.

Então seria Sigefrid de Wessex, Uhtred da Mércia e Haesten na Ânglia Oriental. Três doninhas num saco, pensei, mas não deixei que o pensamento aparecesse.

— E onde começa esse sonho? — perguntei, em vez disso.

Seu sorriso sumiu. Agora estava sério.

— Sigefrid e eu temos homens. Não o suficiente, mas o coração de um bom exército. Você traz Ragnar para o sul com os dinamarqueses da Nortúmbria, e teremos mais do que o suficiente para tomar a Ânglia Oriental. Metade dos *earls* de Guthrum irá se juntar a nós quando virem você e Ragnar. Depois tomamos os homens da Ânglia Oriental, juntamos com nosso exército e conquistamos a Mércia.

— E juntamos os homens da Mércia — terminei por ele — para tomar Wessex?

— Sim. Quando as folhas caírem, e quando os celeiros estiverem cheios, marcharemos contra Wessex.

— Mas sem Ragnar não podem fazer nada.

Ele baixou a cabeça, concordando.

— E Ragnar não marchará a não ser que o senhor se junte a nós.

Poderia dar certo, pensei. Guthrum, o rei dinamarquês da Ânglia Oriental, havia fracassado repetidamente em conquistar Wessex e agora fizera a paz com Alfredo, mas só porque Guthrum se tornara cristão e agora era aliado de Alfredo, isso não significava que outros dinamarqueses tivessem abandonado o sonho dos ricos campos de Wessex. Se homens em número suficiente pudessem ser reunidos, a Ânglia Oriental cairia, e seus *earls*, sempre ansiosos por saques, marchariam sobre a Mércia. Então os nortumbrianos, mércios e anglos orientais poderiam se virar contra Wessex, o reino mais rico e o último reino saxão na terra dos saxões.

Eu, no entanto, havia jurado a Alfredo. Havia jurado defender Wessex. Dera meu juramento a Alfredo, e sem juramento não somos melhores do que animais. Porém, as Norns haviam falado. O destino é inexorável, não pode ser trapaceado. Aquele fio da minha vida já estava no lugar, e eu não poderia mudá-lo, assim como não poderia fazer o sol andar para trás. As Norns haviam mandado um mensageiro através do golfo negro para me dizer que meu juramento deveria ser quebrado e que eu seria rei, assim assenti para Haesten.

— Que seja — falei.

— Você deve se encontrar com Sigefrid e Erik, e devemos fazer juramentos.

— Sim.

— Amanhã partiremos para Lundene — disse ele, observando-me cuidadosamente.

Então a coisa havia começado. Sigefrid e Erik estavam preparados para defender Lundene, e ao fazer isso desafiavam os mércios, que reivindicavam a cidade como deles, e desafiavam Alfredo, que temia que Lundene fosse guarnecida por um inimigo, e desafiavam Guthrum, que queria manter a paz na Britânia. Mas não haveria paz.

— Amanhã — disse Haesten de novo — partiremos para Lundene.

Cavalgamos no dia seguinte. Fui com meus seis homens enquanto Haesten tinha 21 companheiros, e seguimos a Wæclingastræt para o sul sob uma chuva persistente que transformava as margens da estrada em lama densa. Os cavalos estavam sofrendo, nós estávamos sofrendo. Enquanto seguíamos tentei me lembrar de cada palavra que Bjorn, o morto, me dissera, sabendo que Gisela desejaria que a conversa fosse narrada em cada detalhe.

— E então? — questionou Finan logo depois do meio-dia. Haesten havia se adiantado e agora Finan esporeou seu cavalo para manter o passo com o meu.

— Então?

— Então você vai ser rei na Mércia?

— É o que as fiandeiras do destino dizem — respondi sem olhar para ele. Finan e eu havíamos sido escravos juntos num navio mercante. Havíamos sofrido, congelado, suportado e aprendido a gostar um do outro como irmãos, e eu me importava com sua opinião.

— As fiandeiras são ardilosas — disse Finan.

— Essa é uma visão cristã?

Ele sorriu. Usava o capuz da capa sobre o elmo, de modo que eu podia ver pouco de seu rosto magro e feroz, mas vi o clarão de dentes quando ele sorriu.

— Fui um grande homem na Irlanda — disse ele. — Tinha cavalos para correr mais depressa do que o vento, mulheres para ofuscar o sol e armas que poderiam vencer o mundo, no entanto as fiandeiras me condenaram.

— Você está vivo e é um homem livre.

— Sou jurado a você — disse ele — e dei meu juramento por livre vontade. E você, senhor, é jurado a Alfredo.

— Sim — respondi.

— Você foi obrigado a fazer seu juramento a Alfredo?

— Não — confessei.

A chuva estava pinicando meu rosto. O céu parecia baixo, a terra era escura.

— Se o destino é inevitável — perguntou Finan —, por que fazemos juramentos?

Ignorei a pergunta.

— Se eu violar meu juramento a Alfredo — falei em vez disso —, você vai violar o seu a mim?

— Não, senhor — disse ele sorrindo de novo. — Eu sentiria falta de sua companhia. Mas você não sentiria falta da companhia de Alfredo.

— Não — admiti, e deixamos a conversa se esvair com a chuva soprada pelo vento, mas as palavras de Finan se demoraram em minha mente e me perturbaram.

Passamos aquela noite perto do grande templo de santo Alban. Os romanos haviam feito uma cidade ali, mas agora ela havia se arruinado, por isso ficamos num castelo dinamarquês logo a leste. Nosso anfitrião foi bastante receptivo, mas cauteloso na conversa. Admitiu ter ouvido dizer que Sigefrid havia levado homens para a velha cidade de Lundene, mas não condenou nem elogiou o ato. Usava o amuleto do martelo, como eu, mas também mantinha um padre saxão que rezou antes da refeição de pão, toucinho e feijão. O religioso era uma lembrança de que aquele castelo ficava na Ânglia Oriental, e que esta era oficialmente cristã e estava em paz com seus vizinhos cristãos, mas nosso anfitrião se certificava de que o portão de sua paliçada estivesse fechado e de ter homens armados vigiando durante a noite úmida. Havia um ar imóvel nessa terra, uma sensação de que uma tempestade poderia começar a qualquer momento.

A chuvarada parou durante a escuridão. Partimos ao amanhecer, saindo num mundo de geada e imobilidade, mas a Wæclingastræt ficou mais movimentada quando encontramos homens levando gado para Lundene. Os animais eram magros, mas tinham sido poupados da matança de outono para poder alimentar a cidade durante o inverno. Seguimos em frente e os vaqueiros se ajoelharam quando tantos homens armados passaram ruidosamente por eles. As nuvens se dissiparam a leste, de modo que, quando chegamos a Lundene no meio do dia, o sol estava luminoso atrás do denso lençol de fumaça escura que sempre paira sobre a cidade.

Sempre gostei de Lundene. É um lugar de ruínas, comércio e malignidade que se esparrama pela margem norte do Temes. As ruínas eram as construções que os romanos deixaram ao abandonar a Britânia, e sua antiga cidade coroava os morros na extremidade leste da cidade, rodeada por uma muralha feita de tijolos e pedras. Os saxões nunca haviam gostado das construções romanas, temendo seus fantasmas, assim haviam feito sua cidade a oeste, um lugar de palha, madeira e barro, becos estreitos e valas fedorentas que deveriam levar o esgoto para o rio, mas em geral ficavam brilhando imundas até que uma chuvarada as transbordasse. A nova cidade saxã era um lugar movimentado, fedendo com a fumaça dos fogos dos ferreiros e barulhenta com os gritos dos comerciantes. Na verdade, era movimentada demais para se incomodar em fazer uma muralha defensiva. Por que precisariam de uma, argumentavam os saxões, quando os dinamarqueses se contentavam em viver na cidade antiga e não haviam demonstrado qualquer desejo de trucidar os habitantes da nova? Havia paliçadas em alguns lugares, evidência de que alguns homens tinham tentado proteger a cidade nova que crescia rapidamente, mas o entusiasmo pelo projeto sempre morria e as paliçadas apodreciam, ou então as madeiras eram roubadas para fazer novas construções ao longo das ruas fedendo a esgoto.

O comércio de Lundene vinha do rio e das estradas que levavam a todas as partes da Britânia. As estradas, claro, eram romanas, e por elas fluíam lã e cerâmica, lingotes e peles, enquanto o rio trazia luxos de outras terras, escravos da Frankia e homens famintos procurando encrenca. Havia bastante disso, porque a cidade, construída onde três reinos se encontravam, praticamente não tinha governo naqueles anos.

A leste de Lundene a terra era a Ânglia Oriental, portanto governada por Guthrum. Ao sul, na outra margem do Temes, ficava Wessex, e a oeste ficava a Mércia, à qual a cidade realmente pertencia, mas a Mércia era um país aleijado sem rei, de modo que não havia nenhum *reeve* para manter a ordem em Lundene e nenhum grande senhor para impor leis. Homens andavam armados nos becos, mulheres tinham guarda-costas e grandes cães eram acorrentados junto aos portões. Corpos eram encontrados toda manhã, a não ser que a maré os carregasse rio abaixo em direção ao mar, para além da costa em que os dinamarqueses tinham seu grande acampamento em Beamfleot, de onde os navios dos homens do norte partiam para exigir pagamentos aduaneiros dos comerciantes que subiam pela ampla foz do Temes. Os homens do norte não tinham autoridade para impor essas taxas, mas tinham navios, homens, espadas e machados, e isso era autoridade suficiente.

Haesten havia cobrado uma quantidade suficiente dessas taxas ilegais, na verdade havia enriquecido com a pirataria, tinha se tornado poderoso, mas mesmo assim estava nervoso quando entramos na cidade. Havia falado incessantemente enquanto nos aproximávamos de Lundene, em particular sobre nada, e riu com facilidade demais quando fiz comentários sobre suas palavras sem sentido. Mas então, enquanto passávamos entre as torres semicaídas de cada lado de uma passagem ampla, ele ficou em silêncio. Havia sentinelas na passagem, mas deviam ter reconhecido Haesten, porque não nos questionaram, simplesmente puxaram de lado os tapumes que bloqueavam o arco arruinado. Dentro do arco pude ver uma pilha de madeira, o que significava que a porta estava sendo reconstruída.

Havíamos chegado à cidade romana, a velha cidade, e nossos cavalos seguiram em passo lento subindo a rua pavimentada com pedras largas entre as quais crescia o mato denso. Estava frio. A geada permanecia nos cantos escuros onde o sol não havia alcançado a pedra durante todo o dia. As construções tinham janelas fechadas através das quais a fumaça de lenha saía e redemoinhava pela rua abaixo.

— Já esteve aqui antes? — Haesten rompeu o silêncio com a pergunta abrupta.

— Muitas vezes — respondi. Agora Haesten e eu íamos à frente.

— Sigefrid — disse Haesten, depois descobriu que não tinha nada a dizer.

— É norueguês, pelo que ouvi dizer.

— É imprevisível — completou Haesten, e o tom de sua voz me disse que era Sigefrid que o deixava nervoso. Haesten havia encarado um cadáver vivo sem se abalar, mas o pensamento em Sigefrid o deixava apreensivo.

— Eu posso ser imprevisível — falei —, e você também.

Haesten não disse nada. Em vez disso, tocou o martelo pendurado em seu pescoço, depois virou o cavalo entrando numa passagem na qual serviçais correram para nos receber.

— O palácio do rei — disse Haesten.

Eu conhecia o palácio. Fora construído pelos romanos e era um grande prédio abobadado feito de colunas e pedras esculpidas, mas fora remendado pelos reis da Mércia, de modo que palha, barro e madeira preenchiam os buracos nas paredes meio arruinadas. O grande salão tinha fileiras de colunas romanas e as paredes eram de tijolos, mas aqui e ali haviam sobrevivido retalhos do acabamento de mármore. Olhei para o alto trabalho em pedra e me maravilhei ao pensar que homens tinham sido capazes de fazer paredes assim. Nós construíamos com madeira e palha, e ambas apodreciam, o que significava que não deixaríamos nada para trás. Os romanos haviam deixado mármore e pedra, tijolos e glória.

Um administrador nos disse que Sigefrid e seu irmão mais novo estavam na antiga arena romana localizada ao norte do palácio.

— O que ele está fazendo lá? — perguntou Haesten.

— Um sacrifício, senhor — disse o administrador.

— Então vamos nos juntar a ele — respondeu Haesten, me olhando como se quisesse confirmação.

— Vamos — disse eu.

Cavalgamos a curta distância. Mendigos se encolhiam para longe de nós. Tínhamos dinheiro, e eles sabiam, mas não ousavam pedir porque éramos estranhos armados. Espadas, escudos, machados e lanças pendiam dos flancos enlameados de nossos cavalos. Vendedores se curvavam diante de nós, enquanto mulheres escondiam as crianças nas saias. A maioria das pessoas que vivia na parte romana de Lundene era dinamarquesa, mas até esses dinamarqueses estavam nervosos. Sua cidade fora ocupada pelos tripulantes de Sigefrid que estariam famintos por dinheiro e mulheres.

Eu conhecia a arena romana. Quando era criança, aprendi os golpes fundamentais da espada com Toki, o comandante de navio, e ele me dera essas lições na grande arena oval rodeada por camadas arruinadas de pedra em que antes eram postos bancos de madeira. Os degraus de pedra estavam quase vazios, a não ser por algumas pessoas à toa, olhando os homens no centro da arena repleta de mato ralo. Devia haver quarenta ou cinquenta homens ali, e uns vinte cavalos selados presos na extremidade mais distante, porém o que mais me surpreendeu, enquanto cavalgava pelas altas paredes da entrada, foi uma cruz cristã plantada no meio da pequena multidão.

— Sigefrid é cristão? — perguntei atônito a Haesten.

— Não! — respondeu ele enfaticamente.

Os homens ouviram os cascos de nossos cavalos e se viraram. Todos estavam vestidos para a guerra, com cota de malha ou couro e armados com espadas ou machados, mas estavam animados. Então, do centro daquela multidão, de um lugar perto da cruz, saiu Sigefrid.

Eu o reconheci mesmo sem que dissessem quem ele era. Era um homem grande e parecia ainda maior porque usava uma grande capa de pele de urso preto que o envolvia do pescoço aos tornozelos. Tinha botas de couro preto de cano alto, uma brilhante cota de malha, um cinto de espada cravejado com rebites de prata e uma barba preta e farta que brotava de baixo do elmo de ferro enquanto ele caminhava em nossa direção, e seu cabelo era tão preto e farto quanto a barba. Tinha olhos escuros num rosto largo, um nariz que fora quebrado e amassado e uma boca larga que lhe conferia aparência séria. Parou, encarando-nos, e separou os pés como se esperasse um ataque.

— Senhor Sigefrid! — cumprimentou Haesten com alegria forçada.

— Senhor Haesten! Bem-vindo! Muitíssimo bem-vindo. — A voz de Sigefrid era curiosamente aguda, não feminina, mas soava estranha vinda de um homem tão enorme e de aparência malévola. — E o senhor! — ele apontou a mão com luva preta na minha direção. — Deve ser o senhor Uhtred!

— Uhtred de Bebbanburg — respondi.

— E é bem-vindo, muitíssimo bem-vindo! — Ele se adiantou e segurou minhas rédeas pessoalmente, o que era uma honra, em seguida sorriu para mim, e seu rosto, que fora tão temível, ficou subitamente maroto, quase amigável. — Dizem que é alto, senhor Uhtred!

— É o que me disseram — respondi.

— Então vejamos quem é mais alto — sugeriu ele afavelmente —, o senhor ou eu? — Desci da sela e afastei a rigidez das pernas. Sigefrid, vasto em sua capa de pele, ainda segurava minhas rédeas e sorria. — E então? — perguntou aos homens mais perto dele.

— O senhor é mais alto — disse um deles rapidamente.

— Se eu perguntasse quem era o mais bonito — disse Sigefrid —, o que você responderia?

O homem olhou de Sigefrid para mim, e de mim para Sigefrid, e não sabia o que dizer. Apenas parecia aterrorizado.

— Ele teme que, se der a resposta errada — confidenciou-me Sigefrid em voz divertida —, eu o mate.

— E mataria?

— Pensaria nisso. Aqui! — Ele chamou o homem, que se adiantou nervoso. — Pegue as rédeas e leve o cavalo para passear. Então, quem é mais alto? — Esta última pergunta foi feita a Haesten.

— Os dois são da mesma altura — respondeu Haesten.

— E igualmente bonitos — disse Sigefrid, e gargalhou. Em seguida passou os braços em volta de mim e senti o fedor azedo de sua capa de pele. Ele me abraçou. — Bem-vindo, senhor Uhtred, bem-vindo! — A seguir deu um passo atrás e riu. Gostei dele naquele momento porque seu sorriso era realmente receptivo. — Ouvi falar muito sobre o senhor! — declarou.

— E eu, sobre o senhor.

— E sem dúvida contaram muitas mentiras a nós dois! Mas boas mentiras. Também tenho uma questão com o senhor. — Ele riu, esperando, mas não lhe dei resposta. — Jarrel! — explicou ele. — Você o matou.

— Matei. — Jarrel era o líder da tripulação viking que eu havia trucidado no Temes.

— Eu gostava de Jarrel — disse Sigefrid.

— Então deveria tê-lo alertado para evitar Uhtred de Bebbanburg.

— Verdade. E também é verdade que você matou Ubba?

— Matei.

— Deve ter sido um homem difícil de matar! E Ivarr?

— Também matei Ivarr — confirmei.

— Mas ele era velho e já era hora de partir. O filho dele odeia você, sabia?

— Sei.

Sigefrid fungou com desprezo.

— O filho é um nada. Um pedaço de cartilagem. Odeia você, mas por que o falcão deveria se incomodar com o ódio do pardal? — Ele riu para mim, depois olhou para Smoca, meu garanhão, que estava sendo levado pela arena para esfriar lentamente depois da longa viagem. — Aquilo é um cavalo! — disse Sigefrid, admirando.

— É mesmo — concordei.

— Talvez eu devesse tirá-lo de você, não?

— Muitos tentaram.

Ele gostou disso. Riu de novo e pôs a mão pesada em meu ombro para me levar na direção da cruz.

— Você é saxão, pelo que me disseram, não?

— Sou.

— Mas não é cristão?

— Cultuo os deuses verdadeiros.

— Que eles o amem e recompensem por isso — disse ele, em seguida apertou meu ombro e, mesmo através da malha e do couro, pude sentir sua força. Em seguida se virou. — Erik! Está envergonhado?

Seu irmão se destacou do grupo. Tinha o mesmo cabelo preto e farto, mas o de Erik estava bem preso atrás, com um pedaço de cordão. Sua barba era aparada. Era jovem, talvez apenas 20 ou 21 anos, e tinha rosto largo com olhos brilhantes, ao mesmo tempo repletos de curiosidade e receptividade. Eu ficara surpreso ao descobrir que gostava de Sigefrid, mas não foi surpresa gostar de Erik. Seu sorriso era instantâneo, o rosto aberto e sem malícia. Era, como o irmão de Gisela, um homem de quem a gente gostava no momento em que conhecia.

— Sou Erik — cumprimentou ele.

— Ele é meu conselheiro — disse Sigefrid —, minha consciência e meu irmão.

— Consciência?

— Erik não mataria um homem por ter contado uma mentira, mataria, irmão?

— Não — respondeu Erik.

— Então é um idiota, mas um idiota que eu amo. — Sigefrid gargalhou. — Mas não pense que o idiota é fraco, senhor Uhtred. Ele luta como um demônio do Niflheim. — Em seguida deu um tapa no ombro do irmão, depois segurou meu cotovelo e me guiou em direção à cruz incongruente. —

Tenho prisioneiros — explicou enquanto nos aproximávamos da cruz, e eu vi que havia cinco homens ajoelhados com as mãos amarradas às costas. Tinham sido despidos dos mantos, de armas e túnicas, de modo que só usavam os calções. Tremiam no ar frio.

A cruz fora feita recentemente com duas traves de madeira pregadas grosseiramente e depois enfiada num buraco cavado às pressas. Estava ligeiramente inclinada. Ao pé estavam alguns pregos pesados e um grande martelo.

— A gente vê a morte na cruz nas estátuas, nos entalhes deles — explicou Sigefrid — e nos amuletos que eles usam, mas nunca vi a coisa de verdade. Você já?

— Não — admiti.

— E não posso entender como isso mataria um homem — disse ele com perplexidade genuína. — São só três pregos! Já sofri muito mais do que isso em batalha.

— Eu também.

— Por isso pensei em descobrir! — terminou ele, todo animado, depois virou a barba grande na direção do prisioneiro mais perto da cruz. — Os dois desgraçados ali na ponta são padres cristãos. Vamos pregar um deles e ver se ele morre. Tenho dez moedas de prata que dizem que isso não vai matá-lo.

Eu não podia ver quase nada dos dois padres, a não ser que um tinha barriga grande. Sua cabeça estava baixa, não em oração, mas porque fora muito espancado. As costas e o peito nus estavam cheios de marcas e sangrentos, e havia mais sangue no emaranhado de cabelo castanho encaracolado.

— Quem são eles? — perguntei a Sigefrid.

— Quem são vocês? — rosnou ele aos prisioneiros e, quando nenhum respondeu, deu um chute brutal nas costelas do que estava mais próximo. — Quem são vocês? — perguntou de novo.

O homem levantou a cabeça. Era idoso, teria pelo menos 40 anos, e tinha rosto fundo e enrugado no qual estava escrita a resignação daqueles que sabem que estão para morrer.

— Sou o *earl* Sihtric — disse ele —, conselheiro do rei Æthelstan.

— Guthrum! — gritou Sigefrid, e foi um grito mesmo. De pura fúria que irrompeu de lugar nenhum. Num momento ele estivera afável, mas de repente era um demônio. Cuspe voou de sua boca enquanto berrava o nome pela segunda vez. — Guthrum! O nome dele é Guthrum, seu desgraçado! — Em seguida chutou Sihtric no peito, e achei que aquele chute teria força para partir uma costela. — Qual é o nome dele? — perguntou Sigefrid.

— Guthrum — disse Sihtric.

— Guthrum — gritou Sigefrid, e chutou o velho de novo. Quando fez a paz com Alfredo, Guthrum havia se tornado cristão e assumido o nome cristão de Æthelstan. Eu ainda pensava nele como Guthrum, assim como Sigefrid, que agora aparentemente estava tentando pisotear Sihtric até a morte. O velho tentou escapar dos golpes, mas Sigefrid o havia empurrado para o chão, de onde ele não podia fugir. Erik pareceu não se abalar com a raiva selvagem do irmão, mas depois de um tempo se adiantou e segurou o braço de Sigefrid, que se deixou ser puxado para longe. — Desgraçado! — Sigefrid cuspiu na direção do homem que gemia. — Chamando Guthrum por um nome cristão! — explicou-me. Sigefrid ainda estava tremendo em razão da raiva súbita. Seus olhos haviam se estreitado e o rosto estava contorcido, mas ele pareceu se controlar enquanto passava o braço pesado por meus ombros. — Guthrum os enviou, para mandar que eu saia de Lundene. Mas isso não é da conta de Guthrum! Lundene não pertence à Ânglia Oriental! Pertence à Mércia! Ao rei Uhtred da Mércia! — Era a primeira vez que alguém usava esse título de modo tão formal, e gostei daquilo. Rei Uhtred. Sigefrid se virou de novo para Sihtric, que tinha sangue nos lábios. — Qual era a mensagem de Guthrum?

— Que a cidade pertence à Mércia e que o senhor deve ir embora — conseguiu dizer Sihtric.

— Então a Mércia pode me expulsar — zombou Sigefrid.

— A não ser que o rei Uhtred nos deixe ficar? — sugeriu Erik com um sorriso.

Não falei nada. O título soava bem, mas estranho, como se desafiasse os fios que saíam das três fiandeiras.

— Alfredo não permitirá que o senhor fique — ousou dizer um dos outros prisioneiros.

— Quem liga a mínima para Alfredo? — rosnou Sigefrid. — Que o desgraçado mande seu exército para morrer aqui.

— Essa é sua resposta, senhor? — perguntou o prisioneiro humildemente.

— Minha resposta serão suas cabeças cortadas — disse Sigefrid.

Nesse momento olhei para Erik. Ele era o irmão mais novo, mas claramente era quem pensava. Deu de ombros.

— Se negociarmos — explicou ele —, daremos tempo para nossos inimigos juntarem suas forças. É melhor desafiar.

— Você faria guerra com Guthrum e Alfredo ao mesmo tempo? — perguntei.

— Guthrum não vai lutar — disse Erik, parecendo ter muita certeza. — Ameaça, mas não vai lutar. Ele está ficando velho, senhor Uhtred, e preferiria aproveitar o que lhe resta da vida. E se mandarmos cabeças cortadas para ele? Acho que vai entender o recado de que sua própria cabeça corre perigo, caso nos incomode.

— E Alfredo? — perguntei.

— Ele é cauteloso, não é? — perguntou Erik.

— É.

— Vai nos oferecer dinheiro para sair da cidade?

— Provavelmente.

— E talvez nós aceitemos — disse Sigefrid — e fiquemos mesmo assim.

— Alfredo não vai atacar antes do verão — disse Erik, ignorando o irmão —, e até lá, senhor Uhtred, esperamos que o senhor tenha trazido o *earl* Ragnar para o sul, até a Ânglia Oriental. Alfredo não pode ignorar essa ameaça. Marchará contra nossos exércitos combinados, não contra a guarnição de Lundene, e nosso trabalho é matar Alfredo e pôr seu sobrinho no trono.

— Æthelwold? — perguntei em dúvida. — Ele é um bêbado.

— Bêbado ou não — disse Erik —, um rei saxão tornará nossa conquista de Wessex mais palatável.

— Até que vocês não precisem mais dele.

— Até não precisarmos mais dele — concordou Erik.

O padre barrigudo no fim da fileira de prisioneiros ajoelhados estivera escutando. Olhou para mim, depois para Sigefrid, que viu seu olhar.

— O que está olhando, cagalhão? — perguntou Sigefrid. O padre não respondeu, apenas me olhou de novo, depois baixou a cabeça. — Vamos começar com ele — disse Sigefrid —, vamos pregar o desgraçado gordo numa cruz e ver se ele morre.

— Por que não deixá-lo lutar? — sugeri.

Sigefrid me encarou, sem saber se tinha me ouvido corretamente.

— Deixá-lo lutar?

— O outro padre é magricelo — respondi —, muito mais fácil de pregar na cruz. O gordo deve receber uma espada e lutar.

Sigefrid deu um risinho de desprezo.

— Você acha que um padre consegue lutar?

Dei de ombros, como se não me importasse.

— É só que eu gosto de ver esses barrigudos perderem uma luta — expliquei. — Gosto de ver as barrigas sendo abertas. Gosto de olhar as tripas se derramando. — Eu estava olhando para o padre enquanto falava, e ele levantou a cabeça de novo, para me encarar. — Quero ver metros de tripas se derramando — falei com ar lupino —, depois olhar seus cães comerem os intestinos enquanto ele ainda estiver vivo.

— Ou fazer com que ele mesmo coma — disse Sigefrid pensativamente. De súbito riu para mim. — Gosto de você, senhor Uhtred!

— Ele vai morrer muito facilmente — observou Erik.

— Então lhe dê alguma coisa pela qual lutar — sugeri.

— Em nome de quê um porco de um padre pode lutar? — perguntou Sigefrid com escárnio.

Não falei nada, e foi Erik quem deu a resposta.

— Pela liberdade? — sugeriu ele. — Se ele vencer, todos os prisioneiros ficam livres, mas se perder, nós crucificamos todos. Isso deve fazê-lo lutar.

— Mesmo assim ele vai perder — disse eu.

Sigefrid gargalhou, divertido com a incongruência da sugestão. O padre, seminu, barrigudo e aterrorizado, olhou para cada um de nós, mas não viu nada além de diversão e ferocidade.

— Já segurou uma espada, padre? — perguntou Sigefrid ao gordo. O padre ficou quieto.

Zombei de seu silêncio com uma gargalhada.

— Ele só vai ficar se sacudindo feito um porco.

— Quer lutar com ele? — perguntou Sigefrid.

— Ele não foi enviado a mim, senhor — falei respeitosamente. — Além disso, ouvi dizer que não há quem se compare à sua habilidade com uma espada. Desafio o senhor a fazer um corte atravessando o umbigo dele.

Sigefrid gostou do desafio. Virou-se para o padre.

— Homem santo! Quer lutar por sua liberdade?

O padre estava tremendo de medo. Olhou para os companheiros, mas não encontrou ajuda ali. Conseguiu assentir.

— Sim, senhor — disse ele.

— Então pode lutar comigo — disse Sigefrid, animado. — E se eu vencer? Todos vocês morrem. E se você vencer? Podem ir embora daqui. Você sabe lutar?

— Não, senhor — respondeu o padre.

— Já segurou uma espada, padre?

— Não, senhor.

— Então está preparado para morrer?

O padre olhou para o norueguês e, apesar dos hematomas e dos cortes, havia uma sugestão de raiva em seus olhos que era negada pela humildade na voz.

— Sim, senhor. Estou preparado para morrer e encontrar meu Salvador.

— Solte-o — ordenou Sigefrid a um dos seus seguidores. — Solte o cagalhão e lhe dê uma espada. — Em seguida desembainhou a sua, que era uma espada longa, de dois gumes. — Espalha-Medo — disse ele o nome da lâmina, com carinho na voz. — E ela precisa de exercício.

— Aqui — disse eu, e desembainhei Bafo de Serpente, minha linda espada, e virei-a de modo que pudesse segurá-la pela lâmina. Em seguida joguei a espada para o padre, cujas mãos tinham acabado de ser liberadas. Ele não conseguiu pegar, deixando Bafo de Serpente cair em meio ao mato pálido de inverno. Olhou para a espada por um momento, como se nunca tivesse visto algo assim, depois se curvou para pegá-la. Não sabia se deveria segurar com a mão direita ou a esquerda. Decidiu-se pela esquerda e experimentou um golpe desajeitado que fez os espectadores rirem.

— Por que lhe deu sua espada? — perguntou Sigefrid.

— Ele não vai fazer nada de bom com ela — respondi com escárnio.

— E se eu quebrá-la? — perguntou Sigefrid enfaticamente.

— Então vou saber que o ferreiro que a fez não conhecia o trabalho.

— A espada é sua, a escolha é sua — disse Sigefrid sem dar importância, depois se virou para o padre que segurava Bafo de Serpente apoiando a ponta no chão. — Está preparado, padre?

— Sim, senhor — disse o padre, e foi a primeira resposta sincera que ele dera ao norueguês. Porque o padre havia segurado uma espada muitas vezes antes, sabia lutar e eu duvidava de que estivesse preparado para morrer. Era o padre Pyrlig.

Se seus campos estiverem pesados e úmidos com barro, você pode arrear dois bois a um arado, pode tirar sangue dos bichos, atiçando-os, para que a lâmina do arado fure seu chão. Os animais devem puxar juntos, motivo pelo qual são postos na mesma canga, e na vida um boi se chama Destino e o outro se chama Juramentos.

O destino decreta o que fazemos. Não podemos escapar ao destino. *Wyrd bið ful ãræd.* Não temos escolha na vida, como podemos ter? Porque, desde o momento em que nascemos, as três irmãs sabem aonde nosso fio irá, que padrões tecerá e como terminará. *Wyrd bið ful ãræd.*

Escolhemos, no entanto, nossos juramentos. Alfredo, quando me deu sua espada e as mãos para envolver nas minhas, não ordenou que eu fizesse o juramento. Ofereceu-o e eu escolhi. Mas teria sido minha escolha? Ou será que as fiandeiras escolheram por mim? E, se escolheram, por que me incomodar com juramentos? Pensei nisso muitas vezes, e mesmo agora, quando sou velho, ainda me pergunto. Será que eu escolhi Alfredo? Ou eram as fiandeiras que riam quando me ajoelhei e segurei sua espada e suas mãos?

As três Norns certamente estavam rindo naquele dia frio e luminoso em Lundene, porque no momento em que vi que o padre barrigudo era o padre Pyrlig, soube que nada era simples. Naquele instante eu havia percebido que as fiandeiras do destino não haviam feito um fio dourado que me levava a um trono. Estavam rindo nas raízes da Yggdrasil, a árvore da vida. Tinham feito uma piada e eu era sua vítima, e tinha uma escolha a fazer.

Será que tinha mesmo? Talvez as fiandeiras tivessem feito a escolha, mas naquele momento, à sombra da cruz improvisada, magra e nítida, acreditei que eu tinha de escolher entre os irmãos Thurgilson e Pyrlig.

Sigefrid não era amigo, mas era um homem formidável, e com sua aliança eu poderia me tornar rei da Mércia. Gisela seria rainha. Eu poderia ajudar Sigefrid, Erik, Haesten e Ragnar a saquear Wessex. Poderia ficar rico. Comandaria exércitos. Faria voar meu estandarte da cabeça do lobo, e nos calcanhares de Smoca viria uma hoste de lanceiros cavalgando em cota de malha. Meus inimigos ouviriam o trovão de nossos cascos em seus pesadelos. Tudo isso seria meu se eu optasse por me aliar a Sigefrid.

Ao passo que escolhendo Pyrlig eu perderia tudo o que o morto havia me prometido. O que significava que Bjorn havia mentido, mas como um homem enviado da sepultura com uma mensagem das Norns poderia dizer uma mentira? Lembro-me de ter pensado tudo isso num instante antes de fazer a escolha, ainda que na verdade não houvesse hesitação. Não houve sequer um átimo de hesitação.

Pyrlig era um galês, um britão, e nós, saxões, odiamos os britões. Os britões são ladrões traiçoeiros. Escondem-se em suas fortalezas nos morros e cavalgam para atacar nossas terras, tomam nosso gado e algumas vezes nossas mulheres e filhos, e quando os perseguimos, eles penetram cada vez mais num lugar selvagem feito de névoas, penhascos, pântanos e sofrimento. A escolha pareceria fácil demais! De um lado um reino, amigos vikings e riqueza, e do outro um britão que era sacerdote de uma religião que suga a alegria do mundo como o crepúsculo absorvendo a luz do dia. No entanto, não pensei. Escolhi, ou o destino escolheu, e eu escolhi a amizade. Pyrlig era meu amigo. Eu o havia conhecido no inverno mais escuro de Wessex, quando os dinamarqueses pareciam ter conquistado o reino, e Alfredo, com alguns poucos seguidores, fora impelido a se refugiar nos pântanos do oeste. Pyrlig fora mandado como emissário de seu rei galês para descobrir, e talvez explorar, as fraquezas de Alfredo, mas em vez disso ficou do lado de Alfredo e lutou por Alfredo. Pyrlig e eu havíamos estado juntos na parede de escudos. Havíamos lutado lado a lado. Éramos galês e saxão, cristão e pagão, e deveríamos ser inimigos, mas eu o amava como a um irmão.

Assim lhe dei a espada e, em vez de vê-lo pregado a uma cruz, dei-lhe a chance de lutar pela vida.

E, claro, não foi uma luta justa. Terminou num instante! Na verdade, mal havia começado e logo acabou, e fui o único a não ficar perplexo com o fim.

Sigefrid estava esperando enfrentar um padre gordo e sem treino, mas eu sabia que Pyrlig havia sido guerreiro antes de descobrir seu deus. Fora um grande guerreiro, matador de saxões e homem sobre quem seu povo havia feito canções. Agora não parecia um grande guerreiro. Estava seminu, gordo, desgrenhado, com hematomas e espancado. Esperou o ataque de Sigefrid com uma expressão de terror horrorizado no rosto, com a ponta de Bafo de Serpente ainda pousada no chão. Recuou quando Sigefrid chegou mais perto e começou a soltar miados. Sigefrid riu e girou sua espada quase preguiçosamente, esperando derrubar a de Pyrlig e expor sua grande barriga para o corte de Espalha-Medo.

E Pyrlig se moveu como uma doninha.

Levantou Bafo de Serpente com graça e dançou um passo para trás, de modo que o giro descuidado de Sigefrid passou por baixo dela. Em seguida avançou para o inimigo e baixou Bafo de Serpente com força, controlando inteiramente com o pulso o golpe, e acertou-a no braço de Sigefrid que segurava a arma enquanto este ainda estava girando para fora. O golpe não teve força suficiente para romper a armadura de malha, mas impeliu o braço de Sigefrid ainda para mais longe e assim abriu o norueguês para uma estocada. E Pyrlig estocou. Foi tão rápido que Bafo de Serpente virou um borrão prateado acertando com força o peito de Sigefrid.

De novo a lâmina não furou a malha de Sigefrid. Em vez disso, empurrou o grandalhão para trás e eu vi a fúria surgir nos olhos do norueguês, vi-o trazer Espalha-Medo de volta num giro poderoso que certamente teria decapitado Pyrlig num instante rubro. Havia muita força e selvageria naquele golpe gigantesco, mas Pyrlig, que parecia a instantes da morte, simplesmente usou o pulso de novo. Não parecia se mover, mas mesmo assim Bafo de Serpente subiu e foi para o lado.

A ponta de Bafo de Serpente encontrou aquele giro mortal por dentro do pulso de Sigefrid e eu vi o jorro de sangue como uma névoa vermelha no ar.

E vi Pyrlig sorrir. Era mais uma careta, mas naquele sorriso havia um orgulho de guerreiro e um triunfo de guerreiro. Sua lâmina havia rasgado o antebraço de Sigefrid de baixo para cima, cortando a malha e abrindo carne, pele e músculo do pulso ao cotovelo, de modo que o golpe poderoso de Sigefrid hesitou e parou. O braço com a espada do norueguês ficou frouxo, e de repente Pyrlig deu um passo atrás e virou Bafo de Serpente para cortar de cima para baixo, e por fim pareceu colocar algum esforço na arma. Ela fez um som como um assobio enquanto o galês acertava o pulso sangrento de Sigefrid. Quase decepou o pulso, mas a lâmina resvalou num osso e, em vez disso, arrancou o polegar do norueguês, em seguida Espalha-Medo caiu no chão da arena e Bafo de Serpente estava na barba e na garganta de Sigefrid.

— Não! — gritei.

Sigefrid estava pasmo demais para sentir raiva. Não podia acreditar no que havia acontecido. Naquele momento deve ter percebido que seu oponente era um espadachim, mas ainda não podia acreditar que perdera. Levantou as mãos sangrentas como se fosse agarrar a espada de Pyrlig, e eu vi a arma do galês estremecer e Sigefrid, sentindo a morte à distância de um fio de cabelo, ficou imóvel.

— Não — repeti.

— Por que eu não deveria matá-lo? — perguntou Pyrlig, e agora sua voz era a de guerreiro, dura e implacável, e seus olhos eram também de guerreiro, gélidos e furiosos.

— Não — falei de novo. Eu sabia que, se Pyrlig matasse Sigefrid, os homens de Sigefrid teriam sua vingança.

Erik também sabia.

— Você venceu, padre — disse ele, baixinho. Em seguida foi até o irmão. — Você venceu — disse de novo a Pyrlig —, portanto baixe a espada.

— Ele sabe que eu venci? — perguntou Pyrlig, olhando os olhos escuros de Sigefrid.

— Eu falo por ele — respondeu Erik. — Você venceu a luta, padre, e está livre.

— Primeiro tenho de dar minha mensagem — disse Pyrlig. Sangue pingava da mão de Sigefrid. Ele continuava encarando o galês. — A mensagem que trazemos do rei Æthelstan — disse Pyrlig, falando de Guthrum — é que vocês devem sair de Lundene. Ela não faz parte da terra cedida por Alfredo para ser governada pelos dinamarqueses. Entenderam? — Em seguida balançou Bafo de Serpente de novo, mas Sigefrid não disse nada. — Agora quero cavalos — continuou Pyrlig —, e o senhor Uhtred e seus homens devem nos escoltar para fora de Lundene. Concordam?

Erik me olhou e eu assenti.

— Está concordado — disse Erik a Pyrlig.

Peguei Bafo de Serpente da mão de Pyrlig. Erik estava segurando o braço ferido do irmão. Por um momento achei que Sigefrid atacaria o galês desarmado, mas Erik conseguiu virá-lo para longe.

Cavalos foram trazidos. Os homens na arena estavam em silêncio e ressentidos. Tinham visto seu líder ser humilhado e não entendiam por que Pyrlig tinha permissão de partir com os outros enviados, mas aceitaram a decisão de Erik.

— Meu irmão é cabeça dura — disse-me Erik. Ele havia me puxado de lado para conversar enquanto as selas eram postas nos cavalos.

— Afinal de contas, parece que o padre sabia lutar — falei em tom de desculpas.

Erik franziu a testa, não com raiva, e sim com perplexidade.

— Estou curioso com relação ao deus deles — admitiu. Ele olhava para o irmão, cujos ferimentos estavam sendo enrolados com bandagens. — O deus deles parece ter mesmo poder — disse Erik. Enfiei Bafo de Serpente na bainha e Erik viu a cruz de prata que decorava o botão do punho. — Você também deve achar isso, não?

— Isso foi um presente — respondi. — De uma mulher. Uma boa mulher. Uma amante. Então o deus cristão tomou-a e ela não ama mais os homens.

Erik estendeu a mão e tocou a cruz, hesitando.

— Você não acha que isso dá poder à espada?

— A lembrança do amor dela poderia dar. Mas o poder vem daqui. — Toquei meu amuleto, o martelo de Tor.

— Eu temo o deus deles.

— Ele é duro, não é gentil. É um deus que gosta de fazer leis.

— Leis?

— Você não pode desejar a mulher do vizinho — respondi.

Erik riu disso, depois viu que eu estava sério.

— Verdade? — perguntou com incredulidade na voz.

— Padre! — gritei para Pyrlig. — Seu deus deixa os homens desejarem a mulher do vizinho?

— Deixa, senhor — disse Pyrlig humildemente, como se tivesse medo de mim —, mas desaprova.

— Ele não fez uma lei sobre isso?

— Sim, senhor, fez. E fez outra que diz que não se deve desejar o boi do vizinho.

— Aí está — falei a Erik. — Se for cristão, você não pode nem desejar um boi.

— Estranho — disse ele, pensativo. Estava olhando os enviados de Guthrum, que haviam escapado por pouco de perder a cabeça. — Você não se importa em escoltá-los?

— Não.

— Pode ser uma coisa ruim, se eles viverem — disse Erik baixinho. — Por que dar motivo para Guthrum nos atacar?

— Ele não vai atacar — respondi confiante. — Quer você os mate ou não.

— Provavelmente não, mas nós concordamos que, se o padre ganhasse, todos viveriam, então deixe que vivam. E tem certeza de que você não se incomoda em escoltá-los?

— Claro que não.

— Então volte para cá — disse Erik calorosamente. — Precisamos de você.

— Vocês precisam de Ragnar — corrigi.

— Verdade — confessou ele, e sorriu. — Tire esses homens da cidade em segurança e volte para cá.

— Primeiro tenho uma mulher e filhos para pegar.

— É — disse ele, e sorriu de novo. — Você é felizardo nesse sentido. Mas vai voltar?

— Bjorn, o morto, me disse isso — respondi, tendo o cuidado de evitar sua pergunta.

— É mesmo — concordou Erik. Ele me abraçou. — Precisamos de você, e juntos podemos tomar toda esta ilha.

Partimos, cavalgando pelas ruas da cidade, saindo pelo portão do oeste que era conhecido como Porta Ludd, em seguida fomos ao vau atravessando o rio Fleot. Sihtric estava curvado sobre o arção de sua sela, ainda sofrendo do chute de Sigefrid. Olhei para trás enquanto saíamos do vau, meio esperando que Sigefrid tivesse contrariado a decisão do irmão e mandado homens para nos perseguir, mas nenhum apareceu. Esporeamos através do terreno pantanoso e subimos a pequena encosta até a cidade saxã.

Não fiquei na estrada que ia para o oeste, em vez disso virei para o cais em que havia uma dúzia de navios atracados. Eram barcos do rio, que comerciavam com Wessex e a Mércia. Poucos comandantes gostavam de passar pela abertura perigosa na ponte arruinada que os romanos haviam erguido sobre o Temes, de modo que esses navios eram menores, impelidos por remadores, e todos haviam me pagado taxas em Coccham. Todos me conheciam, porque faziam negócios comigo em cada viagem.

Abrimos caminho em meio a montes de mercadorias, passando por fogueiras e pelos grupos de escravos trabalhando na carga e descarga. Só um navio estava pronto para viajar. Chamava-se *Cisne* e eu o conhecia bem. Tinha tripulação saxã e devia estar quase pronto para partir porque seus remadores estavam parados no cais enquanto o comandante, um homem chamado Osric, terminava os negócios com o comerciante cujas mercadorias ele ia carregar.

— Você vai nos levar também — disse eu.

Deixamos a maioria dos cavalos para trás, mas insisti em que fosse arranjado espaço para Smoca, e Finan também quis manter seu garanhão, assim os animais foram levados ao casco aberto do *Cisne*, no qual ficaram tremendo. Em seguida partimos. A maré estava enchendo, os remos bateram na água e deslizamos rio acima.

— Para onde estou levando-o, senhor? — perguntou Osric, o comandante.

— A Coccham — respondi.

E de volta a Alfredo.

O rio estava largo, cinza e carrancudo. Corria forte, alimentado pelas chuvas de inverno contra as quais a maré montante demonstrava resistência cada vez menor. O *Cisne* trabalhava duro no início da viagem enquanto os remadores lutavam contra a corrente, e eu atraí o olhar de Finan e trocamos sorrisos. Ele estava se lembrando, como eu, de nossos longos meses nos remos de um navio mercante tripulado por escravos. Havíamos sofrido, sangrado e tremido, e tínhamos pensado que só a morte poderia nos libertar daquele destino. Mas agora outros homens remavam para nós enquanto o *Cisne* lutava ao redor das grandes curvas do Temes, suavizadas pela ampla enchente que se estendia para as campinas inundadas.

Sentei-me na pequena plataforma construída na proa rombuda do navio e o padre Pyrlig se juntou a mim ali. Eu havia lhe dado minha capa, que ele apertava com força ao redor do corpo. Pyrlig havia encontrado um pouco de pão e queijo, o que não me surpreendeu, porque nunca conheci um homem que comesse tanto.

— Como sabia que eu iria vencer Sigefrid? — perguntou ele.

— Não sabia. Na verdade, estava esperando que ele vencesse você, e que houvesse um cristão a menos.

Ele sorriu disso, depois olhou para as aves aquáticas na área inundada.

— Eu estava consciente de que teria somente dois ou três golpes — disse — antes de ele perceber que eu sabia o que estava fazendo. Então ele arrancaria a carne de meus ossos.

— Arrancaria mesmo, mas eu achava que você tinha esses três golpes e que seriam suficientes.

— Obrigado por isso, Uhtred — disse ele, depois partiu um pedaço de queijo e me deu. — Como você tem andado ultimamente?

— Entediado.

— Ouvi dizer que se casou.

— Não estou entediado com ela — falei depressa.

— Bom para você! Já eu? Não suporto minha mulher. Santo Deus, que língua aquela víbora tem. É capaz de partir um pedaço de ardósia só de falar com ela! Você não conheceu minha mulher, conheceu?

— Não.

— Algumas vezes eu maldigo Deus por ter tirado uma costela de Adão e feito Eva, mas depois vejo alguma garota nova, meu coração pula e acho que, afinal de contas, Deus sabia o que estava fazendo.

Sorri.

— Achei que os padres cristãos deveriam dar exemplo.

— E o que há de errado em admirar as criações de Deus? — perguntou Pyrlig indignado. — Em especial uma jovem com tetas gorduchas e redondas e um belo traseiro gordo, não é? Seria pecado de minha parte ignorar esses sinais de Sua graça. — Ele riu, depois pareceu ansioso. — Ouvi dizer que você foi feito cativo?

— Fui.

— Rezei por você.

— Obrigado — respondi, e estava sendo sincero. Eu não cultuava o deus cristão, mas, como Erik, temia que ele tivesse algum poder, de modo que as orações a ele não eram desperdiçadas.

— Mas ouvi dizer que foi Alfredo que mandou libertá-lo. Foi? — perguntou Pyrlig.

Fiz uma pausa. Como sempre, eu odiava reconhecer qualquer dívida para com Alfredo, mas admiti de má vontade que ele havia ajudado.

— Ele mandou os homens que me libertaram, sim.

— E você o recompensa, senhor Uhtred, dizendo-se rei da Mércia?

— Você ouviu isso? — perguntei com cautela.

— Claro que ouvi! Aquele enorme imbecil norueguês berrou isso a menos de cinco passos de meu ouvido. Você é rei da Mércia?

— Não — respondi, resistindo a acrescentar "ainda não".

— Não achei que fosse — disse Pyrlig em tom ameno. — Eu teria ouvido falar, não? E não acho que será, pelo menos enquanto Alfredo não quiser.

— Por mim, Alfredo pode mijar na própria goela.

— E, claro, eu devo contar a ele o que ouvi.

— É — respondi amargo. — Deve.

Encostei-me na madeira curva da proa do navio e olhei para as costas dos remadores. Também estava procurando qualquer sinal de algum navio em perseguição, meio esperando ver algum rápido navio de guerra sendo impelido por fileiras de remos longos, mas nenhum mastro aparecia acima das longas curvas do rio, o que sugeria que Erik havia conseguido convencer o irmão contra uma vingança instantânea pela humilhação provocada por Pyrlig.

— Então, de quem é a ideia de que você deveria ser rei da Mércia? — Pyrlig esperou que eu respondesse, mas não falei nada. — De Sigefrid, não é? É uma ideia maluca de Sigefrid.

— Maluca? — perguntei com inocência.

— O sujeito não é idiota — disse Pyrlig —, e o irmão dele certamente não é. Eles sabem que Æthelstan está ficando velho na Ânglia Oriental e perguntam quem será rei depois dele. E não há rei na Mércia. Mas ele não pode simplesmente tomar a Mércia, não é? Os saxões mércios lutarão contra ele e Alfredo virá ajudá-los, e os irmãos Thurgilson irão se pegar enfrentando uma fúria de saxões! Assim Sigefrid tem essa ideia de juntar homens e tomar a Ânglia Oriental primeiro, depois a Mércia, e depois Wessex! E para tudo isso ele realmente precisa que o *earl* Ragnar traga homens da Nortúmbria.

Fiquei pasmo ao ver que Pyrlig, amigo de Alfredo, soubesse de tudo o que Sigefrid, Erik e Haesten planejavam, mas não demonstrei reação.

— Ragnar não lutará — falei, tentando acabar com a conversa.

— A não ser que você peça — disse Pyrlig enfaticamente. Apenas dei de ombros. — Mas o que Sigefrid pode oferecer a você? — Quando não respondi de novo, ele mesmo deu a resposta: — Mércia.

Dei um sorriso condescendente.

— Tudo isso parece muito complicado.

— Sigefrid e Haesten — disse Pyrlig, ignorando meu comentário petulante — têm ambições de ser reis. Mas há apenas quatro reinos aqui! Eles não podem tomar a Nortúmbria porque Ragnar não deixaria. Não podem tomar a Mércia porque Alfredo não deixaria. Mas Æthelstan está ficando velho, por isso eles poderiam tomar a Ânglia Oriental. E por que não terminar o serviço? Tomar Wessex? Sigefrid diz que vai colocar aquele sobrinho bêbado de Alfredo no trono, e que isso vai ajudá-lo a acalmar os saxões durante alguns meses até Sigefrid assassiná-lo, e até lá Haesten será rei da Ânglia Oriental e alguém, talvez você, rei da Mércia. Sem dúvida eles se virariam contra você, então, e dividiriam a Mércia entre os dois. Essa é a ideia, senhor Uhtred, e não é má! Mas quem seguiria aqueles dois bandoleiros?

— Ninguém — menti.

— A não ser que estivesse convencido de que as fiandeiras estavam do seu lado — disse Pyrlig quase casualmente, depois me olhou. — Você se encontrou com o morto? — perguntou com inocência, e fiquei tão atônito pela pergunta que não respondi. Só olhei para seu rosto redondo e espancado. — O nome dele é Bjorn — disse o galês, pondo outro pedaço de queijo na boca.

— Os mortos não mentem — falei bruscamente.

— Os vivos mentem! Por Deus, como mentem! Até eu minto, senhor Uhtred. — Ele riu maliciosamente para mim. — Mandei uma mensagem à minha mulher e disse que ela odiaria estar na Ânglia Oriental! — Ele gargalhou. Alfredo havia pedido a Pyrlig para ir à Ânglia Oriental porque ele era padre e falava dinamarquês, e sua tarefa era educar Guthrum nos costumes cristãos. — Na verdade, ela adoraria aquele lugar! É mais quente do que onde moramos e praticamente não há morros. Plana e molhada, assim é a Ânglia Oriental, e sem um morro de verdade em lugar nenhum! E minha mulher nunca gostou de morros, motivo pelo qual provavelmente encontrei Deus. Eu costumava morar em topos de morros só para ficar longe dela, e no topo dos morros a gente fica mais perto de Deus. Bjorn não está morto.

Ele havia dito as últimas três palavras com brutalidade súbita, e eu respondi com a mesma aspereza.

— Eu o vi.

— Você viu um homem sair de uma sepultura, foi o que viu.

— Eu o vi! — insisti.

— Claro que viu! E nunca pensou em questionar o que viu, não é? — O galês fez a pergunta asperamente. — Bjorn foi posto naquela sepultura logo antes de você chegar! Empilharam terra em cima dele e ele respirava através de um junco.

Lembrei-me de Bjorn cuspindo alguma coisa enquanto cambaleava para ficar de pé. Não a corda de harpa, mas outra coisa. Eu havia pensado que era um torrão de terra, mas na verdade havia sido algo mais claro. Na hora não pensei a respeito, mas agora entendia que toda a ressurreição fora um truque, e sentado na proa do *Cisne* senti os últimos restos do sonho desmoronando. Eu não seria rei.

— Como sabe tudo isso? — perguntei amargamente.

— O rei Æthelstan não é idiota. Ele tem seus espiões. — Pyrlig pôs a mão em meu braço. — Ele foi muito convincente?

— Muito — falei, ainda com amargura.

— É um dos homens de Haesten, e se algum dia o pegarmos ele vai devidamente para o inferno. Então, o que ele lhe disse?

— Que eu seria rei da Mércia — respondi baixinho. Seria rei de saxões e dinamarqueses, inimigo dos galeses, rei entre os rios e senhor de tudo o que eu governasse. — Acreditei nele — falei pesaroso.

— Mas como você poderia ser rei da Mércia, a não ser que Alfredo o tornasse rei?

— Alfredo?

— Você fez um juramento a ele, não foi?

Fiquei com vergonha de dizer a verdade, mas não tinha escolha.

— É — admiti.

— Motivo pelo qual tenho de contar a ele — disse Pyrlig, sério. — Porque um homem violar um juramento é coisa séria, senhor Uhtred.

— É mesmo — concordei.

— E Alfredo terá o direito de matar você quando eu contar.

Dei de ombros.

— Melhor manter seu juramento — disse Pyrlig — do que ser enganado por homens que fazem um vivo se fingir de cadáver. As fiandeiras não estão do seu lado, senhor Uhtred. Confie em mim.

Olhei para ele e vi a tristeza em seus olhos. Ele gostava de mim, no entanto estava me dizendo que eu fora enganado, e estava certo, e o sonho estava desmoronando ao meu redor.

— Que opção eu tenho? — perguntei amargo. — Você sabe que fui a Lundene para me juntar a eles, e deve contar isso a Alfredo, e ele nunca mais confiará em mim.

— Duvido de que ele confie em você agora — disse Pyrlig, animado. — Alfredo é um homem sábio. Mas conhece você, Uhtred, sabe que você é guerreiro, e ele precisa de guerreiros. — Pyrlig parou para puxar a cruz de madeira pendurada ao pescoço. — Jure sobre ela — disse ele.

— Jurar o quê?

— Que manterá o juramento a ele! Faça isso e eu ficarei em silêncio. Faça isso e negarei o que aconteceu. Faça isso e protegerei você.

Hesitei.

— Se você violar o juramento a Alfredo — disse Pyrlig —, você é meu inimigo e ele será forçado a matá-lo.

— Você acha que poderia?

Ele deu seu riso malicioso.

— Ah, você gosta de mim, senhor, mesmo eu sendo galês e padre, e relutaria em me matar, e eu teria três golpes antes de você acordar para o perigo, de modo que sim, senhor, eu o mataria.

Pus a mão direita na cruz.

— Juro — falei.

E eu ainda era homem de Alfredo.

Três

Chegamos a Coccham naquela tarde e fiquei olhando Gisela, que tinha tão pouco amor pelo cristianismo quanto eu, sendo calorosa com o padre Pyrlig. Ele flertou com ela de modo ultrajante, elogiou-a de maneira extravagante e brincou com nossos filhos. Tínhamos dois, e havíamos tido sorte, porque os dois bebês estavam vivos, assim como a mãe. Uhtred era o mais velho. Meu filho. Tinha 4 anos, com cabelo tão dourado quanto o meu e um rostinho forte com nariz pequeno, olhos azuis e queixo teimoso. Eu o amava na época. Minha filha Stiorra estava com 2 anos. Tinha um nome estranho, e a princípio não gostei dele, mas Gisela havia implorado comigo e eu não podia lhe recusar praticamente nada, e certamente não o nome de uma filha. Stiorra simplesmente significava "estrela", e Gisela jurou que ela e eu havíamos nos conhecido sob uma estrela da sorte e que nossa filha havia nascido sob a mesma estrela. Eu já estava acostumado com o nome e o amava tanto quanto amava a menina, que tinha o cabelo escuro, o rosto longo e o sorriso súbito e maroto da mãe.

— Stiorra, Stiorra! — dizia eu enquanto lhe fazia cócegas ou a deixava brincar com meus braceletes. Stiorra, tão linda.

Brinquei com ela na noite antes de Gisela e eu partirmos para Wintanceaster. Era primavera e o Temes havia diminuído, de modo que as campinas das margens apareciam de novo e o mundo estava coberto de verde enquanto as folhas nasciam. Os primeiros cordeiros baliam em campos repletos de prímulas e os melros enchiam o céu com canções trinadas. O salmão havia retornado ao rio e nossas armadilhas de salgueiro trançado forneciam boa comida. As pereiras em Coccham estavam cheias de flores, e igualmente repletas de piscos-chilreiros, que tinham de ser espantados pelos meninos pequenos para que tivéssemos frutas no verão. Era um bom tempo do ano, uma época em que o mundo acordava, e um período em que havíamos sido convocados à capital de Alfredo para o casamento de sua filha, Æthelflaed, com meu primo Æthelred. E naquela noite, enquanto eu fingia que meu joelho era um cavalo e que Stiorra era o cavaleiro, pensei em minha promessa de dar a Æthelred seu presente de casamento. O presente de uma cidade. Lundene.

Gisela estava fiando lã. Ela pareceu pouco se importar quando contei que não seria rainha da Mércia, e assentira com seriedade quando falei que manteria o juramento a Alfredo. Aceitou o destino mais prontamente do que eu. O destino e aquela estrela da sorte, disse ela, haviam nos juntado apesar de tudo o que o mundo fizera para nos manter separados.

— Se você mantiver seu juramento a Alfredo — disse de repente, interrompendo minha brincadeira com Stiorra —, deverá capturar Lundene de Sigefrid?

— Sim — respondi, maravilhado, como acontecia com frequência, porque os pensamentos dela e os meus costumavam ser os mesmos.

— Você pode?

— Posso.

Sigefrid e Erik ainda estavam na velha cidade, com seus homens guardando as muralhas romanas que eles haviam consertado com madeira. Agora nenhum navio podia subir o Temes sem pagar aos irmãos, e a cobrança era gigantesca, de modo que o tráfego do rio havia parado, enquanto os mercadores procuravam outros modos de levar mercadorias para Wessex. O rei Guthrum, da Ânglia Oriental, havia ameaçado Sigefrid e Erik com guerra, mas sua ameaça havia se mostrado vazia. Guthrum não desejava guerra, só queria convencer Alfredo de que estava fazendo o máximo para manter o tratado de paz, de modo que, se Sigefrid tivesse de ser removido, seriam os saxões ocidentais que fariam o trabalho, e eu seria responsável por liderá-los.

Eu tinha feito meus planos. Havia escrito ao rei, e ele, por sua vez, escrevera aos *ealdormen* dos distritos, e me havia prometido quatrocentos guerreiros treinados junto com o *fyrd* de Berrocscire. O *fyrd* era um exército de camponeses, trabalhadores florestais e operários, e mesmo sendo numeroso também seria destreinado. Os quatrocentos homens treinados seriam aqueles com quem eu contaria, e diziam que Sigefrid tinha pelo menos seiscentos espiões na velha cidade. Esses mesmos espiões diziam que Haesten havia retornado a seu acampamento em Beamfleot, mas o lugar não ficava longe de Lundene e ele correria para reforçar os aliados, assim como os dinamarqueses da Ânglia Oriental que odiavam o cristianismo de Guthrum e queriam que Sigefrid e Erik iniciassem sua guerra de conquista. O inimigo, pensei, teria pelo menos mil homens, e todos eles seriam hábeis com espada, machado ou lança. Seriam dinamarqueses guerreiros. Inimigos a temer.

— O rei vai querer saber como você planeja isso — disse Gisela em tom afável.

— Então vou contar.

Ela me deu um olhar dúbio.

— Vai?

— Claro. Ele é o rei.

Ela pousou a roca no colo e franziu a testa para mim.

— Você vai lhe contar a verdade?

— Claro que não. Ele pode ser rei, mas eu não sou idiota.

Ela riu, o que fez Stiorra ecoar o riso.

— Eu gostaria de poder ir com você a Lundene — disse Gisela, pensativa.

— Não pode — respondi enfático.

— Eu sei — disse ela com humildade pouco característica, depois encostou a mão na barriga. — Não posso mesmo.

Olhei-a. Olhei por longo tempo enquanto a novidade se assentava em minha mente. Olhei, sorri e depois gargalhei. Joguei Stiorra para o alto, e seu cabelo escuro quase tocou a palha enegrecida de fumaça.

— Sua mãe está grávida — disse à criança que guinchava feliz.

— E é tudo culpa do seu pai — acrescentou Gisela, séria.

Estávamos felizes demais.

Æthelred era meu primo, filho do irmão da minha mãe. Era mércio, mas havia anos era leal a Alfredo de Wessex, e naquele dia em Wintanceaster, na grande igreja que Alfredo havia construído, Æthelred da Mércia recebeu a recompensa por essa lealdade.

Recebeu Æthelflaed, a filha mais velha de Alfredo, nascida depois do primogênito. Æthelflaed tinha cabelos dourados e olhos com a cor e a luminosidade de um céu de verão. Tinha 13 ou 14 anos na época, idade certa para uma garota se casar, e havia crescido e se tornado uma jovem alta, com postura empertigada e expressão ousada. Já era tão alta quanto o homem que seria seu marido.

Agora Æthelred é um herói. Ouço histórias sobre ele, histórias contadas à luz do fogo em castelos saxões por toda a Inglaterra. Æthelred, o Ousado; Æthelred, o Guerreiro; Æthelred, o Leal. Sorrio quando escuto as histórias, mas não digo nada, nem mesmo quando os homens perguntam se é verdade que conheci Æthelred. Claro que conheci Æthelred, e é verdade que ele era guerreiro antes que a doença o deixasse lento, até parar, e também era ousado, mas seu golpe mais hábil era pagar poetas para serem seus cortesãos, para que compusessem canções sobre suas proezas. Um homem podia ficar rico na corte de Æthelred juntando palavras como contas num colar.

Jamais foi rei da Mércia, mesmo querendo. Alfredo se certificou disso, porque Alfredo não queria nenhum rei na Mércia. Queria um seguidor leal para ser governante da Mércia, e se certificou de que esse seguidor leal fosse dependente do dinheiro saxão do oeste, e Æthelred foi o homem que ele escolheu. Recebeu o título de *ealdorman* da Mércia, e em todos os sentidos, menos no nome, era rei, mas os dinamarqueses do norte da Mércia nunca reconheceram sua autoridade. Reconheciam seu poder, e esse poder vinha de ser genro de Alfredo, motivo pelo qual os *thegns* saxões do sul da Mércia também o aceitavam. Eles podiam não gostar do *ealdorman* Æthelred, mas sabiam que ele podia trazer tropas saxãs ocidentais para enfrentar qualquer movimento dos dinamarqueses para o sul.

E num dia de primavera em Wintanceaster, um dia cheio de cantos de pássaros e luz do sol, Æthelred chegou ao poder. Entrou na grande igreja nova de Alfredo com um sorriso no rosto de barba ruiva. Meu primo sempre sofreu da ilusão de que os outros gostavam dele; e talvez alguns homens gostassem, mas eu, não. Æthelred era baixo, brigão e fanfarrão. Seu queixo era largo e beligerante, os olhos desafiadores. Tinha o dobro da idade da noiva, e durante quase cinco anos fora comandante das tropas domésticas de Alfredo, nomeação que devia mais ao nascimento do que à capacidade. Sua sorte fora herdar terras que se espalhavam pela maior parte do sul da Mércia, e isso o tornava o nobre mais importante da Mércia e — eu supunha de má vontade — o líder natural daquele país triste. Além disso — eu supunha sem má vontade —, era um merda.

Alfredo jamais via isso. Era enganado pela devoção espalhafatosa de Æthelred e pelo fato de que este estava sempre pronto a concordar com o rei de Wessex. Sim, senhor; não, senhor; deixe-me esvaziar seu balde de excremento noturno, senhor; deixe-me lamber seu rabo real, senhor. Assim era Æthelred, e sua recompensa era Æthelflaed.

Ela entrou na igreja alguns instantes depois de Æthelred e, como ele, estava sorrindo. Estava apaixonada pelo amor, transportada naquele dia a uma altura de júbilo que aparecia como um brilho no rosto doce. Era uma jovem ágil que já possuía um balanço nos quadris. Tinha pernas compridas, era esguia, com rosto de nariz petulante e sem qualquer marca de doença. Usava um vestido de linho azul-claro bordado com painéis mostrando santos com halos e cruzes. Tinha na cintura uma faixa de tecido dourado com borlas penduradas e pequenos sinos de prata. Nos ombros levava uma capa de linho branco presa ao pescoço com um broche de cristal. A capa varria os juncos do piso de pedras enquanto ela andava. O cabelo, dourado e brilhante, estava enrolado na cabeça e preso por pentes de marfim. Aquele dia de primavera foi o primeiro em que ela usou o cabelo preso, sinal de casamento, e isso revelava seu pescoço longo e magro. Naquele dia estava totalmente graciosa.

Æthelflaed captou meu olhar enquanto ia para o altar coberto de branco, e seus olhos, já repletos de deleite, pareceram assumir um brilho novo. Sorriu para mim e eu tive de sorrir de volta, e ela riu de alegria antes de ir na direção do pai e do homem que seria seu marido.

— Ela gosta muito de você — disse Gisela, sorrindo.

— Somos amigos desde que ela era criança — respondi.

— Ela ainda é criança — disse Gisela baixinho enquanto a noiva chegava ao altar coberto de flores e sob o peso da cruz.

Lembro-me de pensar que Æthelflaed estava sendo sacrificada naquele altar, mas se isso era verdade, era uma vítima tremendamente disposta. Ela sempre fora uma criança travessa e voluntariosa, e eu não duvidava de que se irritava sob o olhar azedo da mãe e as regras sérias do pai. Via o casamento como uma fuga da corte severa e devota de Alfredo, e naquele dia a igreja nova de Alfredo estava cheia de sua felicidade. Vi Steapa, talvez o maior guerreiro de Wessex, chorando. Como eu, Steapa gostava de Æthelflaed.

Havia quase trezentas pessoas na igreja. Enviados tinham vindo dos reinos francos do outro lado do mar, e outros da Nortúmbria, da Mércia, da Ânglia Oriental e dos reinos galeses, e esses homens, todos padres e nobres, receberam lugares de honra perto do altar. Os *ealdormen* e os *reeves* importantes de Wessex também estavam, e mais perto do altar havia um rebanho escuro de padres e monges. Ouvi pouca coisa da missa, porque Gisela e eu estávamos nos fundos da igreja onde conversamos com amigos. De vez em quando uma ordem ríspida de silêncio era dada por um padre, mas ninguém ligava.

Hild, abadessa de um convento em Wintanceaster, abraçou Gisela, que tinha duas boas amigas cristãs. A primeira era Hild, que um dia fugira da igreja para ser minha amante, e a outra era Thyra, irmã de Ragnar, com quem eu havia crescido e que eu amava como irmã. Thyra era dinamarquesa, claro, e fora criada no culto de Tor e Odin, mas havia se convertido e vindo para o sul, até Wessex. Vestia-se como freira. Usava um manto verde e sem graça com capuz que escondia sua beleza estonteante. Uma faixa preta envolvia sua cintura, que normalmente era fina como a de Gisela, mas agora estava roliça de gravidez. Pus a mão suavemente na faixa.

— Outro? — perguntei.

— E para logo — disse Thyra. Ela havia dado à luz três filhos, dos quais um, um menino, ainda vivia.

— Seu marido é insaciável — falei com seriedade fingida.

— É a vontade de Deus — disse Thyra, séria. O humor que eu recordava, de sua infância, havia se evaporado com a conversão, mas na verdade provavelmente a abandonara quando ela fora escravizada em Dunholm pelos inimigos de seu irmão. Ela fora estuprada, abusada e enlouquecida pelos captores, e Ragnar e eu havíamos lutado para invadir Dunholm e resgatá-la, mas foi o cristianismo que a libertou da loucura e a transformou na mulher serena que agora me olhava com tanta seriedade.

— E como vai seu marido? — perguntei.

— Bem, obrigada. — Seu rosto se iluminou enquanto ela falava. Thyra havia encontrado o amor, não somente de Deus, mas de um bom homem, e por isso eu agradecia.

— Você vai chamar a criança de Uhtred, claro, se for um menino — falei sério.

— Se o rei permitir vamos chamá-lo de Alfredo — disse Thyra. — E se for menina vai se chamar Hild.

Isso fez Hild chorar, e então Gisela revelou que também estava grávida, e as três mulheres entraram numa discussão interminável sobre bebês. Libertei-me e encontrei Steapa, que estava parado, com a cabeça e os ombros acima do restante da congregação.

— Sabe que eu devo expulsar Sigefrid e Erik de Lundene? — perguntei.

— Foi o que me disseram — disse ele, de seu jeito lento e deliberado.

— Você virá?

Ele deu um sorriso rápido que entendi como confirmação. Steapa tinha rosto amedrontador, a pele muito esticada no crânio de ossos grandes, de modo que parecia estar perpetuamente fazendo careta. Na batalha era temível, um guerreiro enorme, hábil com a espada e selvagem. Nascera escravo, mas seu tamanho e a capacidade de lutar o haviam trazido à importância atual. Servia na guarda pessoal de Alfredo, tinha escravos e era dono de uma vasta quantidade de terras em Wiltunscir. Os homens tinham cautela com Steapa por causa da raiva que estava sempre presente em seu rosto, mas eu sabia que ele era um sujeito gentil. Não era inteligente. Steapa nunca foi de pensar, mas era gentil e leal.

— Vou pedir ao rei para liberá-lo — falei.

— Ele quer que eu vá com Æthelred.

— Você preferiria estar com o homem que luta, não é?

Steapa piscou para mim, lento demais para entender o insulto que eu fizera contra meu primo.

— Lutarei — disse ele, depois pôs o braço enorme nos ombros de sua mulher, uma criatura minúscula com rosto ansioso e olhos pequenos. Eu jamais conseguia lembrar o nome dela, por isso cumprimentei-a educadamente e fui andando em meio à multidão.

Æthelwold me encontrou. O sobrinho de Alfredo havia começado a beber de novo e seus olhos estavam injetados. Ele fora um rapaz bonito, mas o rosto estava ficando largo e as veias, vermelhas e partidas sob a pele. Puxou-me para a lateral da igreja até ficarmos sob um estandarte no qual fora bordada em lã vermelha uma longa exortação. "Tudo o Que Pedires a Deus", dizia o estandarte, "Receberás se Acreditares. Quando a Boa Oração Pede, a Fé Humilde Recebe". Presumi que a mulher de Alfredo e suas damas haviam feito o bordado, mas os sentimentos pareciam ser do próprio Alfredo. Æthelwold estava segurando meu cotovelo com tanta força que doía.

— Achei que você estava do meu lado — sibilou ele, em tom de reprovação.

— Estou — respondi.

Ele me olhou cheio de suspeitas.

— Você se encontrou com Bjorn?

— Encontrei um homem que fingia ser morto.

Ele ignorou isso, o que me surpreendeu. Lembrei-me de como Æthelwold ficara afetado pelo encontro com Bjorn, tão impressionado que permaneceu sóbrio por um tempo, mas agora recebeu minha desconsideração pelo cadáver ressuscitado como algo sem importância.

— Você não entende — disse ele, ainda segurando meu cotovelo — que esta é nossa melhor chance!

— Nossa melhor chance de quê? — perguntei com paciência.

— De nos livrarmos dele. — Æthelwold falou com veemência demais e algumas pessoas ali perto se viraram para nos olhar. Não falei nada. Claro que Æthelwold queria se livrar do tio, mas não tinha coragem para dar o golpe pessoalmente, motivo pelo qual vivia procurando aliados como eu. Olhou meu rosto e evidentemente não encontrou apoio, porque soltou meu braço. — Eles querem saber se você pediu a Ragnar — disse com a voz mais baixa.

Então Æthelwold ainda estava em contato com Sigefrid? Interessante, mas talvez não surpreendente.

— Não — respondi —, não pedi.

— Pelo amor de Deus, por quê?

— Porque Bjorn mentiu, e não é meu destino ser rei da Mércia.

— Se algum dia eu me tornar rei de Wessex — disse Æthelwold com amargura —, é melhor você fugir para salvar a vida. — Sorri disso, em seguida simplesmente olhei para ele sem piscar, e depois de um tempo ele se virou e murmurou algo inaudível que era provavelmente um pedido de desculpas. Olhou para o outro lado da igreja, com o rosto sombrio. — Aquela vaca dinamarquesa — disse ele com veemência.

— Que vaca dinamarquesa? — perguntei, e por um instante pensei que ele estava falando de Gisela.

— Aquela vaca — ele balançou a cabeça na direção de Thyra. — A que se casou com o idiota. A vaca religiosa. A de barriga inchada.

— Thyra?

— Ela é linda — disse Æthelwold em tom vingativo.

— É mesmo.

— E se casou com um velho idiota! — disse ele olhando para Thyra com desprezo. — Quando ela tiver parido aquele filhote eu vou deitá-la de costas e mostrar como um homem de verdade ara um campo.

— Você sabe que ela é minha amiga? — perguntei.

Æthelwold ficou alarmado. Obviamente não sabia de meu longo afeto por Thyra, e agora tentou se retratar.

— Só acho que é linda — disse carrancudo —, só isso.

Sorri e me inclinei para perto de seu ouvido.

— Se você tocá-la — sussurrei —, enfio uma espada no seu cu e o abro da virilha até a garganta e depois dou suas entranhas aos meus porcos. Toque-a uma vez, Æthelwold, só uma. E você está morto.

Afastei-me. Ele era idiota, bêbado e mulherengo, e eu o considerava inofensivo. E nisso estava errado, por acaso. Afinal de contas, ele era o rei por direito de Wessex, mas só ele e alguns outros idiotas realmente acreditavam que deveria ser rei, em vez de Alfredo. Alfredo era tudo o que o sobrinho não era: sóbrio, inteligente, zeloso e sério.

E naquele dia também estava feliz. Ficou olhando a filha se casar com um homem que ele amava quase como a um filho, ouvia os monges cantando, olhava a igreja que ele havia feito com traves douradas e estátuas pintadas, e sabia que com esse casamento estava assumindo o controle do sul da Mércia.

O que significava que Wessex, como os bebês dentro de Thyra e Gisela, estava crescendo.

O padre Beocca me encontrou do lado de fora da igreja, onde os convidados do casamento estavam ao sol esperando o chamado para a festa no castelo de Alfredo.

— Havia muita gente conversando na igreja! — reclamou Beocca. — Esse foi um dia santo, Uhtred, um dia sagrado, uma celebração do sacramento, e as pessoas falavam como se estivessem num mercado!

— Eu era um.

— Era? — perguntou ele, espiando-me. — Bem, você não deveria estar falando. É simplesmente má educação! E um insulto a Deus! Estou pasmo com você, Uhtred, estou mesmo! Estou pasmo e desapontado.

— Sim, padre — falei sorrindo. Beocca vinha me reprovando havia anos. Quando eu era criança, Beocca era o padre e confessor de meu pai e, como eu, havia fugido da Nortúmbria quando meu tio usurpou Bebbanburg. Beocca havia encontrado refúgio na corte de Alfredo, onde sua devoção, seus conhecimentos e seu entusiasmo eram apreciados pelo rei. O favor real chegou a ponto de fazer com que os homens parassem de zombar de Beocca, que, com toda a verdade, era o sujeito mais feio que você poderia encontrar em Wessex. Tinha pé torto, um olho vesgo e uma das mãos paralisada. Era cego do olho vesgo, que havia ficado branco como o cabelo, porque agora ele tinha quase 50 anos. As crianças zombavam dele na rua e algumas pessoas faziam o sinal da cruz, acreditando que aquela feiura era marca do diabo, mas ele era o melhor cristão que já conheci.

— É bom vê-lo — disse ele num tom de pouca importância, como se temesse que eu acreditasse. — Sabe que o rei quer falar com você? Sugeri que você o encontrasse depois da festa.

— Vou estar bêbado.

Ele suspirou, depois estendeu a mão boa para esconder o amuleto do martelo de Tor que estava aparecendo em meu pescoço. Enfiou-o sob minha túnica.

— Tente ficar sóbrio — disse.

— Amanhã, talvez?

— O rei é ocupado, Uhtred! Não espera por sua conveniência.

— Então terá de falar comigo estando bêbado.

— E alerto que ele quer saber quando você pode tomar Lundene. Por isso deseja falar com você. — Beocca parou abruptamente porque Gisela e Thyra vinham em nossa direção, e o rosto dele foi subitamente transformado pela felicidade. Só ficou olhando para Thyra como alguém que tivesse uma visão e, quando ela sorriu para ele, pensei que seu coração iria explodir de orgulho e devoção. — Não está com frio, está, querida? — perguntou solícito. — Posso lhe arranjar uma capa.

— Não estou com frio.

— Sua capa azul?

— Estou quente, querido — respondeu ela, e pôs a mão em seu braço.

— Não será problema! — disse Beocca.

— Não estou com frio, meu querido — disse Thyra, e de novo Beocca pareceu que iria morrer de felicidade.

Durante toda a vida Beocca havia sonhado com mulheres. Com mulheres bonitas. Com uma mulher que se casasse com ele e lhe desse filhos, e durante toda a vida sua aparência grotesca fizera dele objeto de escárnio, até que, no topo de um morro coberto de sangue, conheceu Thyra e baniu os demônios da alma dela. Agora já estavam casados havia quatro anos. Olhar para eles era ter certeza de que nenhum outro casal era mais feito um para o outro. Um padre velho, feio e meticuloso e uma dinamarquesa jovem e de cabelos dourados, mas estar perto deles era sentir sua alegria como o calor de uma grande fogueira numa noite de inverno.

— Você não devia estar de pé, querida, em sua condição — disse ele. — Vou lhe arranjar um banco.

— Logo estarei sentada, querido.

— Um banco, acho, ou uma cadeira. E tem certeza de que não precisa de uma capa? Realmente não seria problema pegar uma.

Gisela me olhou e sorriu, mas Beocca e Thyra não nos notavam enquanto um se preocupava com o outro. Então Gisela sacudiu ligeiramente a cabeça e eu olhei e vi um jovem monge parado ali perto e me olhando. Obviamente ele estivera esperando para atrair meu olhar, e também evidentemente estava nervoso. Era magro, não muito alto, de cabelos castanhos e rosto pálido que se parecia notavelmente com o de Alfredo. Havia a mesma expressão fechada e ansiosa, os mesmos olhos sérios e a boca fina, e sem dúvida a mesma devoção, a julgar pelo manto de monge. Era noviço, porque o cabelo não estava tonsurado, e se abaixou sobre um dos joelhos quando o olhei.

— Senhor Uhtred — disse ele com humildade.

— Osferth! — exclamou Beocca, percebendo a presença do jovem monge. — Você deveria estar em seus estudos! O casamento terminou e os noviços não são convidados à festa.

Osferth ignorou Beocca. Em vez disso, de cabeça baixa, falou comigo.

— O senhor conheceu meu tio, senhor.

— Conheci? — perguntei cheio de suspeitas. — Conheci muitos homens — falei, preparando-me para a recusa que tinha certeza de que daria a qualquer coisa que ele pedisse.

— Leofric, senhor.

E minha suspeita e a hostilidade desapareceram à menção daquele nome. Leofric. Até sorri.

— Eu o conheci — disse calorosamente — e gostava demais dele. — Leofric havia sido um duro guerreiro saxão ocidental que me ensinara sobre a guerra. Costumava me chamar de *earsling*, que significava algo caído de um cu, e ele me deixou forte, me incomodou, rosnou comigo, bateu em mim, tornou-se meu amigo e permaneceu meu amigo até o dia em que morreu no campo de batalha varrido pela chuva em Ethandun.

— Minha mãe é irmã dele, senhor — disse Osferth.

— Aos seus estudos, rapaz — alertou Beocca, sério.

Pus a mão no braço paralítico de Beocca, para contê-lo.

— Qual o nome de sua mãe? — perguntei a Osferth.

— Eadgyth, senhor.

Inclinei-me e levantei o rosto de Osferth. Não era de espantar que ele se parecesse com Alfredo, porque aquele era o filho bastardo de Alfredo que fora gerado numa serviçal do palácio. Ninguém jamais admitia que Alfredo era pai do garoto, mas aquele era um segredo aberto. Antes de encontrar Deus, Alfredo havia descoberto a alegria das aias do palácio, e Osferth era produto dessa exuberância juvenil.

— Eadgyth vive? — perguntei.

— Não, senhor. Morreu de febre há dois anos.

— E o que você está fazendo aqui em Wintanceaster?

— Está estudando para a igreja — respondeu Beocca com rispidez — porque sua vocação é ser monge.

— Eu serviria ao senhor — disse Osferth ansioso, olhando meu rosto.

— Vá! — Beocca tentou expulsar o rapaz. — Vá! Vá embora! De volta a seus estudos, ou mandarei o mestre dos noviços chicoteá-lo!

— Você já segurou uma espada? — perguntei a Osferth.

— A que meu tio me deu, senhor, eu a tenho.

— Mas não lutou com ela?

— Não, senhor — respondeu ele, e continuou me olhando, muito ansioso e amedrontado, e com um rosto tão parecido com o do pai.

— Você quer ser monge? — perguntei a Osferth.

— Não, senhor.

— Então quer ser o quê? — perguntei ignorando o padre Beocca, que estava soltando protestos, mas incapaz de passar pelo meu braço que o continha.

— Gostaria de seguir os passos de meu tio, senhor — disse Osferth.

Quase ri. Leofric fora o guerreiro mais duro que já viveu e morreu, ao passo que Osferth era um rapaz pequeno, pálido, mas consegui ficar com o rosto impassível.

— Finan! — gritei.

O irlandês apareceu a meu lado.

— Senhor?

— Este rapaz vai se juntar à minha tropa doméstica — respondi entregando algumas moedas a Finan.

— Você não pode... — Beocca começou a protestar, depois ficou quieto quando Finan e eu o encaramos.

— Leve Osferth — ordenei a Finan —, arranje-lhe roupas dignas de um homem e lhe consiga armas.

Finan olhou em dúvida para Osferth.

— Armas?

— Ele tem sangue de guerreiros, de modo que agora vamos lhe ensinar a lutar.

— Sim, senhor — disse Finan, o tom de voz sugerindo que eu estava louco, mas então olhou para as moedas que eu havia lhe dado e viu uma chance de lucro. Riu. — Ainda vamos fazer dele um guerreiro, senhor — disse, sem dúvida acreditando que mentia, depois levou Osferth.

Beocca virou-se para mim.

— Sabe o que você acabou de fazer? — perguntou bruscamente.

— Sei.

— Sabe quem é aquele garoto?

— O bastardo do rei — respondi com brutalidade —, e acabo de fazer um favor a Alfredo.

— Acabou de fazer? — perguntou Beocca, ainda irritado. — E que tipo de favor?

— Quanto tempo você acha que ele durará quando eu o puser numa parede de escudos? Quanto tempo vai se passar antes que uma espada dinamarquesa o corte como um arenque molhado? Este, padre, é o favor. Acabo de livrar seu rei devoto de um bastardo inconveniente.

Fomos para a festa.

A festa de casamento foi tão medonha quanto eu esperava. A comida de Alfredo jamais era boa, raramente bastava, e sua cerveja era sempre fraca. Discursos foram feitos, mas não ouvi nenhum, e harpistas cantaram, mas não pude escutá-los. Conversei com amigos, fiz careta para vários padres que não gostavam de meu amuleto do martelo e subi o tablado até a mesa mais alta para dar um beijo casto em Æthelflaed. Ela era toda felicidade.

— Sou a garota mais sortuda do mundo — disse-me ela.

— Agora você é a mulher — respondi sorrindo de seu cabelo de mulher, preso no alto.

Ela mordeu o lábio inferior, pareceu tímida, depois deu um sorriso maroto enquanto Gisela se aproximava. As duas se abraçaram, cabelo dourado de encontro ao escuro, e Ælswith, a azeda mulher de Alfredo, me olhou furiosa. Fiz uma reverência.

— Um dia feliz, senhora — falei.

Ælswith ignorou isso. Estava sentada ao lado de meu primo, que gesticulou para mim com uma costela de porco.

— Você e eu temos negócios a discutir — disse ele.

— Temos sim — respondi.

— Temos sim, senhor — corrigiu Ælswith asperamente. — O senhor Æthelred é *ealdorman* da Mércia.

— E eu sou o senhor de Bebbanburg — falei com uma aspereza igual à dela. — Como vai, primo?

— De manhã lhe contarei nossos planos — disse Æthelred.

— Disseram-me — falei ignorando a verdade de que Alfredo havia me pedido para criar os planos para a captura de Lundene — que vamos encontrar o rei esta noite. É?

— Esta noite tenho outras questões a atender — disse Æthelred, olhando para sua jovem noiva, e num piscar de olhos sua expressão era feroz, quase selvagem, depois ele me ofereceu um sorriso. — De manhã, depois das orações. — E balançou a costela de porco de novo, me dispensando.

Gisela e eu ficamos naquela noite no quarto principal da taverna Dois Grous. Ficamos juntos, meu braço ao redor dela, e dissemos pouco. A fumaça da lareira da taverna subia pelas tábuas soltas do piso e os homens cantavam embaixo de nós. Nossos filhos dormiam do outro lado do quarto com a aia de Stiorra, enquanto camundongos se agitavam na palha acima.

— Mais ou menos agora, acho — disse Gisela em tom pensativo, rompendo nosso silêncio.

— Agora?

— A coitadinha da Æthelflaed está virando mulher.

— Ela mal pode esperar para isso acontecer.

Gisela balançou a cabeça.

— Ele vai estuprá-la como a um javali — disse, sussurrando as palavras. Não falei nada. Gisela pôs a cabeça em meu peito e seu cabelo ficou em cima de minha boca. — O amor deve ser terno.

— O amor é terno.

— Com você, é — disse ela, e por um momento pensei que ela estava chorando.

Acariciei seu cabelo.

— O que é?

— Gosto dela, só isso.

— De Æthelflaed?

— Ela tem espírito, e ele não tem nenhum. — Gisela inclinou a cabeça para me olhar, e na escuridão eu só podia ver o brilho de seus olhos. — Você nunca me contou — disse em tom de reprovação — que a Dois Grous é um bordel.

— Não há muitas camas em Wintanceaster, e nem de longe o suficiente para todos os convidados, por isso tivemos muita sorte de encontrar este quarto.

— E eles conhecem você muito bem aqui, Uhtred — disse ela em tom de acusação.

— Também é uma taverna — respondi defensivamente.

Ela riu, depois estendeu o braço comprido e magro e abriu uma janela para descobrir que o céu estava repleto de estrelas.

O céu continuava límpido na manhã seguinte, quando fui ao palácio. Entreguei minhas duas espadas e fui levado por um padre jovem e muito sério à sala de Alfredo. Eu havia encontrado o rei com muita frequência naquele aposento pequeno e nu, atulhado de pergaminhos. Ele estava esperando ali, vestindo o manto marrom que o fazia parecer um monge, e com ele estava

Æthelred, que usava suas espadas porque, como *ealdorman* da Mércia, recebera esse privilégio dentro do palácio. Havia um terceiro homem na sala, Asser, o monge galês, que me olhou com desprezo sem disfarces. Era um homem magro e baixo, de rosto muito pálido e cuidadosamente barbeado. Tinha bons motivos para me odiar. Eu o havia conhecido em Cornwalum, onde liderei uma chacina no reino do qual ele era emissário e também tentei matá-lo, fracasso que lamentei durante toda a vida. Ele fez um muxoxo para mim e eu o recompensei com um riso alegre que sabia que iria irritá-lo.

Alfredo não levantou os olhos de seu trabalho, mas sinalizou para mim com a pena. O gesto era evidentemente de boas-vindas. Ele estava parado junto à mesa alta e inclinada que usava para escrever, e por um momento só pude ouvir a pena raspando o pergaminho. Æthelred deu um risinho, parecendo satisfeito consigo mesmo, mas ele sempre estava assim.

— *De consolatione philosophiae* — disse Alfredo sem erguer os olhos de seu trabalho.

— Mas parece que vai chover — disse eu —, há uma névoa no oeste, senhor, e o vento está forte.

Ele me deu um olhar exasperado.

— O que é preferível — perguntou — e mais doce nesta vida do que servir e estar perto do rei?

— Nada! — disse Æthelred com entusiasmo.

Não respondi porque estava atônito demais. Alfredo gostava das formalidades das boas maneiras, mas raramente queria obséquio, no entanto a pergunta sugeria que desejava alguma expressão de adoração de minha parte. Alfredo viu minha surpresa e suspirou.

— É uma pergunta proposta na obra que estou copiando — explicou ele.

— Estou ansioso para ler — disse Æthelred. Asser não disse nada, só me espiou com seus olhos escuros de galês. Era um homem inteligente, e quase tão digno de confiança quanto uma doninha manca.

Alfredo pousou a pena.

— O rei, neste contexto, senhor Uhtred, pode ser visto como representante do Deus Todo-Poderoso, e a questão sugere, não?, o conforto a ser obtido com a proximidade de Deus. No entanto, temo que você não encontre consolo na filosofia nem na religião. — Ele balançou a cabeça, depois tentou limpar a tinta das mãos com um pano úmido.

— Era melhor que ele encontrasse consolo em Deus, senhor rei, se sua alma não quiser queimar no fogo eterno — falou Asser pela primeira vez.

— Amém — disse Æthelred.

Alfredo olhou pensativo para as mãos que agora estavam manchadas de tinta.

— Lundene — disse mudando rapidamente de assunto.

— É guarnecida por bandoleiros que estão matando o comércio — respondi.

— Isso eu sei — disse ele gelidamente. — O tal de Sigefrid.

— Sigefrid Com Só Um Polegar, graças ao padre Pyrlig.

— Isso também sei — disse o rei —, mas gostaria muito de saber o que você estava fazendo na companhia de Sigefrid.

— Espionando-os, senhor — respondi animado. — Assim como o senhor espionou Guthrum há tantos anos. — Estava me referindo a uma noite de inverno quando, como um idiota, Alfredo se disfarçou de músico e foi a Cippanhamm quando a cidade estava ocupada por Guthrum, na época em que este era inimigo de Wessex. A bravura de Alfredo dera tremendamente errado, e se eu não estivesse lá, ouso dizer que Guthrum viraria rei de Wessex. Sorri para Alfredo e ele soube que eu estava lembrando-o de que havia salvado sua vida, mas em vez de demonstrar gratidão ele simplesmente pareceu enojado.

— Não foi o que ouvi dizer — atacou o irmão Asser.

— E o que ouviu dizer, irmão?

Ele ergueu um dedo longo e magro.

— Que você chegou a Lundene com o pirata Haesten — um segundo dedo se juntou ao primeiro —, que foi bem-recebido por Sigefrid e o irmão dele, Erik — ele parou, os olhos escuros malévolos, e levantou um terceiro dedo —, e que os pagãos se dirigiram a você como rei da Mércia. — Ele dobrou os três dedos lentamente, como se suas acusações fossem irrefutáveis.

Balancei a cabeça num espanto fingido.

— Conheço Haesten desde que salvei a vida dele há muitos anos, e usei o conhecimento para ser convidado a Lundene. E de quem é a culpa se

Sigefrid me dá um título que não quero nem possuo? — Asser não respondeu, Æthelred se agitou atrás de mim enquanto Alfredo apenas me olhava. — Se não acredita, pergunte ao padre Pyrlig.

— Ele foi mandado de volta à Ânglia Oriental — disse Asser bruscamente — para continuar sua missão. Mas vamos perguntar. Pode ter certeza.

— Eu já perguntei — disse Alfredo, fazendo um gesto de calma na direção de Asser — e o padre Pyrlig testemunhou a seu favor. — Ele acrescentou estas últimas palavras com cautela.

— E por que Guthrum não se vingou pelos insultos a seus enviados? — perguntei.

— O rei Æthelstan — disse Alfredo, usando o nome cristão de Guthrum — abandonou qualquer reivindicação relativa a Lundene. A cidade pertence à Mércia. As tropas dele não irão invadi-la. Mas prometi lhe mandar Sigefrid e Erik como cativos. Esse é seu trabalho. — Assenti, mas não falei nada. — Então diga, como planeja capturar Lundene?

Fiz uma pausa.

— O senhor tentou pagar resgate à cidade, senhor? — perguntei.

Alfredo pareceu irritado com a pergunta, depois assentiu abruptamente.

— Ofereci prata — disse com rigidez.

— Ofereça mais — sugeri.

Ele me deu um olhar azedo.

— Mais?

— A cidade será difícil de ser tomada, senhor. Sigefrid e Erik têm centenas de homens. Haesten vai se juntar a eles assim que ouvir falar que marchamos. Teríamos de atacar muralhas de pedra, senhor, e os homens morrem como moscas nesses ataques.

De novo Æthelred se agitou atrás de mim. Eu sabia que ele queria descartar meus temores como sendo covardia, mas teve bom senso suficiente para ficar em silêncio.

Alfredo balançou a cabeça.

— Eu ofereci prata — disse amargamente —, mais prata do que um homem pode sonhar. Ofereci ouro. Eles disseram que aceitariam metade do que ofereci se acrescentasse mais uma coisa. — Ele me olhou com beligerância. Dei de ombros rapidamente, como se sugerisse que ele havia rejeitado uma barganha. — Eles queriam Æthelflaed.

— Em vez disso podem ficar com minha espada — disse Æthelred com beligerância.

— Eles queriam sua filha? — perguntei, pasmo.

— Pediram porque sabiam que eu não cederia à reivindicação e porque desejavam me insultar. — Alfredo deu de ombros, como se sugerisse que o insulto era tão débil quanto pueril. — Assim, se os irmãos Thurgilson têm de ser expulsos de Lundene, você deve fazer isso. Diga como.

Fingi juntar os pensamentos.

— Sigefrid não tem homens suficientes para guardar todo o circuito das muralhas da cidade — respondi. — Assim, mandamos um grande ataque contra a porta ocidental e lançamos o verdadeiro ataque a partir do norte.

Alfredo franziu a testa e folheou os pergaminhos empilhados no parapeito da janela. Encontrou a página que desejava e espiou a escrita.

— Pelo que sei, a cidade velha tem seis portas — disse ele. — A qual você se refere?

— No oeste — respondi —, a porta mais perto do rio. O povo do local chama de Porta Ludd.

— E do lado norte?

— Há duas portas, uma leva diretamente à antiga fortaleza romana, a outra vai até o mercado.

— Ao fórum — corrigiu Alfredo.

— Vamos pegar a que leva ao mercado — disse eu.

— Não à fortaleza?

— A fortaleza faz parte das muralhas — expliquei. — De modo que, se capturarmos essa porta, ainda teremos de atravessar a muralha sul da fortaleza. Mas se capturarmos o mercado, nossos homens terão cortado a retirada de Sigefrid.

Eu estava falando absurdos por um motivo, mas era um absurdo plausível. Lançar um ataque a partir da nova cidade saxã atravessando o rio Fleot até as muralhas da velha cidade atrairia os defensores à porta Ludd, e se uma força menor e mais bem treinada pudesse então atacar do norte, poderia encontrar aquelas muralhas pouco guardadas. Assim que estivesse dentro da cidade, essa segunda força poderia atacar os homens de Sigefrid por trás e abrir a porta Ludd para deixar o restante do exército entrar. Na verdade, era o modo óbvio de atacar a cidade. De fato, era tão óbvio que eu tinha certeza de que Sigefrid estaria prevenido contra isso.

Alfredo pensou na ideia.

Æthelred não disse nada. Estava esperando a opinião do sogro.

— O rio — disse Alfredo em tom hesitante, depois balançou a cabeça, como se o pensamento não estivesse indo a lugar algum.

— O rio, senhor?

— Uma aproximação por barco? — sugeriu Alfredo, ainda hesitando.

Deixei a ideia pairar, e era como balançar um pedaço de cartilagem na frente de um filhote de cachorro sem treinamento.

E o filhote saltitou devidamente.

— Um ataque por navio é francamente uma ideia melhor — disse Æthelred, confiante. — Quatro ou cinco navios? Viajando a favor da corrente? Podemos desembarcar nos cais e atacar as muralhas por trás.

— Um ataque por terra será perigoso — disse Alfredo em dúvida, mas a pergunta sugeria que ele estava apoiando as ideias do genro.

— E provavelmente estaria condenada — contribuiu Æthelred, confiante. Ele não estava tentando esconder o escárnio por meu plano.

— Você considerou um ataque por navio? — perguntou-me Alfredo.

— Considerei, senhor.

— Parece-me uma ideia muito boa! — disse Æthelred com firmeza.

Por isso agora eu dei a chicotada que o filhote de cão merecia.

— Há uma muralha no rio, senhor. Podemos desembarcar nos cais, mas ainda teríamos de atravessar uma muralha.

A muralha era construída logo depois dos cais. Era outra obra romana, toda de alvenaria, tijolos e cheia de bastiões circulares.

— Ah — disse Alfredo.

— Mas, claro, senhor, se meu primo deseja liderar um ataque contra a muralha do rio...

Æthelred ficou em silêncio.

— A muralha do rio é alta? — perguntou Alfredo.

— O bastante, e foi consertada recentemente — respondi. — Mas, claro, eu cedo à experiência de seu genro.

Alfredo sabia que eu não fazia isso, e me lançou um olhar irritado antes de decidir me bater como eu havia batido em Æthelred.

— O padre Beocca disse que você tomou o irmão Osferth a seu serviço.

— Tomei, senhor.

— Não é o que desejo para o irmão Osferth — disse Alfredo com firmeza —, portanto, você vai mandá-lo de volta.

— Claro, senhor.

— A vocação dele é servir à Igreja — disse Alfredo, suspeitando de minha concordância rápida. Em seguida, se virou e olhou pela janela pequena. — Não posso suportar a presença de Sigefrid. Temos de abrir a passagem do rio aos navios, e precisamos disso logo. — Suas mãos manchadas de tinta estavam cruzadas às costas e eu podia ver os dedos se abrindo e fechando. — Quero isso feito antes do canto do primeiro cuco. O senhor Æthelred vai comandar as forças.

— Obrigado, senhor — disse Æthelred, e se abaixou sobre um dos joelhos.

— Mas você seguirá o conselho do senhor Uhtred — insistiu o rei, virando-se para o genro.

— Claro, senhor — concordou Æthelred sem sinceridade.

— O senhor Uhtred é mais experiente na guerra do que você — explicou o rei.

— Irei valorizar a assistência dele, senhor — mentiu Æthelred com bastante convicção.

— E quero que a cidade seja tomada antes do canto do primeiro cuco! — reiterou o rei.

O que significava que tínhamos, talvez, seis semanas.

— O senhor convocará homens agora? — perguntei a Alfredo.

— Convocarei — respondeu ele —, e cada um de vocês cuidará de suas provisões.

— E eu lhe darei Lundene — disse Æthelred com entusiasmo. — O que as boas orações pedem, senhor, a fé humilde recebe!

— Não quero Lundene — retrucou Alfredo com alguma aspereza — se ela pertence à Mércia, a você. — Ele deu uma leve inclinação de cabeça para Æthelred. — Mas talvez você me permita nomear um bispo e um governador da cidade, não?

— Claro, senhor — disse Æthelred.

Fui dispensado, deixando pai e genro com o azedo Asser. Parei ao sol do lado de fora e pensei em como tomaria Lundene, porque sabia que teria de fazer isso, e sem que Æthelred jamais suspeitasse de meus planos. E isso poderia ser feito, pensei, mas apenas com furtividade e sorte. *Wyrd bið ful ãræd.*

Fui procurar Gisela. Atravessei o pátio externo e vi um agrupamento de mulheres ao lado de uma das portas. Eanflæd estava entre elas e me virei para cumprimentá-la. Ela já fora prostituta, depois havia se tornado amante de Leofric, e agora era dama de companhia da mulher de Alfredo. Eu duvidava de que Ælswith soubesse que sua dama de companhia já fora prostituta, mas talvez soubesse e não se importasse porque o elo entre as duas mulheres era uma amargura compartilhada. Ælswith se ressentia porque Wessex não podia chamar a mulher do rei de rainha, ao passo que Eanflæd sabia demais sobre os homens para gostar de algum deles. No entanto, eu gostava de Eanflæd e me desviei do caminho para falar com ela, mas ao me ver chegando ela balançou a cabeça, alertando para eu não me aproximar.

Então parei e vi que Eanflæd estava com o braço ao redor de uma mulher mais jovem, sentada numa cadeira de cabeça baixa. Ela ergueu o olhar de repente e me viu. Era Æthelflaed, e seu rosto bonito estava pálido, macilento e apavorado. Estivera chorando e seus olhos ainda estavam brilhantes de lágrimas. Pareceu não me reconhecer, depois reconheceu e me deu um olhar triste e relutante. Sorri de volta, fiz uma reverência e continuei andando.

E pensei em Lundene.

Segunda Parte

A cidade

Quatro

Em Wintanceaster havíamos concordado que Æthelred desceria pelo rio até Coccham, trazendo as tropas da guarda doméstica de Alfredo, seus próprios guerreiros e os homens que ele pudesse mobilizar de suas amplas terras no sul da Mércia. Assim que ele chegasse, iríamos nos juntar e marchar contra Lundene, com o *fyrd* de Berrocscire e minhas tropas domésticas. Alfredo tinha enfatizado a necessidade de pressa, e Æthelred havia prometido estar preparado em duas semanas.

Um mês inteiro se passou, no entanto, e Æthelred não havia chegado. Os primeiros pássaros nascidos no ano estavam ganhando asas entre árvores que ainda não haviam se enchido totalmente de folhas. As flores das pereiras estavam brancas, e as lavandiscas entravam e saíam dos ninhos sob os beirais de palha de nossa casa. Vi uma fêmea de cuco olhando atentamente para aqueles ninhos, planejando quando deixaria seu ovo no meio de lavandisca. O cuco ainda não havia começado a cantar, mas logo faria isso, e era a ocasião em que Alfredo queria Lundene capturada.

Esperei. Estava entediado, assim como minhas tropas domésticas, que se encontravam prontas para a guerra e sofriam a paz. Eram apenas 55 guerreiros. Uma quantidade pequena, nem ao menos suficiente para tripular um navio, mas homens custavam dinheiro e naquela época eu estava juntando minha prata. Cinco daqueles homens eram rapazes que nunca haviam enfrentado o teste definitivo da batalha, que era ficar numa parede de escudos, e assim, enquanto esperávamos Æthelred, eu punha esses cinco homens em treino duro dia após dia. Osferth, o bastardo de Alfredo, era um deles.

— Ele não é bom — dizia Finan repetidamente.

— Dê-lhe tempo — eu respondia com a mesma frequência.

— Dê-lhe uma espada dinamarquesa — disse Finan com malignidade — e reze para que ela corte sua barriga de macaco. — Ele cuspiu. — Achei que o rei o queria de volta em Wintanceaster.

— E quer.

— Então por que você não o manda de volta? Ele não serve para nós.

— Alfredo tem muitas outras coisas em mente — respondi, ignorando a pergunta de Finan — e não vai se lembrar de Osferth. — Isso não era verdade. Alfredo tinha uma mente metódica ao extremo, não iria se esquecer da ausência de Osferth de Wintanceaster nem de minha desobediência ao não mandar o jovem de volta aos estudos.

— Mas por que não mandá-lo de volta? — insistiu Finan.

— Porque eu gostava do tio dele — respondi, e era verdade. Eu havia amado Leofric, e em nome dele seria gentil com o sobrinho.

— Ou será que só está tentando irritar o rei? — perguntou Finan, depois riu e saiu andando sem esperar resposta. — Enganche e puxe, seu desgraçado! — gritou para Osferth. — Enganche e puxe!

Osferth se virou para olhar para Finan e foi imediatamente acertado na cabeça por um porrete de carvalho usado por Clapa. Se fosse um machado, a lâmina teria partido o elmo de Osferth e cortado fundo seu crânio, mas o porrete apenas o deixou meio atordoado, fazendo-o cair de joelhos.

— Levante-se, fracote! — rosnou Finan. — Levante-se, enganche e puxe!

Osferth tentou se levantar. Seu rosto pálido estava arrasado sob o elmo velho que eu lhe dera. Conseguiu se levantar, mas cambaleou imediatamente e se ajoelhou de novo.

— Dê-me isso — disse Finan, e arrancou o machado das mãos débeis de Osferth. — Agora olhe! Não é difícil! Minha mulher poderia fazer isso!

Os cinco homens novos estavam encarando cinco de meus guerreiros experientes. Os jovens tinham recebido machados, armas de verdade, e a ordem de romper a parede de escudos à sua frente. Era uma parede pequena, apenas os cinco escudos sobrepostos defendidos por porretes de madeira, e Clapa riu quando Finan se aproximou.

— O que você faz — Finan estava falando com Osferth — é prender a lâmina do machado em cima do escudo do inimigo desgraçado. É tão difícil assim? Enganche, puxe o escudo para baixo e deixe seu vizinho matar o *earsling* que está atrás dele. Vamos fazer isso devagar, Clapa, para mostrar como se faz, e pare de rir.

Fizeram o movimento de enganchar e puxar numa lentidão ridícula, o machado vindo suavemente por cima para prender a lâmina atrás do escudo de Clapa, e em seguida Clapa permitindo que Finan puxasse o topo do escudo para ele.

— Pronto. — Finan se virou para Osferth quando o corpo de Clapa fora exposto a um golpe. — É assim que você rompe uma parede de escudos! Agora vamos de verdade, Clapa.

Clapa riu de novo, adorando a chance de acertar Finan com o porrete. Finan recuou, lambeu os lábios e golpeou rápido. Girou o machado exatamente como havia demonstrado, mas Clapa inclinou o escudo para trás para receber o machado na superfície de madeira e, ao mesmo tempo, enfiou com força o porrete por baixo do escudo, numa estocada violenta contra a virilha de Finan.

Era sempre um prazer ver o irlandês lutar. Era o homem mais rápido com uma lâmina que já vi, e vi muitos. Achei que a estocada de Clapa iria dobrá-lo ao meio e jogá-lo no capim, em agonia, mas Finan saltou de lado, segurou a borda inferior do escudo com a mão esquerda e puxou-a com força para cima, para acertar a borda superior, de ferro, no rosto de Clapa. Clapa cambaleou para trás, o nariz já vermelho de sangue, e de algum modo o machado foi baixado com a velocidade de uma cobra dando o bote, e sua lâmina se prendeu ao redor do tornozelo de Clapa. Finan puxou, Clapa caiu para trás e agora era o irlandês que ria.

— Isso não é enganchar e puxar — disse a Osferth —, mas funciona do mesmo jeito.

— Não teria funcionando se você estivesse segurando um escudo — reclamou Clapa.

— Sabe essa coisa na sua cara, Clapa? — disse Finan. — Essa coisa que fica abrindo e fechando? Essa coisa feia onde você enfia comida? Mantenha fechada. — Em seguida, jogou o machado para Osferth, que tentou segurar o cabo no ar. Errou e o machado caiu numa poça.

A primavera havia ficado molhada. A chuva caía aos borbotões, o rio se alargou, havia lama em toda parte. Botas e roupas apodreciam. O pouco de grãos que restava nos depósitos brotou e mandei meus homens caçar ou pescar para termos comida. Os primeiros bezerros nasceram, deslizando ensanguentados para um mundo úmido. A cada dia eu esperava que Alfredo viesse e inspecionasse o progresso de Coccham, mas naqueles dias encharcados ele permaneceu em Wintanceaster. Mas mandou um mensageiro, um padre pálido que trouxe uma carta costurada numa gordurosa bolsa de pele de cordeiro.

— Se não puder lê-la, senhor — sugeriu ele hesitante, enquanto eu abria a bolsa —, eu posso...

— Eu sei ler — resmunguei. E sabia mesmo. Não era um feito do qual eu tivesse orgulho, porque só os padres e os monges realmente precisavam disso, mas o padre Beocca havia me forçado a engolir as letras quando eu era menino, e as aulas haviam se mostrado úteis. Alfredo havia decretado que todos os seus senhores soubessem ler, não somente para que pudessem cambalear através dos livros do Evangelho que o rei insistia em mandar como presentes, mas para que pudessem ler suas mensagens.

Achei que a carta poderia trazer notícias de Æthelred, talvez alguma explicação para o motivo de ele estar demorando tanto para trazer seus homens a Coccham, mas em vez disso era uma ordem de levar um padre para cada trinta homens, quando marchasse contra Lundene.

— Devo fazer o quê? — perguntei em voz alta.

— O rei se preocupa com a alma dos homens — disse o padre.

— Então ele quer levar bocas inúteis para alimentar? Diga a ele para me mandar grãos e eu levarei alguns de seus padres desgraçados. — Olhei de novo para a carta, que fora escrita por um dos escrivães reais, mas na parte inferior, na letra firme de Alfredo, havia uma linha. "Onde está Osferth?", estava escrito. "Ele deve retornar hoje. Mande-o com o padre Cuthbert."

— Você é o padre Cuthbert? — perguntei ao sacerdote nervoso.

— Sim, senhor.

— Bom, você não pode levar Osferth de volta. Ele está doente.

— Doente?

— Mal como um cachorro — respondi —, e provavelmente vai morrer.

— Mas pensei tê-lo visto — disse o padre Cuthbert, sinalizando para a porta aberta onde Finan estava tentando induzir Osferth a demonstrar alguma habilidade e entusiasmo. — Olhe — disse o padre todo animado, tentando ajudar.

— Provavelmente vai morrer — falei lentamente e com selvageria. O padre Cuthbert se virou de volta para falar, captou meu olhar e sua voz hesitou. — Finan! — gritei, e esperei até o irlandês entrar em casa segurando uma espada sem bainha. — Quanto tempo você acha que o jovem Osferth vai viver? — perguntei.

— Ele terá sorte se sobreviver um dia — respondeu Finan, presumindo que eu queria saber quanto tempo Osferth duraria numa batalha.

— Está vendo? — falei ao padre Cuthbert. — Ele está doente. Vai morrer. Portanto, diga ao rei que lamento por ele. E diga ao rei que, quanto mais tempo meu primo esperar, mais forte o inimigo fica em Lundene.

— É o tempo, senhor — disse o padre Cuthbert. — O senhor Æthelred não consegue encontrar suprimentos adequados.

— Então diga a ele que há comida em Lundene — respondi, e soube que estava desperdiçando o fôlego.

Finalmente, Æthelred chegou em meados de abril, e agora nossas forças conjuntas somavam quase oitocentos homens, dos quais menos de quatrocentos eram úteis. O restante fora trazido do *fyrd* de Berrocscire ou convocado das terras no sul da Mércia, que Æthelred havia herdado de seu pai, o irmão de minha mãe. Os homens do *fyrd* eram camponeses e trouxeram machados ou arcos de caça. Alguns tinham espadas ou lanças, e uma quantidade ainda menor não tinha qualquer armadura além de um gibão de couro, ao passo que alguns marchavam sem nada além de enxadas afiadas. Uma enxada pode ser uma arma terrível numa briga de rua, mas nem de longe é adequada para derrubar um viking com cota de malha armado com escudo, machado, uma espada curta e outra longa.

Os homens úteis eram minhas tropas domésticas, uma quantidade similar das tropas de Æthelred, e trezentos guardas de Alfredo liderados pelo alto e sério Steapa. Esses homens treinados fariam a luta de verdade, enquanto o restante só estava ali para fazer com que a força parecesse grande e ameaçadora.

Mas na verdade Sigefrid e Erik saberiam exatamente o quanto éramos ameaçadores. Durante todo o inverno e o início da primavera houvera viajantes subindo o rio desde Lundene, e alguns eram sem dúvida espiões dos irmãos. Eles saberiam quantos homens estávamos levando, quantos eram guerreiros de verdade, e esses mesmos espiões deviam ter dado informações a Sigefrid no dia em que finalmente atravessamos o rio até a margem norte.

Fizemos a travessia acima de Coccham, e ela demorou o dia inteiro. Æthelred reclamou da demora, mas o vau que usamos, que havia sido impossível de atravessar durante todo o inverno, estava correndo alto de novo e os cavalos tinham de ser convencidos e os suprimentos precisavam ser carregados nos navios para a travessia, mas não a bordo do navio de Æthelred, que ele insistiu que não poderia levar carga.

Alfredo havia dado o *Heofonhlaf* para seu genro usar na campanha. Era o menor dos navios fluviais de Alfredo, e Æthelred havia erguido uma cobertura sobre a popa para formar um local abrigado logo adiante da plataforma do piloto. Ali havia almofadas, peles, uma mesa e bancos, e Æthelred passou o dia inteiro observando a travessia, de baixo da cobertura, enquanto serviçais lhe traziam comida e cerveja.

Ele observava junto a Æthelflaed, que, para minha surpresa, acompanhava o marido. Vi-a primeiro quando ela caminhava pelo pequeno convés elevado do *Heofonhlaf* e, ao me ver, levantou uma das mãos, cumprimentando. Ao meio-dia Gisela e eu fomos chamados à presença de seu marido, e Æthelred cumprimentou Gisela como a um velho amigo, agitando-se ao redor dela e exigindo que pegassem uma capa de pele para ela. Æthelflaed olhou aquela agitação, depois me lançou um olhar vazio.

— Vai retornar a Wintanceaster, senhora? — perguntei-lhe. Agora ela era uma mulher, casada com um *ealdorman*, por isso chamei-a de senhora.

— Vou com vocês — disse ela de um jeito obtuso.

Isso me espantou.

— A senhora vai... — comecei, mas não terminei.

— Meu marido deseja isso — disse ela muito formalmente, depois um relâmpago da antiga Æthelflaed apareceu quando ela me deu um sorriso rápido. — E estou satisfeita com isso. Quero ver uma batalha.

— Uma batalha não é lugar para uma dama — respondi com firmeza.

— Não preocupe a mulher, Uhtred! — gritou Æthelred do outro lado do convés. Ele havia escutado minhas últimas palavras. — Minha esposa ficará em segurança, eu lhe garanti isso.

— A guerra não é lugar para mulheres — insisti.

— Ela deseja ver nossa vitória — insistiu Æthelred —, e vai ver, não é, minha patinha?

— Quac, quac — disse Æthelflaed, tão baixinho que só eu pude ouvir. Havia amargura em sua voz, mas quando a olhei ela estava dando um sorriso doce para o marido.

— Eu iria, se pudesse — disse Gisela, em seguida tocou a barriga. O bebê ainda não era evidente.

— Não pode — respondi, e fui recompensado por uma careta fingida, depois ouvimos um berro de fúria vindo das entranhas do *Heofonhlaf*.

— Um homem não pode dormir! — gritou a voz. — Seus *earsling* saxões! Vocês me acordaram!

O padre Pyrlig estivera dormindo sob a pequena plataforma na proa do navio, onde algum pobre coitado inadvertidamente o incomodara. Agora o galês se arrastou para a luz carrancuda do dia e piscou para mim.

— Santo Deus — disse com nojo —, é o senhor Uhtred.

— Achei que você estava na Ânglia Oriental — gritei para ele.

— Estava, mas o rei Æthelstan me mandou para garantir que vocês, saxões inúteis, não mijem pelas pernas quando virem nórdicos nas muralhas de Lundene. — Demorei um momento para lembrar que Æthelstan era o nome cristão de Guthrum. Pyrlig veio em nossa direção, com uma camisa suja cobrindo a barriga sobre a qual pendia a cruz de madeira. — Bom dia, senhora — gritou animado para Æthelflaed.

— É de tarde, padre — disse Æthelflaed, e pelo calor em sua voz pude ver que ela gostava do padre galês.

— É de tarde? Santo Deus, dormi como um bebê. Senhora Gisela! Que prazer! Meu Deus, mas todas as beldades estão reunidas aqui! — Ele sorriu para as duas mulheres. — Se não estivesse chovendo, eu acharia que fui transportado para o céu. Meu senhor — as duas últimas palavras foram dirigidas a meu primo, e estava claro, pelo tom, que os dois homens não eram amigos. — Precisa de conselho, senhor? — perguntou Pyrlig.

— Não — respondeu meu primo asperamente.

O padre Pyrlig riu para mim.

— Alfredo pediu que eu viesse como conselheiro. — Ele parou para coçar uma picada de pulga na barriga. — Devo aconselhar o senhor Æthelred.

— Assim como eu — respondi.

— E sem dúvida o conselho do senhor Uhtred seria igual ao meu — prosseguiu Pyrlig. — Deveríamos nos mover com a velocidade de um saxão ao ver a espada de um galês.

— Ele quer dizer que devemos nos mover depressa — expliquei a Æthelred, que sabia perfeitamente o que o galês quisera dizer.

Meu primo me ignorou.

— Você está sendo deliberadamente ofensivo? — perguntou a Pyrlig rigidamente.

— Sim, senhor! — riu Pyrlig. — Estou!

— Já matei dúzias de galeses — disse meu primo.

— Então os dinamarqueses não serão problema para o senhor, não é? — retrucou Pyrlig, recusando-se a se ofender. — Mas meu conselho continua de pé, senhor. Depressa! Os pagãos sabem que estamos indo, e quanto mais tempo o senhor lhes der, mais formidáveis serão suas defesas!

Poderíamos ter nos movido depressa se tivéssemos navios para nos levar rio abaixo, mas Sigefrid e Erik, sabendo que vínhamos, haviam bloqueado todo o tráfego no Temes e, sem contar com o *Heofonhlaf*, só podíamos juntar sete navios, nem de longe o suficiente para levar nossos homens, de modo que apenas os preguiçosos, os suprimentos e os amigos de Æthelred viajavam pela água. Assim, marchamos e levamos quatro dias, e a cada dia víamos cavaleiros ao norte ou navios rio abaixo, e eu sabia que aqueles eram os batedores de Sigefrid, fazendo uma última contagem de nossos números enquanto nosso exército desajeitado andava com dificuldade, cada vez mais perto de Lundene. Perdemos um dia inteiro porque era domingo e Æthelred insistiu em que os padres que acompanhavam o exército rezassem a missa. Ouvi as vozes monótonas e observei os cavaleiros inimigos circulando a nosso redor. Haesten, eu sabia, já teria chegado a Lundene, e seus homens, pelo menos duzentos ou trezentos, estariam reforçando as muralhas.

Æthelred viajava a bordo do *Heofonhlaf*, só vindo a terra à noite para caminhar ao longo das sentinelas que eu havia postado. Fazia questão de mover as sentinelas, como se sugerisse que eu não sabia o serviço, e eu o deixava. Na última noite da viagem acampamos numa ilha que era alcançada da margem norte por uma trilha estreita, e sua margem cercada de juncos estava cheia de lama, de modo que Sigefrid, se tivesse ideia de nos atacar, acharia difícil se aproximar de nosso acampamento. Enfiamos os navios no riacho que serpenteava ao norte da ilha e, enquanto a maré baixava e os sapos enchiam o crepúsculo com cantos, os cascos se assentaram na lama densa. Acendemos fogueiras em terra firme, que iluminariam a aproximação de qualquer inimigo, e postei homens em todo o perímetro da ilha.

Naquela noite Æthelred não desembarcou. Em vez disso, mandou um serviçal que exigiu que eu fosse encontrá-lo a bordo do *Heofonhlaf*, assim tirei minhas botas e a calça e vadeei pela lama pegajosa antes de subir pelo costado do navio. Steapa, que estava marchando com os homens da guarda pessoal de Alfredo, foi comigo. Um serviçal trouxe baldes d'água do rio, do outro lado do navio, e limpamos a lama das pernas, depois nos vestimos de novo antes de nos juntar a Æthelred sob sua cobertura na proa do *Heofonhlaf*. Meu primo estava acompanhado pelo comandante de sua guarda doméstica, um jovem nobre da Mércia chamado Aldhelm, que tinha um rosto longo e presunçoso, olhos escuros e cabelo preto e denso em que ele passava óleo até ficar lustroso.

Æthelflaed também estava lá, acompanhada por uma aia e pelo risonho padre Pyrlig. Fiz uma reverência a ela, que sorriu de volta, mas sem entusiasmo, e em seguida se curvou sobre seu bordado, iluminado por um lampião protegido por chifre. Estava usando lã branca sobre um campo verde-escuro, fazendo a imagem de um cavalo empinando, que era o estandarte do marido. O mesmo estandarte, muito maior, pendia imóvel no mastro do navio. Não havia vento, e a fumaça das fogueiras das duas cidades de Lundene formava uma mancha imóvel no leste que ia escurecendo.

— Atacaremos ao amanhecer — anunciou Æthelred sem sequer nos cumprimentar. Vestia cota de malha e tinha suas espadas, curta e comprida, presas ao cinto. Parecia incomumente presunçoso, mas tentava fazer com que a voz parecesse casual. — Mas só tocarei para o avanço de minhas tropas quando souber que nosso ataque começou.

Franzi a testa diante dessas palavras.

— Você só vai começar seu ataque — repeti cautelosamente — quando ouvir que o meu começou?

— Está claro, não está? — perguntou Æthelred com beligerância.

— Muito claro — disse Aldhelm em tom de zombaria. Ele tratava Æthelred do mesmo modo que Æthelred se comportava com Alfredo e, seguro do favor de meu primo, sentia-se livre para me dirigir um insulto velado.

— Para mim não está claro! — interveio energicamente o padre Pyrlig. — O plano com que concordamos — continuou o galês, falando com Æthelred — consiste em o senhor fazer um ataque fingido às muralhas do oeste e, quando tiver atraído os defensores da muralha norte, os homens de Uhtred fazerem o ataque verdadeiro.

— Mudei de ideia — disse Æthelred em tom aéreo. — Agora os homens de Uhtred farão o ataque diversivo, e meu ataque será o verdadeiro. — Ele inclinou para cima o queixo largo e me olhou, desafiando-me a contradizê-lo.

Æthelflaed também olhou para mim, e senti que ela queria que eu me opusesse a seu marido, mas em vez disso surpreendi todos eles baixando a cabeça como se estivesse cedendo.

— Se o senhor insiste — respondi.

— Insisto — disse Æthelred, incapaz de esconder o prazer por obter a aparente vitória com tanta facilidade. — Você pode levar suas tropas domésticas — continuou ele de má vontade, como se possuísse autoridade para tirá-las de mim — e trinta outros homens.

— Nós concordamos que eu poderia ter cinquenta — respondi.

— Mudei de ideia com relação a isso também! — disse ele em tom belicoso. Æthelred já havia insistido em que os homens do *fyrd* de Berrocscire, meus homens, ajudassem a aumentar suas fileiras, e eu havia humildemente concordado com isso, assim como agora concordava com que a glória do ataque bem-sucedido poderia ser dele. — Você pode levar trinta — continuou asperamente. Eu poderia ter questionado e talvez devesse ter feito, mas sabia que não iria adiantar. Era impossível argumentar com Æthelred, que só queria demonstrar sua autoridade diante da jovem esposa. — Lembre-se — disse ele — de que Alfredo me deu o comando aqui.

— Eu não havia esquecido — respondi. O padre Pyrlig estava me observando astutamente, sem dúvida imaginando por que eu havia cedido com tanta facilidade à pressão de meu primo. Aldhelm estava meio sorrindo, provavelmente na crença de que eu fora totalmente dominado por Æthelred.

— Você partirá antes de nós — continuou Æthelred.

— Partirei muito em breve — respondi. — Tenho de partir.

— Minhas tropas domésticas — disse Æthelred, agora olhando para Steapa — liderarão o ataque verdadeiro. Você trará as tropas reais imediatamente em seguida.

— Eu vou com Uhtred — disse Steapa.

Æthelred piscou.

— Você é o comandante da guarda pessoal de Alfredo! — disse ele lentamente, como se falasse com uma criança pequena. — E irá levá-la à muralha assim que meus homens tiverem posto as escadas.

— Eu vou com Uhtred — repetiu Steapa. — O rei ordenou.

— O rei não fez uma coisa dessas! — disse Æthelred, desconsiderando-o.

— Por escrito — disse Steapa. Ele franziu a testa, em seguida tateou numa bolsa e pegou um pequeno quadrado de pergaminho. Espiou-o, sem certeza de qual lado era o de cima, depois apenas deu de ombros e entregou o pergaminho a meu primo.

Æthelred franziu a testa enquanto lia a mensagem à luz do lampião de sua mulher.

— Você deveria ter me dado isto antes — disse ele com petulância.

— Esqueci — respondeu Steapa — e devo levar seis homens da minha escolha. — Steapa tinha um modo de falar que desencorajava qualquer argumento. Falava de modo lento, áspero e opaco, e conseguia dar a impressão de que era estúpido demais para entender qualquer objeção feita contra suas palavras. Também dava a ideia de que poderia trucidar qualquer homem que insistisse em contradizê-lo. E Æthelred, diante da voz teimosa de Steapa, e pela simples presença do sujeito que era tão alto, largo e com cara de caveira, rendeu-se sem lutar.

— Se o rei ordena — disse ele, devolvendo o pedaço de pergaminho.

— Ordena — insistiu Steapa. Em seguida, pegou o pergaminho e pareceu inseguro quanto ao que fazer com ele. Por um instante pensei que iria comê-lo, mas então o jogou por cima da amurada e depois franziu a testa em direção ao leste, para a grande mortalha de fumaça que pairava sobre a cidade.

— Certifique-se de estar na hora certa amanhã — disse-me Æthelred. — O sucesso depende disso.

Evidentemente era a nossa dispensa. Outro homem teria oferecido cerveja e comida, mas Æthelred nos deu as costas, e assim Steapa e eu desnudamos as pernas de novo e vadeamos através da lama grudenta.

— Você perguntou a Alfredo se poderia ir comigo? — perguntei a Steapa enquanto passávamos pelos juncos.

— Não, foi o rei que quis que eu fosse com você. A ideia foi dele.

— Bom. Fico feliz. — E estava falando sério. Steapa e eu havíamos começado como inimigos, mas tínhamos nos tornado amigos, um elo forjado por ficarmos escudo com escudo diante de um inimigo. — Não há ninguém que eu preferiria que estivesse aqui comigo — falei calorosamente enquanto me abaixava para calçar as botas.

— Eu vou com você — disse ele em sua voz lenta — porque devo matá-lo.

Parei e olhei-o na escuridão.

— Deve fazer o quê?

— Devo matar você — disse ele, depois se lembrou de que havia algo a mais nas ordens de Alfredo — se você demonstrar que está do lado de Sigefrid.

— Mas não estou — respondi.

— Ele só quer ter certeza disso. E sabe aquele monge? O Asser? Diz que você não é de confiança. Que, portanto, se você não obedecer às nossas ordens eu devo matá-lo.

— Por que está me contando isso?

Ele deu de ombros.

— Não importa se estiver preparado para mim ou não. Mesmo assim ainda mato você.

— Não — respondi corrigindo suas palavras. — Você vai tentar me matar.

Ele pensou nisso por longo tempo, depois balançou a cabeça.

— Não. Eu vou matá-lo. — E mataria mesmo.

Partimos no negror da noite sob um céu coberto de nuvens. Os cavaleiros inimigos que haviam nos vigiado tinham se recolhido para a cidade ao crepúsculo, mas eu estava certo de que Sigefrid ainda teria batedores na escuridão, de modo que durante uma hora ou mais seguimos uma trilha que levava para o norte, através dos pântanos. Era difícil nos mantermos no caminho, mas depois de um tempo o terreno ficou mais firme e subiu até um povoado em que pequenas fogueiras ardiam dentro de cabanas com parede de barro cobertas com grandes montes de palha. Empurrei uma porta e vi uma família agachada em terror, ao redor do fogão. Estavam apavorados porque tinham nos ouvido, e sabiam que nada se move à noite, a não ser criaturas perigosas, sinistras e mortais.

— Como se chama este lugar? — perguntei, e por um momento ninguém respondeu, então um homem baixou a cabeça convulsivamente e disse que achava que o povoado se chamava Padintune.

— Padintune? — perguntei. — Propriedade de Padda? Padda está aqui?

— Ele morreu, senhor — respondeu o homem. — Morreu há anos. Ninguém aqui o conheceu, senhor.

— Nós éramos amigos — disse eu —, mas se alguém aqui sair de casa, não seremos amigos. — Eu não queria que algum aldeão corresse até Lundene para alertar Sigefrid de que havíamos parado em Padintune. — Entendeu? — perguntei ao homem.

— Sim, senhor.

— Se sair de sua casa, você morrerá.

Juntei meus homens na pequena rua e mandei Finan pôr uma guarda em cada choupana.

— Ninguém deve sair — ordenei. — Eles podem dormir nas camas, mas ninguém deve sair do povoado.

Steapa surgiu da escuridão.

— Não deveríamos marchar para o norte? — perguntou.

— Deveríamos, mas não vamos — retruquei. — De modo que é agora que você deveria me matar. Estou desobedecendo às ordens.

— Ah — grunhiu ele, e agachou. Ouvi o couro de sua armadura ranger e o tilintar de sua cota de malha se acomodando.

— Você pode desembainhar seu sax agora — sugeri — e me estripar num só movimento? Um corte subindo por minha barriga? Só faça isso depressa, Steapa. Abra minha barriga e mantenha a lâmina subindo até chegar ao coração. Mas só me deixe desembainhar minha espada primeiro, certo? Prometo não usá-la em você. Só quero ir para o castelo de Odin quando tiver morrido.

Ele deu um risinho.

— Nunca entendi você, Uhtred.

— Sou uma alma muito simples. Só quero ir para casa.

— Não para o castelo de Odin?

— Eventualmente, sim, mas primeiro para casa.

— Na Nortúmbria?

— Onde tenho uma fortaleza junto ao mar — disse desejoso, e pensei em Bebbanburg em seu alto penhasco, no mar violento e cinza rolando interminavelmente para se quebrar nas pedras, e no vento frio soprando do norte, nas gaivotas brancas gritando na espuma levada pelo vento. — Minha casa.

— A que seu tio roubou de você?

— Ælfric — respondi vingativamente, e pensei de novo no destino. Ælfric era o irmão mais novo de meu pai e havia permanecido em Bebbanburg enquanto eu acompanhava meu pai a Eoferwic. Eu era criança. Meu pai morreu em Eoferwic, cortado por uma espada dinamarquesa, e fui dado como escravo a Ragnar, o Velho, que me criou como filho, e meu tio ignorou os desejos de meu pai e manteve Bebbanburg para si. Essa traição permanecia para sempre em meu coração, escorrendo raiva, e um dia eu iria vingá-la. — Um dia — falei a Steapa — vou estripar Ælfric da virilha ao esterno e vou olhá-lo morrer, mas não farei isso depressa. Não vou cortar o coração dele. Vou olhá-lo morrer e mijar nele enquanto ele luta. Depois vou matar os filhos dele.

— E esta noite? Quem você vai matar esta noite?

— Esta noite tomaremos Lundene.

Eu não podia ver seu rosto no escuro, mas senti que ele sorria.

— Eu disse a Alfredo que ele podia confiar em você — disse Steapa.

Foi a minha vez de sorrir. Em algum lugar em Padintune um cão uivou e foi silenciado.

— Mas não sei se Alfredo pode confiar em mim — falei depois de uma pausa longa.

— Por quê? — Steapa estava perplexo.

— Porque, de certa forma, eu sou um cristão muito bom.

— Você? Cristão?

— Eu amo meus inimigos.

— Os dinamarqueses?

— É.

— Eu, não — disse ele em tom chapado. Os pais de Steapa haviam sido trucidados por dinamarqueses. Não respondi. Estava pensando no destino. Se as três fiandeiras conheciam nosso destino, por que fazemos juramentos? Porque se então quebrarmos um juramento é traição? Ou será destino? — Então, você vai lutar contra eles amanhã? — perguntou Steapa.

— Claro. Mas não como Æthelred espera. Assim estou desobedecendo às ordens, e suas ordens são para me matar se eu fizer isso.

— Mato você mais tarde — disse Steapa.

Æthelred havia mudado o plano com que havíamos concordado sem jamais suspeitar de que eu não pretendia segui-lo mesmo. Era óbvio demais. De que outro modo um exército poderia atacar uma cidade, a não ser tentando afastar os defensores das fortificações-alvo? Sigefrid saberia que nosso primeiro ataque era uma distração, e deixaria sua guarnição no lugar até ter certeza de identificar a ameaça verdadeira. E então nós morreríamos sob suas muralhas e Lundene permaneceria como uma fortaleza dos nórdicos.

Assim, o único modo de capturar Lundene era pelo ardil, furtivamente e correndo um risco desesperado.

— O que vou fazer — disse a Steapa — é esperar que Æthelred deixe a ilha. Depois voltamos para lá e pegamos dois navios. Será perigoso, muito, porque temos de passar pela abertura da ponte na escuridão, e navios morrem ali até mesmo à luz do dia. Mas se pudermos passar, há um modo fácil de entrar na cidade velha.

— Achei que havia uma muralha ao longo do rio.

— E há, mas está rompida num lugar.

Um romano havia construído uma casa grande junto ao rio e cortado um pequeno canal ao lado da casa. O canal atravessava a muralha, rompendo-a. Eu presumia que o romano havia sido rico e desejava um lugar para atracar seu navio, por isso derrubou um pedaço da muralha junto ao rio para fazer seu canal, e essa era a minha entrada para Lundene.

— Por que não contou a Alfredo?

— Alfredo é capaz de guardar segredo, mas Æthelred não. Ele teria contado a alguém, e em dois dias os dinamarqueses saberiam o que planejávamos. — E era verdade. Tínhamos espiões e eles tinham espiões, e se eu tivesse revelado minhas verdadeiras intenções, Sigefrid e Erik teriam bloqueado o canal com navios e guarnecido a grande casa junto ao rio com homens. Teríamos morrido no cais, e ainda poderíamos morrer porque eu não sabia se poderíamos encontrar a abertura na ponte, e se a encontrássemos, não sabia se poderíamos atravessar aquele perigoso espaço onde o nível do rio caía e a água espumava. Se errássemos, se um dos navios estivesse apenas à distância de meio remo ao sul ou ao norte, seria varrido para um dos pilares quebrados e homens seriam derrubados na água, e eu não iria ouvi-los se afogar porque suas armas e armaduras iriam arrastá-los instantaneamente para baixo.

Steapa estivera pensando, o que era sempre um processo lento, mas agora fez uma pergunta esperta:

— Por que não desembarcar antes da ponte? Deve haver portas na muralha, não?

— Há uma dúzia de portas, talvez vinte, e Sigefrid terá bloqueado todas, mas a última coisa que vai esperar é que navios tentem atravessar a abertura da ponte.

— Porque navios morrem ali?

— Porque navios morrem ali — concordei. — Eu havia visto isso acontecer uma vez, vi um navio mercante passar pela abertura num momento de água parada, e de algum modo o piloto virou demais para um dos lados e os pilares partidos rasgaram as tábuas do fundo do casco. A abertura tinha cerca de quarenta passos de largura e, quando o rio estava calmo, sem maré nem vento para agitar a água, a abertura parecia inocente, mas nunca era. A ponte de Lundene era uma matadora, e para tomar Lundene eu tinha de passar pela ponte.

E se sobrevivêssemos? Se pudéssemos encontrar a doca romana e chegar em terra? Então seríamos poucos e os inimigos seriam muitos, e alguns de nós morreriam nas ruas antes que a força de Æthelred pudesse atravessar a muralha. Toquei o punho de Bafo de Serpente e senti a pequena cruz de prata engastada ali. Presente de Hild. Presente de amante.

— Você já ouviu um cuco? — perguntei a Steapa.

— Ainda não.

— Está na hora de ir — disse eu —, a não ser que você queira me matar.

— Talvez mais tarde, mas por enquanto vou lutar a seu lado.

E teríamos uma luta. Disso eu sabia. Toquei o amuleto do martelo e fiz uma oração para a escuridão, pedindo para viver e ver a criança que estava na barriga de Gisela.

Osric, que me trouxera de Lundene com o padre Pyrlig, era um de nossos comandantes de navio, e o outro era Ralla, o homem que havia levado minhas forças para emboscar os dinamarqueses cujos cadáveres eu tinha pendurado junto ao rio. Ralla havia passado pela abertura da ponte de Lundene mais vezes do que podia se lembrar.

— Mas nunca à noite — disse-me ele naquela noite, quando voltamos à ilha.

— Mas pode ser feito?

— Vamos descobrir isso, senhor, não é?

Æthelred havia deixado cem homens guardando a ilha onde estavam os navios, e esses homens se encontravam sob o comando de Egbert, um velho guerreiro cuja autoridade era denotada por uma corrente de prata pendurada no pescoço, e que me questionou quando retornei inesperadamente. Ele não confiava em mim e acreditou que eu havia abandonado o ataque no norte porque não queria que Æthelred tivesse sucesso. Eu precisava que ele me desse homens, porém quanto mais eu implorava, mais ele se eriçava de hostilidade. Meus próprios homens estavam entrando a bordo dos navios, vadeando pela água fria e subindo pelos costados.

— Como vou saber que você não vai simplesmente retornar a Coccham? — perguntou Egbert cheio de suspeitas.

— Steapa! — gritei. — Diga a Egbert o que vamos fazer.

— Matar dinamarqueses — resmungou Steapa junto a uma fogueira. As chamas se refletiam em sua cota de malha e em seus olhos duros, ferozes.

— Dê-me vinte homens — implorei a Egbert.

Ele me encarou, depois balançou a cabeça.

— Não posso.

— Por quê?

— Temos de guardar a senhora Æthelflaed. Essas são as ordens do senhor Æthelred. Estamos aqui para guardá-la.

— Então deixe vinte homens no navio dela e me dê o restante.

— Não posso — insistiu Egbert com teimosia.

Suspirei.

— Tatwine teria me dado homens — falei. Tatwine havia sido comandante das tropas domésticas do pai de Æthelred. — Eu conhecia Tatwine.

— Sei que conhecia. Lembro-me de você. — Egbert falou com decisão e a mensagem oculta em seu tom era de que não gostava de mim. Quando rapaz, eu havia servido com Tatwine durante alguns meses, e na época era fanfarrão, ambicioso e arrogante. Egbert obviamente achava que eu ainda era fanfarrão, ambicioso e arrogante, e talvez estivesse certo.

Ele se virou e achei que estava me dispensando, mas em vez disso ficou olhando enquanto uma forma pálida e fantasmagórica aparecia do outro lado das fogueiras do acampamento. Era Æthelflaed, que evidentemente tinha visto nosso retorno e havia vadeado até a ilha, enrolada numa capa branca, para descobrir o que estávamos fazendo. Seu cabelo estava solto e caía em cachos dourados sobre os ombros. O padre Pyrlig estava com ela.

— Você não foi com Æthelred? — perguntei, surpreso ao ver o padre galês.

— O senhor achou que não precisava de mais conselhos — disse Pyrlig. — Por isso pediu que eu ficasse aqui e rezasse por ele.

— Ele não pediu — corrigiu Æthelflaed. — Ordenou que você ficasse e rezasse por ele.

— De fato — disse Pyrlig —, e, como você pode ver, estou vestido para rezar. — Ele usava cota de malha e tinha as espadas presas à cintura. — E você? Pensei que estava marchando para o norte da cidade.

— Vamos rio abaixo — expliquei — atacar Lundene pelo cais.

— Posso ir? — perguntou Æthelflaed instantaneamente.

— Não.

Ela sorriu diante da recusa peremptória.

— Meu marido sabe o que você está fazendo?

— Ele vai descobrir, senhora.

Æthelflaed sorriu de novo, depois foi até meu lado e puxou minha capa para se encostar em mim. Enrolou minha capa escura sobre a sua, branca.

— Estou com frio — explicou a Egbert, cujo rosto mostrava surpresa e indignação com o comportamento dela.

— Somos velhos amigos — disse eu a Egbert.

— Muito velhos amigos — concordou Æthelflaed, em seguida passou o braço pela minha cintura e se agarrou a mim. Egbert não podia ver seu braço embaixo de minha capa. Eu tinha consciência de seu cabelo dourado logo abaixo de minha barba e podia sentir seu corpo magro tremendo. — Penso em Uhtred como um tio — disse ela a Egbert.

— Um tio que vai dar a vitória a seu marido — disse eu —, mas preciso de homens. E Egbert não quer me dar homens.

— Não? — perguntou ela.

— Ele diz que precisa de todos os homens para guardar você.

— Dê-lhe seus melhores homens — disse ela a Egbert, em voz leve e agradável.

— Senhora — respondeu Egbert —, minhas ordens são para...

— Você vai lhe dar seus melhores homens! — subitamente a voz de Æthelflaed soou dura enquanto ela saía de baixo de minha capa para a luz áspera das fogueiras. — Sou filha do rei! E estou exigindo que dê seus melhores homens a Uhtred! Agora!

Ela havia falado muito alto, de modo que homens por toda a ilha a encaravam. Egbert pareceu ofendido, mas não disse nada. Em vez disso, empertigou-se e pareceu teimoso. Pyrlig captou meu olhar e deu um sorriso maroto.

— Nenhum de vocês tem coragem para lutar ao lado de Uhtred? — perguntou Æthelflaed aos homens que olhavam. Ela estava com 14 anos, era uma garota magra e pálida, mas em sua voz havia a linhagem de reis antigos. — Meu pai gostaria que vocês mostrassem coragem esta noite! Ou será que devo retornar a Wintanceaster e dizer a meu pai que vocês ficaram sentados junto às fogueiras enquanto Uhtred lutava? — Esta última pergunta foi dirigida a Egbert.

— Vinte homens — implorei a ele.

— Dê-lhe mais! — disse Æthelflaed com firmeza.

— Só há espaço nos barcos para mais quarenta — informei.

— Então lhe dê quarenta! — disse Æthelflaed.

— Senhora — respondeu Egbert hesitante, mas parou quando Æthelflaed estendeu a mão pequena. Em seguida, ela se virou para me olhar.

— Posso confiar em você, senhor Uhtred? — perguntou.

Parecia uma pergunta estranha vinda de uma criança que eu conhecia durante toda a vida, e sorri daquilo.

— Pode confiar em mim — respondi em tom leve.

Seu rosto ficou mais duro e os olhos cortantes. Talvez fosse o reflexo do fogo nas pupilas, mas subitamente percebi que aquela era muito mais do que uma criança, era a filha de um rei.

— Meu pai — disse ela em voz clara, para que os outros ouvissem — diz que você é o melhor guerreiro a serviço dele. Mas não confia em você.

Houve um silêncio incômodo. Egbert pigarreou e olhou para o chão.

— Nunca abandonei seu pai — falei asperamente.

— Ele teme que sua lealdade esteja à venda — disse ela.

— Ele tem meu juramento — respondi com a voz ainda áspera.

— E eu quero seu juramento agora — exigiu ela, e estendeu a mão magra.

— Qual? — perguntei.

— De que você mantém o juramento a meu pai — disse Æthelflaed — e que jura lealdade aos saxões acima dos dinamarqueses, e que lutará pela Mércia quando esta pedir.

— Senhora — comecei, pasmo com suas exigências.

— Egbert! — interrompeu Æthelflaed. — Você não dará homens ao senhor Uhtred a não ser que ele jure servir à Mércia enquanto eu viver.

— Não, senhora — murmurou Egbert.

Enquanto ela vivesse? Por que ela dizia isso? Lembro-me de ter pensado nessas palavras, e me lembro, também, de ter pensado que meu plano de capturar Lundene pendia na balança. Æthelred havia me despido das forças de que eu precisava, e Æthelflaed tinha o poder de restaurar meus números, mas para conseguir a vitória eu teria de me trancar em mais um juramento que eu não queria fazer. O que me importava a Mércia? Mas naquela noite eu me importava em levar homens através de uma ponte mortal para provar que poderia fazer isso. Eu me importava com a reputação, me importava com meu nome, me importava com a fama.

Desembainhei Bafo de Serpente, sabendo que era por isso que ela estava estendendo a mão, e entreguei-lhe a espada, pelo punho. Em seguida me ajoelhei e envolvi com as minhas mãos a dela, que por sua vez estava apertando o punho de minha espada.

— Juro, senhora — disse eu.

— Você jura que servirá a meu pai fielmente?

— Sim, senhora.

— E que, enquanto eu viver, você servirá à Mércia?

— Enquanto a senhora viver — respondi ajoelhando-me na lama e pensando no idiota que eu era. Queria estar no norte, queria estar livre da religiosidade de Alfredo, queria estar com meus amigos, mas aqui estava, jurando lealdade às ambições de Alfredo e à sua filha de cabelos dourados. — Juro — falei, e apertei ligeiramente suas mãos em sinal de minha sinceridade.

— Dê-lhe homens, Egbert — ordenou Æthelflaed.

Ele me deu trinta e, para crédito de Egbert, me deu os homens em forma, os jovens, deixando os guerreiros mais velhos e doentes para guardar Æthelflaed e o acampamento. De modo que agora eu liderava mais de setenta homens, e entre eles estava o padre Pyrlig.

— Obrigado, senhora — falei a Æthelflaed.

— Você poderia me recompensar — disse ela, e de novo pareceu infantil, tendo perdido a solenidade e recuperando a antiga malícia.

— Como?

— Me levando?

— Jamais — respondi asperamente.

Ela franziu a testa diante do meu tom e me olhou nos olhos.

— Está com raiva de mim? — perguntou em voz suave.

— De mim mesmo, senhora — respondi, e me virei.

— Uhtred! — Ela pareceu infeliz.

— Manterei os juramentos, senhora — respondi, e estava com raiva por tê-los feito de novo, mas pelos menos eles me haviam proporcionado setenta homens para tomar uma cidade, setenta homens a bordo de dois barcos que se afastaram do riacho entrando na correnteza forte do Temes.

Eu estava no barco de Ralla, o mesmo navio que havíamos capturado de Jarrel, o dinamarquês cujo corpo enforcado fora reduzido há muito a um esqueleto. Ralla estava na popa, apoiando-se no remo-leme.

— Não sei bem se deveríamos fazer isso, senhor — disse ele.

— Por quê?

Ele cuspiu no rio negro.

— A água está correndo muito depressa. Vai estar se derramando pela abertura como uma cachoeira. Até mesmo com água parada, senhor, aquela abertura pode ser maligna.

— Vá direto e reze para qualquer deus em que você acredite.

— Se ao menos pudermos ver a abertura — disse ele em tom sombrio. Em seguida olhou para trás, procurando um vislumbre do barco de Osric, mas este fora engolido pela escuridão. — Já vi isso ser feito numa maré vazante — disse Ralla —, mas foi à luz do dia e o rio não estava na cheia.

— A maré é vazante? — perguntei.

— Totalmente — disse Ralla, sombrio.

— Então reze.

Toquei o amuleto do martelo, depois o punho de Bafo de Serpente, enquanto o barco ganhava velocidade na correnteza forte. As margens estavam distantes. Aqui e ali havia um brilho de luz, evidência de uma fogueira ardendo numa casa, ao passo que adiante, sob o céu sem lua, havia um brilho opaco manchado com um véu preto, e isso, eu sabia, era a nova Lundene saxã. O brilho vinha das fogueiras na cidade e o véu era a fumaça dessas fogueiras, e eu sabia que em algum lugar abaixo daquele véu Æthelred estaria preparando seus homens para avançar atravessando o vale do Fleot e subir até a antiga muralha romana. Sigefrid, Erik e Haesten saberiam que ele estava ali porque alguém teria corrido da cidade nova para alertar a antiga. Os dinamarqueses, os noruegueses e os frísios, até mesmo alguns saxões sem senhor, estariam acordando e correndo para as fortificações da cidade velha.

E nós corríamos rio abaixo.

Ninguém falava muito. Cada homem nos dois barcos conhecia o perigo que iríamos enfrentar. Passei em direção à proa, por entre as figuras agachadas, e o padre Pyrlig devia ter sentido minha aproximação, ou então um brilho de luz se refletiu na cabeça de lobo que servia como crista de prata do meu elmo, porque ele me cumprimentou antes que eu o visse.

— Aqui, senhor — disse ele.

Estava sentado na ponta de um banco de remador e eu parei junto dele, com as botas chapinhando na água do fundo do casco.

— Não parei de rezar — disse ele, sério. — Algumas vezes acho que Deus deve estar cansado de minha voz. E o irmão Osferth aqui está rezando.

— Não sou irmão — disse Osferth, carrancudo.

— Mas suas orações podem funcionar melhor se Deus pensar que você é — respondeu Pyrlig.

O filho bastardo de Alfredo estava agachado ao lado do padre Pyrlig. Finan havia equipado Osferth com uma cota de malha remendada depois que algum dinamarquês fora estripado por uma lança saxã. Ele também tinha um elmo, botas altas, luvas de couro, um escudo redondo, uma espada comprida e outra curta, de modo que pelo menos parecia um guerreiro.

— Recebi ordens de mandá-lo de volta a Wintanceaster — disse eu.

— Eu sei.

— Senhor — lembrou Pyrlig a Osferth.

— Senhor — disse Osferth, mas com relutância.

— Não quero mandar seu cadáver ao rei — disse eu. — Portanto, fique perto do padre Pyrlig.

— Muito perto, garoto — disse Pyrlig. — Finja que me ama.

— Fique atrás dele — ordenei a Osferth.

— Esqueça esse negócio de me amar — disse Pyrlig rapidamente —, finja em vez disso que é meu cachorro.

— E reze — terminei. Não havia outro conselho útil que eu pudesse dar a Osferth, a não ser para tirar as roupas, nadar até a margem e voltar a seu mosteiro. Eu tinha tanta fé em suas habilidades de luta quanto Finan, o que significava que não tinha nenhuma. Osferth era azedo, inepto e desajeitado. Se não fosse por seu tio morto, Leofric, eu teria ficado alegre em mandá-lo de volta a Wintanceaster, mas Leofric havia me tomado ainda garoto novo e cru e me transformado num guerreiro de espada, por isso eu suportaria Osferth, em nome de Leofric.

Agora estávamos na altura da cidade nova. Eu podia sentir o cheiro das fogueiras de carvão dos ferreiros e ver o brilho refletido de fogos tremulando no fundo dos becos. Olhei adiante, para onde a ponte atravessava o rio, mas ali tudo estava preto.

— Preciso ver a abertura — gritou Ralla da plataforma do leme.

Fui para a popa de novo, passando às cegas por entre os homens agachados.

— Não consigo ver — Ralla me ouviu chegando —, portanto não posso tentar.

— A que distância estamos?

— Perto demais. — Havia pânico em sua voz.

Subi a seu lado. Agora dava para ver a velha cidade, nas colinas, rodeada por sua muralha romana. Podia vê-la porque os fogos da cidade criavam uma luz opaca, e Ralla tinha razão. Estávamos perto.

— Temos de tomar uma decisão — disse ele. — Precisaremos desembarcar antes da ponte.

— Eles vão nos ver, se desembarcarmos ali.

Os dinamarqueses com certeza teriam homens guardando a muralha na parte anterior à ponte.

— Então você morre ali com uma espada na mão — disse Ralla —, ou afogado.

Olhei adiante e não vi coisa alguma.

— Então escolho a espada — falei em tom chapado, vendo a morte de minha ideia surgida do desespero.

Ralla respirou fundo para gritar com os remadores, mas o grito não saiu, porque, subitamente e muito adiante, onde o Temes se abria e se esvaziava no mar, um retalho de amarelo apareceu. Não era um amarelo luminoso, não era um amarelo de vespa, mas um amarelo-escuro, azedo e leproso, que escorria por entre um rasgo nas nuvens. Era o amanhecer além do mar, um amanhecer escuro, um amanhecer relutante, mas era luz, e Ralla não gritou nem virou o remo-leme para nos levar à margem. Em vez disso, tocou o amuleto no pescoço e manteve o barco no curso.

— Agache-se, senhor — disse ele —, e segure-se com força em alguma coisa.

O barco estava corcoveando como um cavalo antes da batalha. Agora éramos impotentes, apanhados nas garras do rio. A água escorria do interior da terra, alimentada por chuvas de primavera e enchentes, e onde ela encontrava a ponte, amontoava-se em grandes pilhas brancas e tumultuadas. Borbulhava, rugia e espumava entre os pilares de pedra, mas no centro da ponte, onde ficava a abertura, derramava-se numa torrente borbulhante e brilhante que caía pelo equivalente à altura de um homem até o novo nível de água, onde o rio redemoinhava e resmungava antes de se acalmar de novo. Eu podia ouvir a água lutando contra a ponte, podia ouvir o trovão alto como ondas impelidas pelo vento atacando uma praia.

E Ralla guiou o barco para a abertura, que ele mal podia ver delineada contra o amarelo opaco do céu partido a leste. Atrás de nós havia negrume, mas uma vez consegui ver aquela luz azeda da manhã se refletir na proa molhada do navio de Osric e soube que ele estava logo atrás de nós.

— Segurem firme! — gritou Ralla à nossa tripulação, e o navio estava sibilando, ainda corcoveando, e parecia correr mais depressa, e vi a ponte vindo em nossa direção, erguer-se negra acima de nós enquanto eu me agachava junto ao costado do navio e segurava a madeira com força.

E então estávamos na abertura, e tive a sensação de cair como se tivéssemos despencado num abismo entre dois mundos. O ruído era ensurdecedor. Era o barulho de água lutando com pedra, água rasgando, água partindo, água se derramando, um ruído capaz de encher os céus, um ruído mais alto ainda do que o trovão de Tor; o navio deu uma sacudida e pensei que devia ter batido em alguma coisa e emborcaria jogando-nos para a morte, mas de algum modo ele se ajeitou e continuou em frente. Havia escuridão acima, a escuridão das extremidades da madeira quebrada da ponte, e então o ruído se duplicou, a água espirrava sobre o convés e estávamos despencando, o navio se inclinando, e houve um estrondo como os portões do castelo de Odin se fechando e fui jogado para a frente enquanto a água cascateava sobre nós. Tínhamos batido em pedra, pensei, esperei me afogar e até me lembrei de segurar o punho de Bafo de Serpente para morrer com a espada na mão. Mas o navio estremeceu, erguendo-se de novo, e eu percebi que o estrondo fora da proa batendo no rio para além da ponte, e que estávamos vivos.

— Remem! — gritou Ralla. — Ah, seus desgraçados sortudos, remem!

A água estava funda no casco, mas flutuávamos, o céu a leste era cheio de rasgos e à sua luz sombreada podíamos ver a cidade e o lugar onde a muralha era partida.

— E o resto — disse Ralla com orgulho na voz — é com o senhor.

— É com os deuses — disse eu, e olhei para trás, vendo o barco de Osric sair flutuando do turbilhão onde o rio caía. Os dois navios tinham sobrevivido e a corrente nos varria para mais abaixo do que o lugar onde queríamos desembarcar. Porém os remadores nos viraram e lutaram contra a água, de modo a chegarmos ao cais vindo do leste, e isso era bom, porque qualquer pessoa olhando presumiria que vínhamos subindo o rio a partir de Beamfleot. Pensariam que éramos dinamarqueses vindo reforçar a guarnição que agora se preparava para o ataque de Æthelred.

Havia um grande navio capaz de navegar em alto-mar, atracado na doca em que queríamos desembarcar. Eu podia vê-lo claramente porque havia tochas acesas na parede branca da mansão à qual a doca servia. O navio era um negócio bonito, com a proa e a popa subindo altas e orgulhosas. Não havia cabeças de fera no navio, já que nenhum nórdico deixaria suas cabeças esculpidas amedrontarem os espíritos de uma terra amigável. Um único homem estava a bordo do navio, e ficou olhando enquanto nos aproximávamos.

— Quem são vocês? — gritou ele.

— Ragnar Ragnarson! — gritei de volta. Atirei-lhe uma corda feita de couro de morsa. — A luta começou?

— Ainda não, senhor — disse ele. Em seguida pegou a corda e enrolou-a na haste do outro navio. — E, quando começar, eles serão trucidados!

— Então não chegamos muito tarde? — perguntei. Em seguida cambaleei quando nosso navio bateu no outro, depois passei sobre as tábuas do costado chegando a um dos bancos de remadores vazio. — De quem é este navio? — perguntei ao homem.

— De Sigefrid, senhor. É o *Domador de Ondas*.

— É lindo — respondi, em seguida dei as costas. — Desembarcar! — gritei em inglês e fiquei olhando enquanto meus homens pegavam escudos e armas no casco inundado. O navio de Osric veio atrás de nós, baixo na água, e percebi que ele havia inundado um pouco enquanto passava pela abertura da ponte. Homens começaram a subir no *Domador de Ondas* e o nórdico que havia apanhado a corda comigo viu as cruzes penduradas no pescoço deles.

— Vocês... — começou ele, e descobriu que não tinha mais nada a dizer. Quase se virou para correr para a terra, mas eu havia bloqueado sua fuga. Havia choque em seu rosto, choque e perplexidade.

— Ponha a mão no punho da espada — disse eu, desembainhando Bafo de Serpente.

— Senhor — disse ele, como se fosse implorar pela vida, mas então entendeu que sua vida estava acabando porque eu não poderia deixá-lo viver. Não podia deixá-lo ir, porque ele alertaria Sigefrid sobre nossa chegada, e se eu amarrasse suas mãos e os pés e o deixasse a bordo do *Domador de Ondas*, alguma outra pessoa poderia encontrá-lo e soltá-lo. Ele soube de tudo isso, e seu rosto mudou de perplexidade para desafio e, em vez de simplesmente segurar o punho da espada, começou a tirar a arma da bainha.

E morreu.

Bafo de Serpente pegou-o na garganta. Com força e rapidez. Senti-a rasgar músculo e tecido duro. Vi o sangue. Vi seu braço hesitar e a lâmina cair de volta na bainha, e estendi a mão direita para segurar sua mão sobre o punho de sua espada. Certifiquei-me de que ele continuasse segurando a espada enquanto morria, porque então seria levado ao salão de festas dos mortos. Segurei sua mão com força e o deixei desmoronar contra meu peito, onde seu sangue escorreu por minha cota de malha.

— Vá para o castelo de Odin — falei baixinho — e guarde um lugar para mim.

Ele não pôde falar. Engasgou enquanto o sangue se derramava pela traqueia.

— Meu nome é Uhtred — disse eu — e um dia vou festejar com você no castelo dos cadáveres, vamos rir juntos, beber juntos e ser amigos.

Deixei seu corpo cair, depois me ajoelhei e encontrei seu amuleto. O martelo de Tor, que cortei de seu pescoço usando Bafo de Serpente. Pus o martelo numa bolsa, limpei a ponta da espada na capa do morto, em seguida enfiei a lâmina de volta em sua bainha forrada de pele. Peguei meu escudo com Sihtric, meu serviçal.

— Vamos desembarcar — disse eu — e tomar uma cidade.

Porque era hora de lutar.

CINCO

ENTÃO, SUBITAMENTE, tudo ficou quieto.

Não totalmente, claro. O rio sibilava correndo pela ponte, pequenas ondas batiam nos cascos dos barcos, as tochas na parede da casa estalavam e eu podia ouvir os passos de meus homens desembarcando. Escudos e cabos de lanças batiam nas tábuas dos navios, cães latiam na cidade e em algum lugar um ganso estava dando seu chamado áspero, mas tudo parecia quieto. Agora o amanhecer era de um amarelo mais pálido, meio escondido por nuvens escuras.

— E agora? — Finan apareceu a meu lado. Steapa estava junto dele, mas não disse nada.

— Vamos à porta — disse eu. — À Porta Ludd. — Mas não me mexi. Não queria me mexer. Queria estar de volta em Coccham com Gisela. Não era covardia. A covardia está sempre conosco, e a coragem — a coisa que provoca os poetas a fazer canções sobre nós — é meramente a vontade de suplantar o medo. Era o cansaço que me fazia relutar em me mexer, mas não um cansaço físico. Eu era jovem na época e os ferimentos da guerra ainda não haviam minado minha força. Acho que estava cansado de Wessex, cansado de lutar por um rei de quem eu não gostava, e, parado naquele cais de Lundene, não entendi por que lutava por ele. E agora, olhando para trás, imagino se aquela lassidão foi causada pelo homem que eu havia acabado de matar e a quem havia prometido me juntar no castelo de Odin. Acredito que os homens que matamos são inseparavelmente unidos a nós. Os fios de suas vidas, agora fantasmagóricos, são tecidos pelas Fiandeiras ao redor do nosso, e o peso deles permanece para nos assombrar até que a lâmina afiada corte finalmente nossa vida. Senti remorso pela morte dele.

— Vai dormir? — perguntou o padre Pyrlig. Ele havia se juntado a Finan.

— Vamos para a porta — respondi.

Parecia um sonho. Eu estava andando, mas minha mente se encontrava em outro lugar. Era assim, pensei, que os mortos andavam em nosso mundo, porque os mortos não voltam. Não como Bjorn havia fingido retornar, mas nas noites mais escuras, quando nenhum vivo pode vê-los, eles caminham por nosso mundo. Pensei que eles deviam vê-lo apenas pela metade, como se os lugares que haviam conhecido estivessem velados numa névoa de inverno, e me perguntei se meu pai estaria me olhando. Por que pensei nisso? Eu não gostava de meu pai, nem ele de mim, e ele havia morrido quando eu era pequeno, mas fora um guerreiro. Os poetas cantavam a seu respeito. E o que ele pensaria de mim? Eu estava andando através de Lundene, em vez de atacar Bebbanburg, e era isso que deveria ter feito. Deveria ter ido para o norte. Deveria ter gastado todo o meu tesouro de prata para contratar homens e liderá-los num ataque pela faixa de terra de Bebbanburg e subir pelas muralhas até o alto castelo em que poderíamos causar grande matança. Então poderia viver em minha casa, na casa de meu pai, para sempre. Poderia viver perto de Ragnar e estar longe de Wessex.

Só que meus espiões, já que eu empregava uma dúzia deles na Nortúmbria, haviam me contado o que meu tio fizera com minha fortaleza. Ele havia fechado os portões voltados para a terra. Havia tirado-os totalmente e em seu lugar existiam fortificações recém-construídas, altas e reforçadas com pedra, e agora, se alguém quisesse entrar na fortaleza, precisava seguir um caminho que levava até a extremidade norte do penhasco no qual a fortaleza era construída. E cada passo desse caminho estaria sob aquelas muralhas altas, sob ataque, e então, na extremidade norte, onde o mar se partia e sugava, havia um portão pequeno. Para além desse portão havia um caminho íngreme que levava a outra muralha e outro portão. Bebbanburg fora lacrada, e para tomá-la eu precisaria de um exército fora do alcance até mesmo de meu tesouro de prata.

— Boa sorte! — uma voz de mulher me espantou dos pensamentos. O povo da velha cidade estava acordado e nos viu passar, e achou que éramos dinamarqueses porque eu havia ordenado que meus homens escondessem as cruzes.

— Matem os desgraçados saxões! — gritou outra voz.

Nossos passos ecoavam nas casas altas que tinham pelo menos três andares. Algumas possuíam um belo trabalho em pedra sobre os tijolos, e pensei em como o mundo já fora cheio desse tipo de casa. Lembro-me da primeira vez em que subi uma escadaria romana, de como a sensação era estranha, e soube que em tempos antigos os homens deviam considerar comuns aquelas coisas. Agora o mundo era esterco, palha e madeira estragada pela umidade. Tínhamos gente que trabalhava com pedra, claro, mas era mais rápido construir com madeira, e a madeira apodrecia, mas ninguém parecia se incomodar. O mundo inteiro apodrecia enquanto escorregávamos da luz para a escuridão, chegando cada vez mais perto do caos negro em que este mundo do meio terminaria, e os deuses lutariam e todo o amor, a luz e os risos se dissolveriam.

— Trinta anos — falei alto.

— É a sua idade? — perguntou o padre Pyrlig.

— É quanto tempo um castelo dura, a não ser que você fique consertando. Nosso mundo está caindo aos pedaços, padre.

— Meu Deus, você está mal-humorado — disse Pyrlig, achando divertido.

— E fico olhando Alfredo, vendo como ele tenta ajeitar nosso mundo. Listas! Listas e pergaminhos! Ele é como alguém que coloca um monte de galhos e barro diante de uma enchente.

— Se você firmar bem o monte de galhos e barro — Steapa estava escutando nossa conversa e interveio —, ele é capaz de alterar o curso de um rio.

— E é melhor lutar contra uma enchente do que se afogar — comentou Pyrlig.

— Olhem aquilo! — disse eu, apontando para a cabeça de pedra de um animal, esculpida e fixa numa parede de tijolos. O animal não se parecia com nada que eu tivesse visto, era um grande felino peludo, e sua boca aberta ficava acima de uma bacia de pedra rachada, sugerindo que a água já fluíra da boca para a tigela. — Nós poderíamos fazer aquilo? — perguntei com amargura.

— Há artesãos que podem fazer esse tipo de coisa — disse Pyrlig.

— Então onde eles estão? — perguntei irritado, e pensei que todas essas coisas, as esculturas, os tijolos e o mármore, haviam sido feitos antes que a religião de Pyrlig chegasse à ilha. Seria esse o motivo para a decadência do mundo? Será que os deuses verdadeiros estavam nos punindo porque tantos homens adoravam o deus pregado? Não fiz a sugestão a Pyrlig, fiquei quieto. As casas se erguiam acima de nós, a não ser onde uma havia desmoronado num monte de entulho. Um cão procurava alguma coisa junto a uma parede, parou para levantar a perna, depois se virou e rosnou para nós. Um bebê chorou numa casa. Nossos passos ecoavam nas paredes. A maioria de meus homens estava em silêncio, cautelosa com os fantasmas que acreditavam habitar aquelas relíquias de um tempo antigo.

O bebê chorou de novo, mais alto.

— Deve haver uma jovem mãe lá dentro — disse Rypere, animado. Rypere era seu apelido, e significava "ladrão". Ele era um anglo magricelo vindo do norte, inteligente e astuto, e pelo menos não estava pensando em fantasmas.

— Se fosse você, eu continuaria com as cabras — disse Clapa —, elas não se importam com seu fedor. — Clapa era dinamarquês, havia feito juramento a mim e me servia com lealdade. Era um garoto enorme, criado numa fazenda, forte como um boi, sempre alegre. Ele e Rypere eram amigos que jamais paravam de se espezinhar.

— Quietos! — falei antes que Rypere pudesse responder. Sabia que devíamos estar chegando perto das muralhas do oeste. No lugar em que havíamos desembarcado, a cidade subia pela ampla colina em terraços até o palácio no topo, mas agora essa colina ia se aplainando, o que significava que nos aproximávamos do vale do Fleot. Atrás de nós o céu ia clareando para amanhecer e eu sabia que Æthelred pensaria que eu havia fracassado no ataque logo antes da alvorada, e essa crença, eu temia, podia tê-lo convencido a abandonar seu próprio ataque. Talvez ele já estivesse levando seus homens de volta à ilha. Nesse caso, estaríamos sozinhos, rodeados pelos inimigos e condenados.

— Deus nos ajude — disse Pyrlig subitamente.

Levantei a mão para fazer meus homens pararem porque, à nossa frente, no grande trecho de rua antes de passar pelo arco de pedra chamado Porta Ludd, havia uma multidão de homens. Homens armados. Homens cujos elmos, lâminas de machados e pontas de lanças captavam e refletiam a luz fraca do sol nublado e recém-nascido.

— Deus nos ajude — repetiu Pyrlig, e fez o sinal da cruz. — Devem ser uns duzentos.

— Mais — disse eu. Havia tantos homens que nem todos podiam ficar na rua, o que obrigava alguns a ir para os becos dos dois lados. Todos os que podíamos ver estavam de frente para a porta, e isso me fez entender o que o inimigo estava fazendo, e minha mente se clareou naquele instante como se uma névoa tivesse se dissipado. Havia um pátio à esquerda e eu apontei pela passagem que dava nele. — Ali — ordenei.

Lembro-me de um padre, um sujeito inteligente, que me visitou para fazer perguntas sobre o que eu me lembrava de Alfredo, lembranças que ele queria colocar num livro. Jamais fez isso, porque morreu de desarranjo pouco depois de falar comigo, mas era um homem astuto e mais clemente do que a maioria dos padres, e me lembro de que ele pediu para eu descrever o júbilo da batalha.

— Os poetas da minha mulher vão lhe contar — disse eu.

— Os poetas de sua mulher nunca lutaram — observou ele —, e só pegam as canções sobre outros heróis e mudam os nomes.

— É mesmo?

— Claro que é — disse ele. — O senhor não faria isso.

Gostei daquele padre, por isso falei com ele, e a resposta que eventualmente lhe dei foi que o júbilo da batalha era o deleite de enganar o outro lado. De saber o que ele fará, antes de fazer, e de ter a reação pronta para que, quando fizer o movimento destinado a matar a gente, em vez disso ele morra. E naquele momento, na semiescuridão úmida da rua em Lundene, eu soube o que Sigefrid estava fazendo. E também soube, mesmo que ele não soubesse, que ele ia me dar a Porta Ludd.

O pátio pertencia a um mercador de pedras. Suas pedreiras eram os antigos prédios de Lundene, e havia pilhas de alvenaria amontoadas contra as paredes, prontas para ser mandadas de navio à Frankia. Havia mais pedras ainda empilhadas de encontro ao portão que dava no cais, passando pela muralha do rio. Sigefrid, pensei, devia temer um ataque vindo do rio e havia bloqueado cada porta nas muralhas a oeste da ponte, mas jamais havia sonhado que alguém atravessaria a ponte para chegar ao lado leste, não guardado. Mas tínhamos feito isso, e meus homens estavam escondidos no pátio enquanto eu ficava parado na entrada, olhando o inimigo se amontoar junto à Porta Ludd.

— Estamos nos escondendo? — perguntou Osferth. Sua voz tinha um tom de gemido, como se estivesse perpetuamente reclamando.

— Há centenas de homens entre nós e a porta — expliquei paciente —, e somos muito poucos para passar por eles.

— Então fracassamos — disse ele, não como uma pergunta, mas como uma declaração petulante.

Senti vontade de bater nele, mas consegui permanecer paciente.

— Conte a ele o que está acontecendo — disse a Pyrlig.

— Deus, em Sua sabedoria — explicou o galês —, persuadiu Sigefrid a fazer um ataque saindo da cidade! Eles vão abrir aquela porta, garoto, e se espalhar pelos pântanos, e abrir caminho até os homens do senhor Æthelred. E como a maior parte dos homens do senhor Æthelred é do *fyrd*, e a maioria dos de Sigefrid é de guerreiros de verdade, todos sabemos o que vai acontecer! — O padre Pyrlig tocou sua cota de malha, onde a cruz de madeira estava escondida. — Obrigado, Deus!

Osferth olhou o padre.

— Quer dizer que os homens do senhor Æthelred serão trucidados? — disse ele depois de uma pausa.

— Alguns vão morrer! — admitiu Pyrlig, animado. — E espero em Deus que morram em estado de graça, garoto, caso contrário nunca ouvirão aquele coro celestial, não é?

— Odeio coros — resmunguei.

— Não, não odeia — disse Pyrlig. — Veja bem, garoto — ele olhou de novo para Osferth. — Assim que eles tiverem saído pela porta, só haverá um punhado de homens guardando-a. E é então que atacamos! E de repente Sigefrid vai se ver com um inimigo pela frente e outro por trás, e essa situação pode fazer um homem sentir vontade de ter ficado na cama.

Um postigo se abriu numa das janelas altas acima do pátio. Uma jovem olhou para o céu que ia clareando, depois estendeu as mãos para o alto e soltou um bocejo enorme. O gesto fez esticar a camisola de linho sobre os seios. Então ela viu meus homens embaixo e instintivamente cobriu os seios com os braços. Estava vestida, mas deve ter se sentido nua.

— Ah, obrigado, querido Salvador, por outra doce misericórdia — disse Pyrlig, olhando-a.

— Mas se tomarmos o portão — disse Osferth, preocupado com os problemas que via —, os homens que restarem na cidade vão nos atacar.

— Vão — concordei.

— E Sigefrid... — começou ele.

— Provavelmente vai se virar de volta para nos trucidar — terminei a frase para ele.

— E? — disse ele, depois parou, porque não viu nada além de sangue e morte em seu futuro.

— Tudo depende do meu primo — respondi. — Se ele vier em nossa ajuda, deveremos vencer. Se não vier? — Dei de ombros. — Segure firme sua espada.

Um rugido soou vindo da Porta Ludd e eu soube que ela fora aberta e que os homens estavam brotando aos montes pela estrada que ia até o Fleot. Æthelred, se ainda estivesse preparando seu ataque, iria vê-los e teria de fazer uma escolha. Poderia ficar e lutar na nova cidade saxã ou fugir. Eu esperava que ele ficasse. Eu não gostava dele, mas nunca vi falta de coragem em sua postura. Via muita estupidez, o que sugeria que ele provavelmente gostaria de uma luta.

Demorou muito tempo para os homens de Sigefrid passarem pela porta. Fiquei olhando das sombras na entrada do pátio e achei que pelo menos quatrocentos homens estariam saindo da cidade. Æthelred tinha mais de trezentos bons soldados, a maioria das tropas domésticas de Alfredo, mas o restante de suas forças era do *fyrd* e jamais suportaria um ataque forte e selvagem. A vantagem era de Sigefrid, cujos homens estavam quentes, descansados e alimentados, ao passo que as tropas de Æthelred haviam caminhado com dificuldade durante a noite e estariam cansadas.

— Quanto mais cedo fizermos isso — falei a ninguém em particular —, melhor.

— Então vamos agora? — sugeriu Pyrlig.

— Vamos simplesmente caminhar até a porta! — gritei aos meus homens. — Não corram! Finjam que são daqui!

E foi o que fizemos.

E assim, com um passeio por uma rua de Lundene, a luta violenta começou.

Não restavam mais do que trinta homens na Porta Ludd. Alguns eram sentinelas postadas para guardar o arco, mas a maioria era de homens de folga que haviam subido à fortificação para assistir à investida de Sigefrid. Um grandalhão com uma perna só estava subindo os degraus de pedra irregulares apoiado em muletas. Ele parou no meio do caminho e se virou para ver nossa aproximação.

— Se correr, senhor — gritou ele para mim —, poderá se juntar a eles!

Ele me chamou de senhor porque viu um senhor. Viu um senhor da guerra.

Apenas um punhado de homens poderia ir à guerra como eu ia. Eram chefes tribais, *earl*s, reis, senhores; homens que haviam matado outros homens em quantidade suficiente a fim de juntar a fortuna necessária para comprar malha, elmo e armas. E não era qualquer malha. Minha cota era feita na Frankia e custaria mais do que o preço de um navio de guerra. Sihtric havia polido o metal com areia, logo, brilhava como prata. A bainha da cota ficava na altura dos joelhos e nela estavam pendurados 38 machados de Tor; alguns feitos de osso; outros, de marfim; alguns, de prata, mas todos já haviam pendido do pescoço de inimigos corajosos que eu matara em batalha, e eu usava os amuletos para que, quando chegasse ao palácio dos cadáveres, os ex-usuários me conhecessem, me recebessem e bebessem cerveja comigo.

Eu usava uma capa de lã tingida de preto na qual Gisela havia bordado um raio branco que ia do pescoço aos calcanhares. A capa podia atrapalhar em batalha, mas eu a usava agora porque ela me tornava um alvo maior, e eu já era mais alto e mais largo do que a maioria dos homens. O amuleto de Tor estava pendurado em meu pescoço, e tratava-se de uma peça pobre, um amuleto miserável feito de ferro que enferrujava constantemente, e de tanto ser raspado e limpado ficara fino e deformado com o passar dos anos, mas eu havia tomado aquele pequeno martelo de ferro com meus punhos quando era garoto, e o amava. Uso até hoje.

Meu elmo era uma coisa gloriosa, polido até um brilho de ofuscar os olhos, incrustado de prata e com uma cabeça de lobo, de prata, na crista. As placas faciais eram decoradas com espirais de prata. Somente aquele elmo já dizia ao inimigo que eu era um homem de substância. Se um homem me matasse e tomasse aquele elmo, estaria instantaneamente rico, mas meus inimigos prefeririam tomar meus braceletes que, como os dinamarqueses, eu usava sobre as mangas da cota de malha. Meus braceletes eram de prata e ouro, e havia tantos que alguns tinham de ser usados acima dos cotovelos. Eles falavam de homens mortos e riqueza acumulada. Minhas botas eram de couro grosso e tinham placas de ferro costuradas ao redor para defletir os golpes de lança que vêm por baixo do escudo. O escudo em si, com borda de ferro, era pintado com uma cabeça de lobo, meu distintivo, e no quadril esquerdo pendia Bafo de Serpente, e no direito, Ferrão de Vespa, e caminhei para o portão com o sol se erguendo por trás, lançando minha sombra comprida na rua coberta de imundícies.

Eu era um senhor da guerra em toda a glória, tinha vindo para matar, e ninguém no portão sabia disso.

Viram-nos chegando, mas presumiram que fôssemos dinamarqueses. A maior parte do inimigo estava em cima da muralha, mas havia cinco parados junto ao portão aberto e todos olhavam a força de Sigefrid que jorrou pela pequena encosta até o Fleot. O povoado saxão não ficava muito depois, e eu esperava que Æthelred ainda estivesse lá.

— Steapa — chamei, ainda suficientemente longe do portão para que ninguém me ouvisse falando inglês —, leve seus homens e mate aqueles bostas que estão na passagem em arco.

A cara de caveira de Steapa riu.

— Quer que eu feche a porta? — perguntou ele.

— Deixe aberta. — Eu queria atrair Sigefrid de volta, para impedir que seus homens endurecidos se enfiassem no meio do *fyrd* de Æthelred, e se a porta estivesse aberta Sigefrid ficaria mais inclinado a nos atacar.

A porta era construída entre dois enormes bastiões de pedra, cada um com sua própria escada, e eu me lembrei de como, quando era criança, o padre Beocca me havia descrito o céu cristão. Teria escadarias de cristal, afirmara ele, e descreveu com entusiasmo um grande lance de degraus vítreos levando a um trono de ouro coberto de branco, onde seu deus estava sentado. Anjos rodeariam esse trono, cada qual mais luminoso do que o sol, ao passo que os santos, como ele chamava os cristãos mortos, se reuniriam ao redor da escada e cantariam. Na época parecia um negócio chato, e ainda parece.

— No outro mundo — disse eu a Pyrlig —, todos seremos deuses.

Ele me olhou com surpresa, imaginando de onde viera aquela declaração.

— Estaremos com Deus — corrigiu ele.

— No seu céu, talvez, mas não no meu.

— Só há um céu, senhor Uhtred.

— Então que o meu seja o único — disse eu, e naquele momento soube que minha verdade era a verdade e que Pyrlig, Alfredo e todos os outros cristãos estavam errados. Estavam errados. Não íamos para a luz, nós deslizávamos para longe dela. Íamos para o caos. Íamos para a morte e para o céu da morte, e comecei a gritar enquanto nos aproximávamos do inimigo. — Um céu para homens! Um céu para guerreiros! Um céu em que espadas brilham! Um céu para homens corajosos! Um céu de selvageria! Um céu de deuses cadáveres! Um céu da morte!

Todos me olharam, tanto amigos quanto inimigos. Olharam e acharam que eu estava louco, e talvez estivesse, enquanto subia a escada do lado direito, onde o homem de muletas me olhava. Chutei uma de suas muletas, fazendo-o cair. A muleta fez barulho despencando pela escada e um de meus homens pisou-a.

— O céu da morte! — gritei, e cada homem na muralha tinha os olhos em mim, mesmo assim achavam que eu era amigo porque soltei meu estranho grito de guerra em dinamarquês.

Sorri por trás das duas placas faciais, depois desembainhei Bafo de Serpente. Abaixo de mim, fora de minhas vista, Steapa e seus homens haviam começado sua matança.

Havia menos de dez minutos eu estivera num sonho acordado, e agora a loucura viera. Eu deveria ter esperado que meus homens subissem a escada e formassem uma parede de escudos, mas algum impulso me impeliu adiante. Eu ainda estava gritando, mas agora gritava meu nome, e Bafo de Serpente cantava sua canção da fome, e eu era um senhor da guerra.

A felicidade da batalha. O êxtase. Não é somente enganar um inimigo, mas sentir-se um deus. Uma vez eu havia tentado explicar a Gisela, e ela havia tocado meu rosto com seus dedos longos e sorrira.

— É melhor do que isto? — perguntou.

— Igual — disse eu.

Mas não é igual. Na batalha o homem arrisca tudo para ganhar reputação. Na cama não arrisca nada. O júbilo é comparável, mas o júbilo de uma mulher é fugaz, ao passo que a reputação é para sempre. Homens morrem, mulheres morrem, todos morrem, mas a reputação sobrevive ao homem, e era por isso que eu gritava meu nome enquanto Bafo de Serpente tirava sua primeira alma. Era um homem alto com um elmo velho e uma lança de lâmina comprida que ele projetou instintivamente em minha direção e, também instintivamente, afastei seu golpe com o escudo e cravei Bafo de Serpente em sua garganta. Havia um homem à minha direita e eu o empurrei com o ombro, derrubando-o, e pisei em sua virilha enquanto meu escudo aparava um giro de espada vindo da esquerda. Passei por cima do homem cuja virilha eu havia esmagado e a parede protetora do topo da muralha estava agora à minha direita, onde eu a queria, e à minha frente estava o inimigo.

Enfiei-me no meio deles.

— Uhtred! — eu gritava. — Uhtred de Bebbanburg!

Estava convidando a morte. Atacando sozinho eu deixava o inimigo chegar atrás de mim, mas naquele momento eu era imortal. O tempo havia se ralentado de modo que os inimigos se moviam como lesmas e eu era rápido como o raio de minha capa. Ainda estava gritando quando Bafo de Serpente se cravou no olho de um homem, enfiando-se até que o osso da órbita interrompeu o movimento, então a virei para a esquerda para bater numa espada que vinha contra meu rosto, e meu escudo se levantou para aparar um golpe de machado. Bafo de Serpente baixou e eu a empurrei com força à frente, rasgando o gibão de couro do homem cuja espada eu havia aparado. Girei-a fazendo com que a lâmina não ficasse presa pela barriga dele enquanto abria suas tripas, então me virei para a esquerda e acertei a bossa de ferro do escudo no sujeito do machado.

Ele cambaleou para trás. Bafo de Serpente saiu da barriga do espadachim e voou num giro para a direita, chocando-se contra outra espada. Acompanhei-a, ainda gritando, e vi o terror no rosto daquele inimigo, e o terror num inimigo gera crueldade.

— Uhtred! — gritei, e encarei-o, e ele viu a morte chegando, e tentou recuar para longe de mim, mas outros homens vieram por trás bloqueando sua retirada e eu estava sorrindo enquanto passava Bafo de Serpente por seu rosto. O sangue espirrou no alvorecer, o giro de volta cortou sua garganta e dois homens passaram por ele, aparei o golpe de um com a espada e o do outro com o escudo.

Aqueles dois não eram idiotas. Vieram com os escudos se tocando e sua única ambição era me empurrar de costas contra a muralha e me manter ali, preso por seus escudos, a fim de que não pudesse usar Bafo de Serpente. E assim que tivessem me prendido deixariam outro homem me golpear com espadas até que eu perdesse sangue demais para ficar de pé. Aqueles dois sabiam como me matar, e vieram para isso.

Mas eu estava rindo. Estava rindo porque sabia o que eles planejavam, e eles pareciam lentos demais. Golpeei com o escudo contra o deles e os dois pensaram que haviam me prendido porque eu não podia ter esperanças de empurrar dois homens. Eles se agacharam atrás dos escudos e fizeram força, e eu simplesmente recuei, puxando meu escudo para trás rapidamente, e eles cambalearam para a frente e minha resistência desapareceu. Seus escudos estavam ligeiramente abaixados enquanto eles cambaleavam, e Bafo de Serpente saltou como uma língua de víbora, fazendo com que a ponta ensanguentada acertasse a testa do homem à minha esquerda. Senti seu osso grosso se partir, em seguida girei-a à direita e o segundo homem aparou o golpe. Empurrou seu escudo contra mim, esperando me desequilibrar, mas nesse momento houve um grito enorme à minha esquerda.

— Cristo Jesus e Alfredo! — Era o padre Pyrlig, e agora o amplo bastião atrás de mim estava atulhado de meus homens. — Seu pagão desgraçado! — gritou Pyrlig para mim.

Ri. A espada de Pyrlig se cravou no braço de meu oponente, e Bafo de Serpente empurrou o escudo dele para baixo. Lembro-me de que então ele olhou para mim. Tinha um belo elmo com asas de corvo presas nas laterais. A barba era dourada, os olhos, azuis, e naqueles olhos estava o conhecimento de sua morte iminente enquanto ele tentava levantar a espada com o braço ferido.

— Segure sua espada com força! — disse eu. Ele assentiu.

Pyrlig matou-o, mas não vi. Estava passando pelo homem para atacar o restante dos inimigos, e a meu lado Clapa girava um machado enorme com violência tão grande que representava perigo tanto para nosso lado quanto para o inimigo, mas nenhum inimigo queria enfrentar nós dois. Fugiam ao longo do topo da muralha, e a porta era nossa.

Apoiei-me no baixo muro externo e imediatamente me empertiguei, porque as pedras se mexeram sob meu peso. A alvenaria estava desmoronando. Bati nas pedras soltas e ri alto, de alegria. Sihtric riu para mim. Ele tinha uma espada sangrenta.

— Algum amuleto, senhor? — perguntou ele.

— Aquele — apontei para o homem cujo elmo era decorado com asas de corvo. — Ele morreu bem, vou ficar com o dele.

Sihtric se abaixou para encontrar o amuleto do martelo do sujeito. Atrás dele Osferth olhava a meia dúzia de homens mortos caídos em poças de sangue sobre as pedras. Estava segurando uma lança com a ponta vermelha.

— Matou alguém? — perguntei.

Ele me olhou arregalado, depois assentiu.

— Sim, senhor.

— Bom — disse eu, e virei a cabeça na direção dos cadáveres esparramados. — Qual?

— Não foi aqui, senhor. — Ele pareceu perplexo por um momento, depois olhou para os degraus que havíamos subido. — Foi ali, senhor.

— Na escada?

— Foi.

Olhei-o por tempo suficiente para deixá-lo desconfortável.

— Diga — falei por fim. — Ele o ameaçou?

— Era um inimigo, senhor.

— O que ele fez? Balançou para você a única muleta que sobrou?

— Ele — começou Osferth, depois pareceu ficar sem palavras. Olhou para um homem que eu havia matado, depois franziu a testa. — Senhor?

— Sim.

— O senhor nos disse que deixar a parede de escudos era a morte.

Curvei-me para limpar Bafo de Serpente na capa de um morto.

— E daí?

— O senhor deixou a parede de escudos — disse Osferth, quase me reprovando.

Empertiguei-me e toquei meus braceletes.

— Você vive — falei rispidamente — se obedecer às regras. Você ganha reputação, garoto, violando-as. Mas não se ganha reputação matando aleijados. — Cuspi estas últimas palavras, depois me virei e vi que os homens de Sigefrid haviam atravessado o rio Fleot, mas agora tinham percebido a agitação atrás e parado para olhar em direção à porta.

Pyrlig apareceu a meu lado.

— Vamos nos livrar desse trapo — disse ele, e eu vi que havia um estandarte pendurado na muralha. Pyrlig puxou-o para cima e me mostrou o distintivo do corvo, de Sigefrid. — Vamos mostrar a eles que a cidade tem um novo senhor. — Ele levantou a cota de malha e tirou um estandarte que fora dobrado e enfiado na cintura. Em seguida sacudiu-o, revelando uma cruz preta sobre um campo branco e sem graça. — Louvado seja Deus — disse Pyrlig, em seguida pendurou o estandarte na muralha, prendendo-o com o peso de armas de homens mortos sobre a borda superior. Agora Sigefrid saberia que a Porta Ludd estava perdida. O estandarte cristão fora esfregado em seu rosto.

Pelos próximos instantes, no entanto, as coisas ficaram quietas. Acho que os homens de Sigefrid ficaram atônitos pelo que acontecera e estavam se recuperando da surpresa. Não se moviam mais na direção da nova cidade saxã, ainda olhavam de volta para a porta onde a cruz estava pendurada, ao passo que dentro da cidade grupos de homens se reuniam nas ruas e olhavam para nós.

Eu estava olhando na direção da cidade nova. Não podia ver qualquer sinal dos homens de Æthelred. Havia uma paliçada de madeira na crista da encosta baixa onde a cidade saxã era construída, e era possível que as tropas de Æthelred estivessem atrás da cerca que havia apodrecido em alguns lugares e faltava totalmente em outros.

— Se Æthelred não vier — disse Pyrlig baixinho.

— Então estamos mortos — terminei por ele. À minha esquerda o rio deslizava cinza como o sofrimento na direção da ponte quebrada e do mar distante. As gaivotas eram brancas contra o cinza. Longe, na margem sul, pude ver algumas choupanas de onde subia fumaça. Aquilo era Wessex. Na minha frente, onde os homens de Sigefrid permaneciam imóveis, ficava a Mércia, enquanto atrás de mim, a norte do rio, era a Ânglia Oriental.

— Fechamos a porta? — perguntou Pyrlig.

— Não. Mandei Steapa deixá-la aberta.

— Mandou?

— Queremos que Sigefrid nos ataque — respondi, e pensei que, se Æthelred tivesse abandonado seu ataque, eu morreria na porta em que os três reinos se encontravam. Ainda não podia ver as forças de Æthelred, no entanto contava com os homens de meu primo para nos dar a vitória. Se eu pudesse atrair os guerreiros de Sigefrid de volta à porta e mantê-los ali, Æthelred poderia atacar por trás. Por isso eu tinha de deixar a porta aberta, como um convite a Sigefrid. Se eu a tivesse fechado, ele poderia usar outra entrada para a cidade romana e seus homens não ficariam expostos ao ataque de meu primo.

O problema mais imediato era que os dinamarqueses que haviam ficado na cidade estavam finalmente se recuperando da surpresa. Alguns estavam nas ruas enquanto outros se reuniam nas muralhas a cada lado da Porta Ludd. As muralhas eram mais baixas do que o bastião da porta, o que significava que qualquer ataque contra nós teria de ser feito subindo a escada estreita que ia da muralha ao bastião. Cada uma daquelas escadas precisaria de cinco homens para ser sustentada, assim como as duas que subiam da rua. Pensei em abandonar o topo do bastião, mas se a luta corresse mal na passagem em arco, a alta fortificação era nosso melhor refúgio.

— Você terá vinte homens para sustentar este bastião — disse eu a Pyrlig. – E pode ficar com ele também — assenti para Osferth. Não queria o filho de Alfredo, matador de aleijados, no arco embaixo, onde a luta seria mais feroz. Era lá embaixo que formaríamos duas paredes de escudos, uma virada para a cidade e a outra na direção do Fleot, e ali as paredes de escudos iriam se chocar, e ali, pensei, morreríamos porque eu ainda não podia ver o exército de Æthelred.

Senti-me tentado a fugir. Teria sido bastante simples ter recuado por onde tínhamos vindo, empurrando para o lado os inimigos que estivessem nas ruas. Poderíamos pegar o barco de Sigefrid, o *Domador de Ondas*, e usá-lo para atravessar até a margem saxã do oeste. Mas eu era Uhtred de Bebbanburg, estufado de orgulho de guerreiro, e havia jurado tomar Lundene. Ficamos.

Cinquenta de nós descemos a escada e preenchemos a porta. Vinte homens estavam virados para a cidade, e o restante ficou na direção de Sigefrid. Dentro do arco da porta havia apenas espaço para oito homens lado a lado com seus escudos se tocando, por isso fizemos nossas duas paredes de escudos sob as sombras da pedra. Steapa comandava os vinte, e eu fiquei na fileira da frente, virada para o oeste.

Deixei a parede de escudos e dei alguns passos na direção do vale do Fleot. O riacho, tornado imundo pelos poços dos curtumes rio acima, corria sujo e lento na direção do Temes. Do outro lado do rio Sigefrid, Haesten e Erik haviam finalmente virado suas forças, e o que haviam sido suas fileiras de retaguarda de guerreiros nórdicos estava agora vadeando de volta pelo raso Fleot para empurrar de lado minha pequena força.

Mantive-me no horizonte deles. O sol velado por nuvens estava atrás de mim, mas sua luz pálida estaria se refletindo na prata de meu elmo e no brilho enfumaçado da lâmina de Bafo de Serpente. Eu a havia desembainhado de novo, e agora estava parado com a espada estendida à direita e o escudo, à esquerda. Estava acima deles, um senhor em toda a glória, um homem com cota de malha, um guerreiro convidando guerreiros a lutar, e não vi tropas amigáveis na colina mais distante.

E se Æthelred havia ido embora, pensei, morreríamos.

Apertei o punho de Bafo de Serpente. Olhei os homens de Sigefrid, depois bati Bafo de Serpente contra o escudo. Bati três vezes e o som ecoou nas muralhas atrás de mim, depois me virei e voltei à minha pequena parede de escudos.

E, com um rugido de raiva e o uivo de homens que veem a vitória, o exército de Sigefrid veio nos matar.

Um poeta deveria ter escrito sobre aquela luta.

Para isso é que servem os poetas.

Minha mulher atual, que é uma idiota, paga aos poetas para cantar sobre Cristo Jesus, que é seu deus, mas seus poetas caem em silêncio embaraçado quando entro mancando no salão. Eles sabem montes de canções sobre seus santos e cantam músicas melancólicas sobre o dia em que seu deus foi pregado à cruz, mas quando estou presente eles cantam os poemas de verdade, aqueles poemas que o padre inteligente me disse que foram escritos sobre outros homens cujos nomes eles haviam tirado, para inserir o meu.

São poemas sobre chacinas, poemas sobre guerreiros, poemas de verdade.

Os guerreiros defendem o lar, defendem as crianças, defendem as mulheres, defendem a colheita e matam os inimigos que vêm roubar essas coisas. Sem guerreiros a terra seria um lugar devastado, desolado e repleto de lamentos. No entanto, a verdadeira recompensa de um guerreiro não é a prata e o ouro que ele pode ganhar nos braços, e sim a reputação, e é por isso que existem poetas. Os poetas contam as histórias dos homens que defendem a terra e matam os inimigos da terra. É para isso que servem os poetas, no entanto não existe nenhum poema sobre a luta na Porta Ludd, de Lundene.

Há um poema cantado em que antigamente era a Mércia, contando sobre como o senhor Æthelred capturou Lundene, e é um bom poema, mas não menciona meu nome, nem o de Steapa, nem o de Pyrlig, nem o nome dos homens que realmente lutaram naquele dia. Seria de pensar, ouvindo aquele poema, que Æthelred veio e que aqueles que os poetas chamam de "os pagãos" simplesmente fugiram.

Mas não foi assim.

Não foi nem um pouco assim.

Digo que os nórdicos vieram num jorro, e vieram, mas Sigefrid não era idiota quando se tratava de uma luta. Ele podia ver como poucos de nós bloqueavam a porta e sabia que, se pudesse romper minha parede de escudos rapidamente, todos morreríamos sob aquele antigo arco romano.

Eu havia retornado a minhas tropas. Meu escudo se sobrepunha aos dos homens à esquerda e à direita, e foi no instante em que me acomodei, pronto para o ataque, que vi o que Sigefrid planejava.

Seus homens não haviam simplesmente estado olhando para a Porta Ludd, e sim se reorganizando — oito guerreiros haviam sido postos na vanguarda de seu ataque. Quatro deles levavam lanças pesadas e longas que precisavam de ambas as mãos para serem mantidas na posição. Aqueles quatro não tinham escudos, mas ao lado de cada lanceiro havia um guerreiro enorme armado com escudo e machado, e atrás deles havia mais homens com escudos, lanças e espadas longas. Eu soube o que estava para acontecer. Os quatro homens viriam correndo e cravariam as lanças em quatro de nossos escudos. O peso das lanças e a potência do ataque iria empurrar quatro de nós para as fileiras de trás, e então os homens dos machados atacariam. Não tentariam despedaçar nossos escudos, em vez disso alargariam as aberturas feitas pelos quatro lanceiros, enganchariam e puxariam os escudos de nossa segunda fileira, assim nos expondo às armas longas dos homens que seguiam os guerreiros dos machados. Sigefrid tinha apenas uma ambição: romper rapidamente nossa parede, e eu não tinha dúvida de que os oito homens eram não somente treinados para romper uma parede de escudos rapidamente, mas já haviam feito isso antes.

— Firmem-se! — gritei, mas era um grito sem sentido. Meus homens sabiam o que precisavam fazer. Tinham de ficar firmes e morrer. Era o que haviam jurado a mim.

E eu soube que morreríamos a não ser que Æthelred viesse. A força do ataque de Sigefrid se chocaria contra nossa parede de escudos e eu não tinha lanças suficientemente longas para se contrapor aos quatro que vinham. Só podíamos tentar ficar firmes, mas éramos em menor número e a confiança do inimigo era óbvia. Estavam gritando insultos, prometendo a morte, e a morte vinha chegando.

— Fecho o portão, senhor? — sugeriu Cerdic nervoso, ao meu lado.

— É tarde demais — respondi.

E o ataque chegou.

Os quatro lanceiros gritaram correndo para nós. Suas armas eram longas como remos e tinham pontas do tamanho de espadas curtas. Eles mantinham as lanças baixas e eu soube que procuravam acertar a parte mais baixa de nossos escudos, fazendo a ponta de cima tombar para a frente para que os homens dos machados pudessem enganchá-las com mais facilidade e assim arrancar nossa defesa num instante.

E eu soube que daria certo porque os homens que nos atacavam eram os rompedores de paredes de escudos de Sigefrid. Era isso que haviam treinado para fazer, e que haviam feito, e o castelo dos cadáveres devia estar repleto de suas vítimas. Eles gritavam seu desafio incoerente enquanto corriam para nós. Pude ver seus rostos distorcidos. Oito homens, homens grandes, barbudos e com cota de malha, guerreiros temíveis, e firmei meu escudo e tossi ligeiramente, esperando que uma lança batesse na pesada bossa de metal do centro.

— Empurrem a gente! — gritei para minha segunda fileira.

Pude ver que uma das lanças estava apontada para meu escudo. Se batesse suficientemente baixa, meu escudo seria inclinado para a frente e o homem do machado golpearia para baixo com sua lâmina enorme. A morte numa manhã de primavera, e assim pus minha perna esquerda contra o escudo, esperando que isso o impedisse de ser empurrado para trás, mas suspeitei de que a lança despedaçaria a madeira de tília de qualquer modo e que a lâmina se cravaria em minha virilha.

— Firmes! — gritei de novo.

E as lanças vieram para nós. Vi o lanceiro fazendo careta enquanto se preparava para jogar o peso do corpo contra meu escudo. E aquele estrondo de metal contra madeira estava a um átimo de acontecer quando, em vez disso, Pyrlig atacou.

A princípio eu não soube o que aconteceu. Estava esperando o golpe da lança e me preparando para aparar uma machadada com Bafo de Serpente, quando algo caiu do céu sobre os atacantes. As lanças longas tombaram e suas lâminas se cravaram na estrada, poucos passos à minha frente, e os oito homens cambalearam, tendo perdido toda a coesão e o ímpeto. A princípio achei que dois dos homens de Pyrlig haviam pulado da alta fortificação acima da porta, mas então vi que o galês havia jogado dois cadáveres do topo do bastião. Os corpos, ambos de homens grandes, ainda estavam vestidos com cota de malha e seu peso bateu contra os cabos das lanças, impelindo as armas para baixo e provocando o caos na primeira fila do inimigo. Num momento eles estavam enfileirados, ameaçando, e agora estavam tropeçando em cadáveres.

Agi sem pensar. Bafo de Serpente sibilou um giro para trás e sua lâmina se chocou contra o elmo de um homem com machado, e puxei-a de volta, vendo o sangue aparecer através do metal partido. Aquele sujeito caiu enquanto eu batia com a bossa pesada do escudo no rosto de um lanceiro e senti seus ossos se partindo.

— Parede de escudos! — gritei dando um passo atrás.

Finan havia avançado como eu e tinha matado outro lanceiro. Agora a estrada estava obstruída por três cadáveres e pelo menos um homem atordoado, e quando recuei para o arco da porta, mais dois corpos foram atirados do bastião. Os cadáveres caíam com ruído surdo na estrada, ricocheteavam, depois ficavam como mais estorvo para o avanço de Sigefrid, e foi então que o vi.

Estava na segunda fileira, uma figura maligna com sua grossa capa de urso. Simplesmente aquela pele poderia aparar a maioria dos golpes de espada, e por baixo ele usava uma brilhante cota de malha. Estava rugindo com seus homens para avançarem, mas a súbita queda de cadáveres os havia feito parar.

— Em frente! — berrou Sigefrid, em seguida abriu caminho até a primeira fila e veio direto para mim. Estava me olhando e gritando, mas não me lembro do que ele gritava.

O ataque de Sigefrid havia perdido todo o ímpeto. Em vez de nos acertar na corrida, eles se aproximaram caminhando e me lembro de ter empurrado o escudo adiante, e do estrondo quando nossos dois escudos se encontraram, e do choque do peso de Sigefrid, mas ele devia ter sentido o mesmo porque nenhum de nós se desequilibrou. Ele mandou a espada contra mim e senti um golpe oco no escudo, e fiz o mesmo com ele. Eu havia embainhado Bafo de Serpente. Ela era, e é, uma bela arma, mas uma espada longa não tem utilidade quando as paredes de escudo se juntam como amantes. Tinha desembainhado Ferrão de Vespa, minha espada curta, e tateei com sua lâmina procurando uma abertura entre os escudos dos inimigos e impulsionei-a. Ela não acertou nada.

Sigefrid fez força contra mim. Fizemos força de volta. Uma fileira de escudos havia se chocado contra outra, e atrás delas, dos dois lados, homens empurravam e xingavam, grunhiam e arfavam. Um machado veio na direção de minha cabeça, brandido por um homem atrás de Sigefrid, mas atrás de mim Clapa estava com o escudo levantado e recebeu o golpe, que teve força suficiente para bater seu escudo contra meu elmo. Por um momento não pude ver nada, mas balancei a cabeça e a visão clareou. Outro machado havia enganchado a lâmina na borda superior de meu escudo e o homem tentava puxá-lo para baixo, mas ele estava tão apertado contra o de Sigefrid que não queria se mexer. Sigefrid me xingava, cuspindo em minha cara, e eu o chamei de filho de uma puta que fornicava com bodes e o golpeei com Ferrão de Vespa. Ela havia encontrado algo sólido atrás da parede inimiga e abri caminho com ela, depois empurrei-a com força à frente e abri caminho de novo. Mas até hoje não sei que dano a lâmina causou.

Os poetas falam sobre aquelas batalhas, mas nenhum poeta que eu conheça já esteve na primeira fila de uma parede de escudos. Eles alardeiam as proezas de um guerreiro e registram quantos homens ele matou. Luminosa relampejou sua espada, cantam eles, e grande foi o morticínio trazido por sua lança, mas nunca foi assim. Não morriam muitos homens quando os escudos se tocavam e o empurra-empurra começava, porque não havia espaço suficiente para girar uma espada. A verdadeira matança tinha início quando uma parede de escudos se rompia, mas a nossa suportou aquele primeiro ataque. Vi pouca coisa porque meu elmo fora empurrado para baixo sobre os olhos, mas me lembro da boca aberta de Sigefrid, toda de dentes podres e cuspe amarelo. Ele estava me xingando e eu o estava xingando, e meu escudo estremecia por causa dos golpes e homens gritavam. Um estava gritando de dor. Então ouvi outro berro e de repente Sigefrid deu um passo atrás. Toda a sua fileira estava se movendo para longe de nós e por um momento pensei que estavam tentando nos provocar para sair do arco da porta, mas fiquei onde estava. Não ousava tirar minha pequena parede de escudos fora do arco, porque as grandes muralhas de pedra de cada lado protegiam meus flancos. Então houve um terceiro grito e finalmente vi por que os homens de Sigefrid estavam hesitando. Grandes blocos de pedra caíam do topo da muralha. Evidentemente, Pyrlig não estava sendo atacado, de modo que seus homens arrancavam pedaços da alvenaria e jogavam sobre o inimigo, e o homem atrás de Sigefrid fora acertado na cabeça e Sigefrid cambaleou sobre ele.

— Fiquem aqui! — gritei para meus homens. Eles estavam tentados a avançar e aproveitar a desorganização do inimigo, mas isso significaria sair da segurança da porta. — Fiquem! — berrei com raiva, e eles obedeceram.

Foi Sigefrid quem recuou. Estava raivoso e perplexo. Havia esperado uma vitória fácil, mas em vez disso perdera homens enquanto permanecíamos incólumes. O rosto de Cerdic estava coberto de sangue, mas ele balançou a cabeça quando perguntei se tinha sido muito ferido. Então, de trás, ouvi um rugido de vozes e meus homens, apinhados no arco, estremeceram para a frente quando um inimigo atacou vindo das ruas. Steapa estava lá, e nem me incomodei em me virar para ver a luta, porque sabia que Steapa iria aguentar. Podia ouvir o choque de lâminas acima e soube que Pyrlig também estava lutando pela vida.

Sigefrid viu os homens de Pyrlig lutando e deduziu que seria poupado da chuva de pedras, por isso gritou para seus homens se prepararem.

— Matem os desgraçados! — berrou. — Matem! Mas peguem o grandão vivo. Eu quero ele. — Em seguida girou a espada apontando para mim, e me lembrei do nome de sua arma: Espalha-Medo. — Você é meu! — gritou para mim. — E ainda tenho de crucificar um homem! E o homem é você! — Ele riu, embainhou Espalha-Medo e pegou um machado de guerra, de cabo comprido, com um de seus seguidores. Ofereceu-me um riso malévolo, cobriu o corpo com seu escudo decorado com um corvo e gritou para seus homens avançarem. — Matem todos! Todos, menos o desgraçado grandão! Matem!

Mas desta vez, em lugar de empurrar de perto para nos pressionar contra o portão como uma rolha sendo forçada por um gargalo de garrafa, ele fez seus homens pararem à distância de uma espada e tentar puxar nossos escudos com seus machados de cabo comprido. E assim o trabalho se tornou desesperador.

Um machado é uma arma maligna numa luta entre paredes de escudos. Se ele não se engancha num escudo para puxá-lo para baixo, ainda pode despedaçar as tábuas. Senti os golpes de Sigefrid batendo no escudo, vi a lâmina do machado aparecer numa fenda da madeira de tília e tudo o que podia fazer era suportar o assalto. Não ousava avançar porque isso romperia nossa parede, e se toda a nossa parede avançasse, os homens nos flancos ficariam expostos e morreríamos.

Uma lança estava cutucando meus tornozelos. Um segundo machado bateu no escudo. Ao longo de toda a nossa pequena fileira os golpes choviam, os escudos estavam se partindo e a morte espreitava. Eu não tinha machado para usar, porque nunca gostei desse tipo de arma, mas reconhecia como era letal. Mantive Ferrão de Vespa na mão, esperando que Sigefrid chegasse perto e eu pudesse passar a lâmina por seu escudo e cravar fundo em sua barriga grande, mas Sigefrid se encontrava à distância de um machado, e meu escudo estava partido, e eu sabia que logo um golpe iria arrebentar meu antebraço, transformando-o numa massa inútil de sangue e osso despedaçado.

Arrisquei um passo adiante. Fiz isso de repente, de modo que o próximo golpe de Sigefrid se desperdiçou, mas o cabo do machado roçou em meu ombro esquerdo. Ele tinha de baixar o escudo para empurrar o machado, e estoquei com Ferrão de Vespa cruzando seu corpo. A lâmina bateu forte contra seu ombro direito, mas a malha cara aguentou. Ele se encolheu. Fiz um movimento de corte com a espada contra seu rosto, mas ele chocou o escudo contra o meu, me impulsionando para trás, e um instante depois seu machado bateu de novo contra meu escudo.

Então ele fez uma careta, todos os dentes podres, olhos furiosos e barba eriçada.

— Quero você vivo — disse. Em seguida girou o machado de lado e eu consegui puxar o escudo para dentro apenas o suficiente para que a lâmina batesse na bossa. — Vivo — repetiu ele —, e você terá uma morte digna de um homem que viola o juramento.

— Não fiz juramento a você — disse eu.

— Mas vai morrer como se tivesse feito — disse ele —, com as mãos e os pés pregados numa cruz, e seus gritos não vão parar até que eu me canse. — Ele fez outra careta enquanto recuava o machado para um último golpe capaz de despedaçar escudos. — E vou esfolar seu cadáver, Uhtred, o Traidor, e cobrir meu escudo com sua pele bronzeada. Vou mijar em sua garganta morta e dançar em seus ossos. — Ele girou o machado e o céu caiu.

Todo um trecho de alvenaria pesada havia sido solta da muralha e bateu contra as fileiras de Sigefrid. Havia poeira, gritos e homens partidos. Seis guerreiros estavam no chão ou segurando ossos despedaçados. Todos estavam atrás de Sigefrid, e ele se virou, atônito. E nesse momento Osferth, o filho bastardo de Alfredo, pulou de cima da porta.

Ele deveria ter quebrado os tornozelos com aquele salto desesperado, mas de algum modo sobreviveu. Pousou em meio às pedras quebradas e os corpos esmagados do que havia sido a segunda fileira de Sigefrid, e gritou como uma garota enquanto girava a espada contra a cabeça do enorme norueguês. A lâmina acertou o elmo de Sigefrid. Não rompeu o metal, mas deve ter atordoado Sigefrid por um instante. Eu havia rompido minha parede de escudos ao dar dois passos à frente, bati com o escudo partido no sujeito atordoado e cravei Ferrão de Vespa em sua coxa esquerda. Desta vez ela rompeu os elos de sua malha e eu torci-a, rasgando músculos. Sigefrid cambaleou e foi então que Osferth, cujo rosto era uma imagem de puro terror, cravou sua espada na parte inferior das costas do norueguês. Não creio que Osferth soubesse o que estava fazendo. Havia se mijado de medo, estava atordoado, confuso, o inimigo ia recuperando os sentidos e vinha para matá-lo, e Osferth simplesmente cravou a espada com desespero suficiente para furar a capa de pele de urso, a cota de malha e em seguida o próprio Sigefrid.

O grandalhão gritou de agonia. Finan estava junto de mim, dançando como sempre dançava em batalha, e enganou o homem ao lado de Sigefrid com uma estocada que era uma finta, girou a espada de lado, pelo rosto do sujeito, depois gritou para Osferth vir para nós.

Mas o filho de Alfredo estava imobilizado pelo terror. Não teria vivido mais do que um instante se eu não tivesse jogado fora os restos de meu escudo despedaçado, estendido a mão para além de Sigefrid, que berrava, e puxado Osferth. Empurrei-o para a segunda fileira e, sem escudo para me proteger, esperei o ataque seguinte.

— Meu Deus, obrigado, obrigado, senhor Deus — estava dizendo Osferth. Era patético.

Sigefrid estava de joelhos, gemendo. Dois homens o arrastaram para longe, e vi Erik olhando pasmo para o irmão ferido.

— Venha e morra! — gritei para ele, e Erik reagiu à minha raiva com um olhar triste. Assentiu para mim, como se reconhecesse que o costume me obrigava a ameaçá-lo, mas que a ameaça não diminuía sua consideração por mim. — Venha! — aticei. — Venha e conheça Bafo de Serpente.

— No devido tempo, senhor Uhtred — gritou Erik de volta, e sua cortesia era uma censura a meu rosnado. Em seguida parou junto ao irmão ferido, e o sofrimento de Sigefrid convencera o inimigo a hesitar antes de nos atacar de novo. Hesitou por tempo suficiente para eu me virar e ver que Steapa havia vencido o ataque feito por dentro da cidade.

— O que está acontecendo no bastião? — perguntei a Osferth.

Ele me encarou com puro terror.

— Obrigado, senhor Jesus — gaguejou.

Dei um soco com o punho direito em sua barriga.

— O que está acontecendo lá em cima! — gritei.

Ele me olhou boquiaberto, gaguejou de novo, depois conseguiu falar com coerência.

— Nada, senhor. Os pagãos não conseguem subir a escada.

Virei-me de novo para encarar o inimigo. Pyrlig estava sustentando o topo do bastião, Steapa segurava o lado interno da porta, logo, eu precisava me aguentar ali. Toquei o amuleto do martelo, passei a mão esquerda no punho de Bafo de Serpente e agradeci aos deuses por ainda estar vivo.

— Dê-me seu escudo — falei a Osferth. Arranquei o escudo dele, passei o braço machucado pelas alças de couro e vi que o inimigo estava formando uma nova linha.

— Você viu os homens de Æthelred? — perguntei a Osferth.

— Æthelred? — respondeu ele, como se nunca tivesse escutado o nome.

— Meu primo! — rosnei. — Você o viu?

— Ah, sim, senhor, ele está vindo. — Osferth deu a notícia como se fosse absolutamente sem importância, como se estivesse dizendo que viu chuva ao longe.

Arrisquei-me a me virar para encará-lo.

— Ele está vindo?

— Sim, senhor.

E estava mesmo, e veio. Nossa luta acabou mais ou menos ali, porque Æthelred não havia abandonado o plano de atacar a cidade, e agora trouxe seus homens atravessando o Fleot para golpear a retaguarda do inimigo, que fugiu para o norte na direção da porta seguinte. Nós o perseguimos por um tempo. Desembainhei Bafo de Serpente porque era uma espada melhor para uma luta aberta, e peguei um dinamarquês que era gordo demais para correr depressa. Ele se virou, deu uma estocada com uma lança e eu desviei o golpe com meu escudo emprestado, e o mandei para o castelo de cadáveres com uma estocada. Os homens de Æthelred estavam uivando enquanto lutavam encosta acima, e eu achei que eles poderiam facilmente confundir meus homens com o inimigo, por isso chamei minhas tropas para retornar à Porta Ludd. Agora o arco estava vazio, mas de cada lado havia cadáveres ensanguentados e escudos quebrados. O sol estava mais alto, mas as nuvens continuavam fazendo-o parecer um amarelo sujo por trás de seu véu.

Alguns homens de Sigefrid morreram do lado de fora das muralhas, e tamanho foi seu pânico que alguns até mesmo foram trucidados com enxadas afiadas. A maioria conseguiu passar pela porta seguinte entrando na velha cidade, e ali nós os caçamos.

Foi uma caçada selvagem, cheia de uivos. As tropas de Sigefrid, os guerreiros que não haviam investido para fora das muralhas, demoraram a descobrir sua derrota. Permaneceram nas fortificações até que viram a morte chegando, e então fugiram para as ruas e os becos já atulhados de homens, mulheres e crianças que fugiam do ataque saxão. Desceram correndo as colinas da cidade, indo para os barcos amarrados no cais abaixo da ponte. Alguns, os idiotas, tentaram salvar seus pertences, e isso foi fatal porque, atrapalhados pelas posses, foram apanhados nas ruas e mortos. Uma jovem gritou enquanto era arrastada para uma casa por um lanceiro mércio. Havia homens mortos nas sarjetas, farejados pelos cães. Algumas casas mostravam uma cruz, denotando que ali moravam cristãos, mas a proteção não significava nada se houvesse uma jovem bonita lá dentro. Um padre levantou alto um crucifixo de madeira do lado de fora de uma porta baixa e gritou que havia mulheres cristãs abrigadas em sua pequena igreja, mas o padre foi morto por um machado e os gritos começaram. Uns vinte nórdicos foram apanhados no palácio onde guardavam o tesouro reunido por Sigefrid e Erik, e todos morreram ali, o sangue escorrendo entre os pequenos ladrilhos do piso de mosaico do salão romano.

Foi o *fyrd* que provocou a maior destruição. As tropas domésticas tinham disciplina e se mantinham juntas, e foram essas tropas treinadas que expulsaram os nórdicos de Lundene. Eu fiquei na rua perto da muralha do rio, a rua por onde havíamos passado ao sair de nossos navios meio inundados, e arrebanhamos os fugitivos como se fossem ovelhas fugindo de lobos. O padre Pyrlig havia prendido seu estandarte da cruz a uma lança dinamarquesa e balançava-a acima de nossas cabeças para mostrar aos homens de Æthelred que éramos amigos. Gritos e uivos soavam nas ruas mais altas. Passei por cima de uma criança morta, com os cachos dourados sujos do sangue de seu pai, que havia morrido ao lado dela. O último ato dele fora segurar o braço da filha, e sua mão morta continuava enrolada no cotovelo da menina. Pensei em minha filha, Stiorra.

— Senhor! — gritou Sihtric. — Senhor! — Ele estava apontando com a espada.

Tinha visto que um grande grupo de nórdicos, presumivelmente isolados quando recuavam para os navios, havia se refugiado na ponte quebrada. A extremidade norte da ponte era guardada por um bastião romano através do qual passava um arco, mas o este havia perdido há muito o portão. Em vez disso, a passagem para a pista de madeira da ponte estava bloqueada por uma parede de escudos. Estavam na mesma posição que eu havia assumido na Porta Ludd, com os flancos protegidos pela alta alvenaria. Os escudos preenchiam o arco, e pude ver pelo menos seis fileiras de homens atrás da linha de frente, feita de escudos redondos sobrepostos.

Steapa soltou um grunhido baixo e levantou seu machado.

— Não — disse eu, pondo a mão em seu enorme braço que segurava o escudo.

— Vamos fazer uma presa de javali — disse ele em tom vingativo —, matar os desgraçados. Matar todos.

— Não — repeti. Uma presa de javali era uma cunha de homens que se chocaria contra uma parede de escudos como uma ponta de lança humana, mas nenhuma presa de javali romperia aquela parede de nórdicos. Estavam muito apinhados na passagem em arco e estavam desesperados, e homens desesperados lutam fanaticamente pela chance de viver. No fim morreriam, verdade, mas muitos de meus homens sucumbiriam com eles.

— Fiquem aqui — ordenei a meus homens. Entreguei meu escudo emprestado a Sihtric, depois lhe dei meu elmo. Embainhei Bafo de Serpente. Pyrlig me imitou, tirando o elmo. — Você não precisa ir — disse eu.

— E por que não iria? — perguntou ele, sorrindo. Em seguida entregou seu estandarte improvisado a Rypere, pousou o escudo no chão. E como eu estava feliz com a companhia do galês, nós dois fomos até o portão da ponte.

— Sou Uhtred de Bebbanburg — anunciei aos homens de rostos duros que olhavam por cima das bordas dos escudos —, e se vocês quiserem festejar no castelo de cadáveres de Odin esta noite, estou disposto a mandá-los.

Atrás de mim a cidade gritava, a fumaça pairava densa pelo céu. Os nove homens na primeira fila do inimigo me olhavam, mas nenhum falou.

— Mas se querem provar por mais tempo as alegrias deste mundo — continuei —, falem comigo.

— Nós servimos a nosso *earl* — disse finalmente um dos homens.

— E ele é?

— Sigefrid Thurgilson — disse o homem.

— Que lutou bem — respondi. Eu estivera gritando insultos contra Sigefrid havia menos de duas horas, mas agora era o momento de um discurso mais suave. Momento de arranjar para que o inimigo cedesse e assim salvar a vida de meus homens. — O *earl* Sigefrid vive? — perguntei.

— Vive — disse o homem secamente, balançando a cabeça para indicar que Sigefrid estava em algum lugar atrás dele, na ponte.

— Então lhe diga que Uhtred de Bebbanburg quer falar com ele, para decidir se ele vive ou não.

Essa escolha não era minha. As fiandeiras já haviam tomado a decisão, e eu não passava de seu instrumento. O homem que havia falado comigo gritou a mensagem para os homens atrás, na ponte, e eu esperei. Pyrlig estava rezando, mas não perguntei se estaria implorando misericórdia para as pessoas que gritavam atrás de nós ou morte para os homens à nossa frente.

Então a parede de escudo apertada no arco se separou enquanto homens faziam uma passagem pelo centro da pista.

— O *earl* Erik falará com o senhor — disse o homem.

E Pyrlig e eu fomos encontrar o inimigo.

Seis

— Meu irmão diz que devo matar você — cumprimentou-me Erik. O mais novo dos irmãos Thurgilson estivera esperando por mim na ponte e, ainda que suas palavras contivessem ameaça, não havia nenhuma no rosto. Ele estava plácido, calmo e aparentemente despreocupado com a situação difícil. Seu cabelo preto estava enfiado sob um elmo simples e a bela cota de malha tinha manchas de sangue. Havia um rasgo na bainha da malha, e achei que aquilo marcava o local em que uma lança havia passado sob seu escudo, mas ele evidentemente não estava machucado. Porém, Sigefrid havia se ferido terrivelmente. Eu podia vê-lo na ponte, deitado em sua capa de pele de urso, retorcendo-se com espasmos de dor e recebendo cuidados de dois homens.

— Seu irmão acha que a morte é a resposta para tudo — disse eu, ainda olhando para Sigefrid.

— Então, nesse aspecto, ele é como você — respondeu Erik com um sorriso triste —, se você é o que os homens dizem.

— O que eles dizem sobre mim? — perguntei, curioso.

— Que mata como um nórdico. — Erik se virou para olhar rio abaixo. Uma pequena frota de barcos dinamarqueses e noruegueses conseguira escapar dos molhes, mas alguns remavam de volta rio acima, numa tentativa de salvar os fugitivos que se apinhavam na margem, porém os saxões já estavam em meio àquela multidão condenada. Uma luta furiosa era travada no cais, onde homens golpeavam uns aos outros, irados. Alguns, para escapar da fúria, saltavam no rio. — Algumas vezes acho que a morte é o verdadeiro sentido da vida — disse Erik com tristeza. — Nós cultuamos a morte, nós a distribuímos, acreditamos que ela leva ao júbilo.

— Eu não cultuo a morte — respondi.

— Os cristãos cultuam — observou Erik, olhando para Pyrlig, cujo peito coberto pela malha mostrava a cruz de madeira.

— Não — disse Pyrlig.

— Então por que a imagem de um morto? — perguntou Erik.

— Nosso senhor Jesus Cristo voltou dos mortos — disse Pyrlig energicamente —, ele dominou a morte! Morreu para nos dar a vida e recuperou a própria vida ao morrer. A morte, senhor, é apenas um portão para mais vida.

— Então por que tememos a morte? — perguntou Erik numa voz sugerindo que não esperava resposta. Virou-se para olhar o caos rio abaixo. Os dois navios que tínhamos usado para atravessar a fenda na ponte haviam sido tomados por homens em fuga, e um daqueles navios tinha afundado a metros do cais, onde agora estava emborcado, meio submerso. Homens haviam caído na água em que muitos deviam ter se afogado, mas outros tinham conseguido chegar à margem lamacenta onde estavam sendo mortos por alegres homens com lanças, espadas, machados e enxadas. Os sobreviventes se agarravam aos destroços, tentando se abrigar de um punhado de arqueiros saxões cujas longas flechas de caça se cravavam nas tábuas do navio. Havia morte demais naquela manhã. As ruas da cidade partida fediam a sangue e estavam cheias com as mulheres que uivavam sob o céu amarelo manchado de fumaça. — Nós confiamos em você, senhor Uhtred — disse Erik em tom chapado, ainda olhando rio abaixo. — Você iria nos trazer Ragnar, seria rei na Mércia e nos daria toda a ilha da Britânia.

— O morto mentiu — disse eu. — Bjorn mentiu.

Erik se virou de volta para mim, com o rosto sério.

— Eu disse que não deveríamos tentar enganá-lo, mas o *earl* Haesten insistiu. — Erik deu de ombros, depois olhou para o padre Pyrlig, notando a cota de malha e os punhos gastos de suas espadas. — Mas você também nos enganou, senhor Uhtred, porque acho que sabia que esse homem não era padre, e sim guerreiro.

— Ele é as duas coisas.

Erik fez uma careta, talvez se lembrando da habilidade com que Pyrlig havia derrotado seu irmão na arena.

— Você mentiu — disse ele com tristeza — e nós mentimos, mas ainda poderíamos ter tomado Wessex juntos. E agora? — Ele se virou e olhou para a pista da ponte. — Agora não sei se meu irmão vai viver ou morrer. — Fez uma careta. Sigefrid estava imóvel e por um momento pensei que ele já poderia ter ido para o castelo dos cadáveres, mas então ele girou devagar a cabeça e me lançou um olhar maligno.

— Vou rezar por ele — disse Pyrlig.

— Sim — disse Erik simplesmente. — Por favor.

— E o que devo fazer? — perguntei.

— Você? — Erik franziu a testa, perplexo com minha pergunta.

— Deixo você viver, Erik Thurgilson? Ou mato?

— Vai achar difícil nos matar.

— Mas matarei, se for preciso — respondi. Essa era a verdadeira negociação, naquelas duas frases. A verdade era que Erik e seus homens estavam presos e condenados, mas para matá-los teríamos de abrir caminho através de uma feroz parede de escudos, depois derrubar homens desesperados cujo único pensamento seria levar muitos de nós com eles, para o outro mundo. Eu perderia vinte homens ou mais, e outros de minhas tropas domésticas ficariam aleijados pelo resto da vida. Era um preço que eu não queria pagar, e Erik sabia disso, mas também sabia que o preço seria pago, caso ele não fosse razoável. — Haesten está aqui? — perguntei olhando para a ponte quebrada.

Erik balançou a cabeça.

— Eu o vi ir embora — disse assentindo rio abaixo.

— Que pena, porque ele violou um juramento feito a mim. Se estivesse aqui eu deixaria todos vocês irem em troca da vida dele.

Erik me encarou durante alguns instantes, avaliando se eu teria falado a verdade.

— Então me mate, em vez de Haesten — disse finalmente —, e deixe todos esses outros partirem.

— Você não violou nenhum juramento a mim, portanto não me deve a vida.

— Quero que estes homens vivam — disse Erik com paixão súbita —, e minha vida é um preço pequeno a pagar pela deles. Eu pagarei, senhor Uhtred, e em troca o senhor dá a vida de meus homens e lhes dá o *Domador de Ondas*. — Ele apontou para o navio do irmão, ainda amarrado na pequena doca onde havíamos desembarcado.

— É um preço justo, padre? — perguntei a Pyrlig.

— Quem pode estabelecer o valor de uma vida? — perguntou Pyrlig, em troca.

— Eu posso — respondi com aspereza, e me virei de novo para Erik. — O preço é o seguinte. Vocês deixarão nesta ponte cada arma que carregam. Vão deixar seus escudos. Vão deixar suas cotas de malha e os elmos. Vão deixar os braceletes, as correntes, os broches, as moedas e as fivelas. Vão deixar tudo de valor, Erik Thurgilson, e então podem pegar um navio que eu optar por lhes dar, e podem ir.

— Um navio que você escolher — disse Erik.

— É.

Ele deu um sorriso triste.

— Eu fiz o *Domador de Ondas* para meu irmão. Primeiro encontrei a quilha na floresta. Era um carvalho com tronco reto como um remo, e eu mesmo o cortei. Usamos mais 11 carvalhos, senhor Uhtred, para as costelas e as cruzetas, para a proa, as tábuas. A calafetagem foi com pelos de sete ursos que matei com minha própria lança, e fiz pregos com minha própria forja. Minha mãe fez a vela, eu teci as cordas e o dediquei a Tor matando um cavalo que eu amava e derramando o sangue na proa. Ele levou meu irmão e me conduziu através de tempestades, névoa e gelo. Ele — Erik se virou para o *Domador de Ondas* —, ele é lindo. Eu amo esse navio.

— Mais do que ama sua vida?

Ele pensou por um instante, depois balançou a cabeça.

— Não.

— Então será um navio de minha escolha — falei com teimosia, e isso poderia ter acabado com a negociação, mas houve uma agitação sob o arco onde a parede de escudos dos nórdicos ainda encarava minhas tropas.

Æthelred havia chegado à ponte e estava exigindo passar pelo portão. Erik me lançou um olhar interrogativo quando a notícia foi trazida, e eu dei de ombros.

— Ele comanda aqui — falei.

— Então precisarei da permissão dele para ir embora?

— Precisará.

Erik mandou avisar que a parede de escudos deveria deixar Æthelred entrar na pista, e meu primo caminhou pela ponte com sua petulância costumeira. Aldhelm, o comandante de sua guarda, era seu único companheiro. Æthelred ignorou Erik, e em vez disso me encarou com expressão beligerante.

— Você presume negociar em meu nome?

— Não — respondi.

— Então o que está fazendo aqui?

— Negociando em meu nome. Este é o *earl* Erik Thurgilson — apresentei o norueguês em inglês, mas agora mudei para dinamarquês. — E este — disse a Erik — é o *ealdorman* da Mércia, o senhor Æthelred.

Erik respondeu à apresentação oferecendo a Æthelred uma pequena reverência, mas a cortesia foi desperdiçada. Æthelred olhou a ponte ao redor, contando os homens que haviam se refugiado ali.

— Não são muitos — disse bruscamente. — Todos devem morrer.

— Eu já lhes ofereci suas vidas — informei.

Æthelred se virou para mim.

— Nós tínhamos ordens de capturar Sigefrid, Erik e Haesten, e entregá-los como cativos ao rei Æthelstan — disse ele em tom cortante. — Vi os olhos de Erik se arregalarem ligeiramente. Eu presumia que ele não falasse inglês, mas agora percebi que devia ter aprendido o suficiente para entender as palavras de Æthelred. — Está desobedecendo meu sogro? — perguntou Æthelred quando não respondi.

Mantive a cabeça no lugar.

— Você pode lutar com eles aqui — expliquei com paciência — e vai perder muitos homens bons. Demais. Pode prendê-los aqui, mas com a água alta um navio vai remar até a ponte e resgatá-los. — Isso seria difícil de fazer, mas eu havia aprendido a jamais subestimar a capacidade de navegação dos nórdicos. — Ou pode livrar Lundene da presença deles — falei —, e é isso que eu opto por fazer. — Aldhelm deu um risinho, dando a entender que eu havia feito a opção do covarde. Olhei-o e ele desafiou meu olhar, recusando-se a virar o rosto.

— Mate-os, senhor — disse Aldhelm a Æthelred, mas continuou me encarando.

— Se querem lutar contra eles — falei —, o privilégio é seu, mas eu não terei nada a ver com isso.

Por um momento, Æthelred e Aldhelm se sentiram tentados a me acusar de covardia. Dava para ver o pensamento em seus rostos, mas eles também podiam ver algo em meu rosto e deixaram o pensamento sem ser dito.

— Você sempre amou os pagãos — zombou Æthelred, em vez disso.

— Eu os amei tanto — respondi com raiva — que passei com dois navios por aquela fenda no negrume da noite — apontei para onde os cotocos serrilhados da ponte acabavam. — Trouxe homens para dentro da cidade, primo, e capturei a Porta Ludd, e travei uma batalha naquela ponte como nunca mais desejo travar de novo, e naquela luta matei pagãos para você. E sim, eu os amo.

Æthelred olhou para a fenda. Os borrifos de água apareciam continuamente ali, lançados pelo borbulhar da água caindo pela abertura com tamanha força que a antiga pista de madeira tremia e o ar se enchia do barulho do rio.

— Você não tinha ordens de vir por navio — disse Æthelred indignado, e eu soube que ele se ressentia de meus atos porque poderiam diminuir a glória que ele esperava obter com a captura de Lundene.

— Eu tinha ordens de lhe dar a cidade — retruquei —, e aí está! — Sinalizei para a fumaça pairando sobre o morro cheio de gritos. — Seu presente de casamento — falei, zombando dele com uma reverência.

— E não somente a cidade, senhor — disse Aldhelm a Æthelred —, mas tudo o que há nela.

— Tudo? — perguntou Æthelred, como se não acreditasse em sua sorte.

— Tudo — disse Aldhelm em tom lupino.

— E se estiver grato por isso — exclamei azedo —, agradeça à sua esposa.

Æthelred girou bruscamente para me encarar. Algo em minhas palavras o haviam deixado atônito, porque parecia que eu lhe desferira um soco. Havia incredulidade em seu rosto largo, e raiva, e por um momento ele ficou incapaz de falar.

— Minha esposa? — perguntou finalmente.

— Se não fosse Æthelflaed — expliquei —, não poderíamos ter tomado a cidade. Ontem à noite ela me deu homens.

— Você a viu ontem à noite? — perguntou ele, incrédulo.

Olhei-o, imaginando se ele estaria louco.

— Claro que a vi ontem à noite! Voltamos à ilha para pegar os navios! Ela estava lá! Ela ameaçou envergonhar seus homens se não viessem comigo.

— E ela fez o senhor Uhtred lhe prestar juramento — acrescentou Pyrlig —, um juramento de defender sua Mércia, senhor Æthelred.

Æthelred ignorou o galês. Ainda estava me olhando, mas agora com expressão de ódio.

— Você entrou em meu navio? — ele mal podia falar, de tanto desprezo e ódio. — E viu minha esposa?

— Ela desembarcou com o padre Pyrlig — respondi.

Com isso eu não queria dizer nada especial. Meramente havia informado o que acontecera e esperava que Æthelred admirasse a esposa pela iniciativa, mas no momento em que falei vi que havia cometido um erro. Por um instante achei que Æthelred iria me bater, tão violenta era a fúria súbita em seu rosto largo, mas então ele se controlou, virou-se e foi andando. Aldhelm correu atrás dele e conseguiu conter a pressa de meu primo o suficiente para falar com ele. Vi Æthelred fazer um gesto furioso, descuidado, depois Aldhelm se virou de novo para mim.

— Você deve fazer o que achar melhor — gritou, depois seguiu seu senhor passando pelo arco onde a parede de escudos dos nórdicos abriu passagem para eles.

— Sempre faço — respondi a ninguém em particular.

— Faz o quê? — perguntou o padre Pyrlig, olhando para o arco onde meu primo havia desaparecido subitamente.

— O que acho melhor — respondi, depois franzi a testa. — O que aconteceu ali? — perguntei a Pyrlig.

— Ele não gosta que outros homens falem com a esposa — disse o galês. — Notei isso quando estava no navio com eles, descendo o Temes. Ele tem ciúme.

— Mas eu conheço Æthelflaed desde que ela nasceu! — exclamei.

— Ele teme que você a conheça bem demais, e isso o deixa louco.

— Mas é idiotice! — falei com raiva.

— É ciúme, e todo ciúme é idiota.

Erik também havia observado Æthelred se afastando e estava tão confuso quanto eu.

— Ele é seu comandante? — perguntou o norueguês.

— É meu primo — respondi com amargura.

— E é seu comandante? — perguntou ele de novo.

— O senhor Æthelred ordena — explicou Pyrlig — e o senhor Uhtred desobedece.

Erik sorriu disso.

— Então, senhor Uhtred, temos um acordo? — Ele fez a pergunta em inglês, hesitando ligeiramente com as palavras.

— Seu inglês é bom — falei, surpreso.

Ele sorriu.

— Uma escrava saxã me ensinou.

— Espero que tenha sido bonita. E sim, temos um acordo, mas com uma mudança.

Erik se eriçou, mas permaneceu cortês.

— Pode levar o *Domador de Ondas* — disse eu.

Achei que Erik iria me beijar. Por um instante não acreditou em minhas palavras, depois viu que eu era sincero e deu um sorriso largo.

— Senhor Uhtred — começou.

— Pegue-o — interrompi, não querendo sua gratidão. — Simplesmente pegue-o e vá embora!

As palavras de Aldhelm é que haviam mudado meu pensamento. Ele estivera certo; tudo na cidade agora pertencia à Mércia, e Æthelred era o governante da Mércia, e meu primo tinha uma luxúria por tudo o que fosse belo e, se descobrisse que eu desejava o *Domador de Ondas*, o que era verdade, iria se certificar de tirá-lo de mim. Assim mantive o navio longe de seu alcance, devolvendo-o aos irmãos Thurgilson.

Sigefrid foi levado a seu navio. Os nórdicos, despidos das armas e dos objetos valiosos, foram guardados por meus homens enquanto iam até o *Domador de Ondas*. Demorou muito tempo, mas finalmente estavam todos a bordo e se afastaram do cais, e eu fiquei olhando enquanto eles remavam rio abaixo em direção às pequenas névoas que ainda pairavam acima da foz do rio.

E em algum lugar em Wessex o primeiro cuco piou.

Escrevi uma carta a Alfredo. Sempre odiei escrever, e faz anos desde que usei uma pena pela última vez. Agora os padres de minha mulher rabiscam as cartas para mim, mas eles sabem que sei ler o que escrevem, portanto têm o cuidado de escrever o que dito. Mas na noite da queda de Lundene escrevi de próprio punho a Alfredo. "Lundene é sua, senhor rei, e vou ficar aqui para reconstruir as muralhas."

Escrever até mesmo essa quantidade exauriu minha paciência. A pena arranhava, o pergaminho era irregular e a tinta, que eu havia encontrado num baú de madeira contendo saque evidentemente roubado de um mosteiro, cuspia gotas no pergaminho.

— Agora chame o padre Pyrlig e Osferth — ordenei a Sihtric.

— Senhor — disse Sihtric, nervoso.

— Eu sei — respondi impaciente —, você quer se casar com sua puta. Mas primeiro chame o padre Pyrlig e Osferth. A puta pode esperar.

Pyrlig chegou um instante depois e eu empurrei a carta para ele, por cima da mesa.

— Quero que vá a Alfredo e lhe dê isso, e conte o que aconteceu aqui.

Pyrlig leu minha mensagem e eu vi um pequeno sorriso brilhar em seu rosto feio, um sorriso que desapareceu rapidamente para que eu não me ofendesse com sua opinião sobre minha letra. Ele não falou nada sobre minha curta mensagem, mas olhou ao redor com surpresa enquanto Sihtric trazia Osferth para a sala.

— Estou mandando o irmão Osferth com você — expliquei ao galês.

Osferth se enrijeceu. Odiava ser chamado de irmão.

— Quero ficar aqui, senhor — disse ele.

— O rei quer você em Wintanceaster — respondi sem dar importância —, e nós obedecemos ao rei. — Peguei a carta de volta com Pyrlig, mergulhei a pena na tinta que havia se desbotado até um marrom ferrugem e acrescentei mais palavras. "Sigefrid", escrevi laboriosamente, "foi derrotado por Osferth, que eu gostaria de manter em minha guarda doméstica."

Por que escrevi isso? Eu não gostava de Osferth, assim como não gostava de seu pai, mas ele havia saltado do bastião e demonstrado coragem. Coragem idiota, talvez, mas mesmo assim era coragem, e se Osferth não tivesse saltado, Lundene poderia estar em mãos norueguesas ou dinamarquesas até hoje. Osferth havia merecido seu lugar na parede de escudos, mesmo que suas perspectivas de sobreviver ali ainda fossem desesperadamente pequenas.

— O padre Pyrlig — falei a Osferth enquanto soprava a tinta — contará ao rei suas ações hoje, e esta carta pede que você seja devolvido a mim. Mas você deve deixar essa decisão para Alfredo.

— Ele vai recusar — disse Osferth, carrancudo.

— O padre Pyrlig vai convencê-lo. — O galês levantou uma sobrancelha numa pergunta silenciosa e eu fiz um gesto minúsculo com a cabeça para mostrar que falava a verdade. Dei a carta a Sihtric e fiquei olhando-o dobrar o pergaminho, depois lacrar com cera. Apertei meu sinete da cabeça do lobo no lacre, depois entreguei a carta a Pyrlig. — Conte a Alfredo a verdade do que aconteceu hoje aqui, porque ele ouvirá uma versão diferente de meu primo. E viaje rápido!

Pyrlig sorriu.

— Quer que eu chegue ao rei antes do mensageiro de seu primo?

— Quero.

Essa era uma lição que eu havia aprendido: a primeira notícia geralmente é a versão acreditada. Eu não tinha dúvida de que Æthelred mandaria uma mensagem triunfante a seu sogro, e não tinha dúvida de que, em sua narrativa, nossa participação na vitória seria diminuída até o nada. O padre Pyrlig garantiria que Alfredo ouvisse a verdade, mas se o rei acreditaria no que ouvisse era outra questão.

Pyrlig e Osferth partiram antes do amanhecer, usando dois cavalos dos muitos que havíamos capturado em Lundene. Fiz o circuito das muralhas enquanto o sol nascia, observando os lugares que ainda precisavam de conserto. Meus homens montavam guarda. A maioria era do *fyrd* de Berrocscire, que havia lutado sob o comando de Æthelred no dia anterior, e sua empolgação diante da vitória aparentemente fácil ainda não havia acabado.

Alguns homens de Æthelred também estavam postados nas muralhas, mas a maioria se recuperava da cerveja e do hidromel que havia bebido durante a noite. Numa das portas do norte, que dava para colinas verdes cobertas de névoa, encontrei Egbert, o velho que havia cedido às exigências de Æthelflaed e me dera seus melhores homens. Recompensei-o com o presente de um bracelete de prata que eu havia tirado de um dos muitos cadáveres. Aqueles mortos ainda estavam desenterrados e, ao amanhecer, corvos e milhafres se refestelavam.

— Obrigado — disse eu.

— Eu deveria ter confiado no senhor — disse ele, sem jeito.

— Você confiou em mim.

Ele deu de ombros.

— Por causa dela, sim.

— Æthelflaed está aqui?

— Ainda está na ilha.

— Achei que você estava guardando-a.

— Estava — disse Egbert em tom opaco —, mas o senhor Æthelred mandou me substituir ontem à noite.

— Mandou substituir você? — perguntei, depois vi que sua corrente de prata, o símbolo de que ele comandava homens, lhe fora tirada.

Ele deu de ombros, como quisesse dizer que não entendia a decisão.

— Ordenou que eu viesse para cá — disse ele —, mas quando cheguei ele não quis me ver. Estava doente.

— Alguma coisa séria, espero.

Um meio sorriso surgiu e morreu no rosto de Egbert.

— Ele estava vomitando, pelo que me disseram. Provavelmente não era nada.

Meu primo havia tomado o palácio no topo da colina de Lundene como quartel-general, enquanto eu ficava na casa romana junto ao rio. Gostei disso. Sempre apreciei construções romanas porque suas paredes possuem a grande virtude de manter o vento, a chuva e a neve do lado de fora. Aquela casa era grande. Entrava-se por um arco que vinha da rua para um pátio rodeado por uma varanda com colunas. Em três lados do pátio havia pequenos cômodos que deviam ter sido usados por serviçais ou como depósito. Um deles era uma cozinha e tinha um forno tão grande que dava para assar pães suficientes para alimentar três tripulações ao mesmo tempo. O quarto lado do pátio dava para seis cômodos, dois com tamanho suficiente para reunir toda a minha guarda pessoal. Para além desses dois cômodos grandes havia um terraço pavimentado voltado para o rio, e à noite aquele era um lugar agradável, se bem que na maré baixa o fedor do Temes podia ser avassalador.

Eu poderia ter voltado a Coccham, mas fiquei assim mesmo, e os homens do *fyrd* de Berrocscire também ficaram, mas estavam infelizes porque era primavera e havia trabalho a fazer em seus campos. Mantive-os em Lundene para reforçar as muralhas da cidade. Eu teria ido para casa se achasse que Æthelred faria esse trabalho, mas ele parecia ter uma ignorância abençoada da triste condição das defesas da cidade. Sigefrid havia remendado alguns lugares e reforçado as portas, mas ainda havia muito a fazer. A antiga alvenaria estava desmoronando e em alguns lugares até mesmo havia caído nos fossos externos, e meus homens cortaram e apararam árvores para fazer novas paliçadas onde quer que a muralha estivesse fraca. Em seguida limpamos o fosso do lado de fora da muralha, tirando a imundície amontoada e enfiando estacas afiadas para receber qualquer atacante.

Alfredo mandou ordens para que toda a antiga cidade fosse reconstruída. Qualquer prédio romano em boas condições deveria ser mantido, e as ruínas dilapidadas seriam derrubadas e substituídas por madeira e palha fortes, mas não havia homens nem dinheiro para tentar esse trabalho. A ideia de Alfredo era que os saxões da nova cidade sem defesas iriam se mudar para a antiga Lundene, para ficar em segurança atrás das fortificações, mas aqueles saxões ainda temiam os fantasmas dos construtores romanos e resistiam teimosamente a cada convite para assumir as propriedades desertas. Meus homens do *fyrd* de Berrocscire estavam igualmente amedrontados com os fantasmas, mas tinham mais medo ainda de mim, por isso ficaram e trabalharam.

Æthelred não tomou conhecimento do que eu fiz. Sua doença devia ter passado, porque ele se ocupava caçando. A cada dia cavalgava até as florestas nas colinas ao norte da cidade, onde perseguia cervos. Nunca levava menos de quarenta homens, porque sempre havia uma chance de que algum bando de dinamarqueses saqueadores se aproximasse de Lundene. Havia muitos bandos assim, mas o destino decretou que nenhum chegasse perto de Æthelred. A cada dia eu via cavaleiros a leste, abrindo caminho pelos pântanos escuros e desolados entre a cidade e o mar. Eram dinamarqueses, vigiando-nos, e sem dúvida levando notícias a Sigefrid.

Recebi notícias de Sigefrid. Ele vivia, segundo os informes, mas estava tão afetado pelo ferimento que não conseguia andar nem ficar de pé. Havia se refugiado em Beamfleot com seu irmão e Haesten, e de lá mandavam atacantes para a foz do Temes. Os navios saxões não ousavam navegar para a Frankia, porque os nórdicos estavam num clima vingativo depois da derrota em Lundene. Um navio dinamarquês, com proa de dragão, chegou a remar subindo o Temes para nos provocar da água borbulhante logo abaixo da abertura na ponte quebrada. Tinham prisioneiros saxões a bordo e os mataram, um a um, certificando-se de que víssemos as execuções sangrentas. Também havia mulheres cativas a bordo e podíamos ouvi-las gritando. Mandei Finan e uma dúzia de homens para a ponte, levando um pote de argila com fogo, e assim que estavam na ponte usaram arcos de caça para disparar flechas de fogo contra o intruso. Todos os comandantes de navio temem o fogo, e as flechas, a maioria das quais errou totalmente o alvo, os convenceram a descer rio abaixo até que elas não pudessem mais alcançá-los, mas eles não foram longe e seus remadores mantiveram o navio contra a corrente enquanto mais prisioneiros eram mortos. Só partiram quando juntei uma tripulação para encher um dos barcos capturados que estavam presos ao cais, e só então eles deram a volta e remaram rio abaixo, indo para a tarde que escurecia.

Outros navios vindos de Beamfleot atravessavam o largo estuário do Temes e desembarcavam homens em Wessex. Aquela parte de Wessex era um lugar estranho. Já fora o reino de Cent até ser conquistado pelos saxões do oeste e, ainda que os homens de Cent fossem saxões, falavam com sotaque estranho. Sempre fora um lugar selvagem, perto das outras terras junto ao mar, e sempre com possibilidades de ser atacado por vikings. Agora os homens de Sigefrid mandavam um navio depois do outro, através do estuário, para pilhar o interior de Cent. Faziam escravos e queimavam aldeias. Veio um mensageiro de Swithwulf, bispo de Hrofeceastre, implorar minha ajuda.

— Os pagãos estão em Contwaraburg — disse o mensageiro, um jovem padre, em tom soturno.

— Eles mataram o arcebispo? — perguntei animado.

— Ele não estava lá, senhor, graças a Deus. — O padre fez o sinal da cruz. — Os pagãos estão em toda parte, senhor, e ninguém está seguro. O bispo Swithwulf implora sua ajuda.

Mas eu não podia ajudar o bispo. Precisava de homens para guardar Lundene, e não Cent, e outros para guardar minha família também, porque, uma semana depois da queda da cidade, Gisela, Stiorra e meia dúzia de aias chegaram. Eu havia mandado Finan e trinta homens escoltá-las em segurança rio abaixo, e a casa junto ao Temes pareceu ficar mais quente com os ecos dos risos das mulheres.

— Você poderia ter limpado a casa — provocou Gisela.

— Eu varri!

— Rá! — ela apontou para o teto. — O que é aquilo?

— Teias de aranha — respondi. — Elas estão segurando os caibros no lugar.

As teias de aranha foram varridas e os fogões da cozinha acesos. No pátio, sob um canto em que os telhados da varanda se encontravam, havia uma velha urna de pedra atulhada de lixo. Gisela limpou a sujeira, depois ela e duas aias lavaram o exterior da urna, revelando mármore branco esculpido com delicadas mulheres que pareciam estar perseguindo umas às outras e balançando harpas. Gisela adorava essas esculturas. Agachou-se ao lado, acompanhando com o dedo o cabelo das mulheres romanas, depois ela e suas aias tentaram copiar o penteado. Ela adorava a casa, também, e até suportava o fedor do rio para sentar-se no terraço à tarde e olhar a água correndo.

— Ele bate nela — disse-me uma noite.

Eu sabia de quem ela falava, e fiquei quieto.

— Ela está machucada — disse Gisela — e está grávida, e ele bate nela.

— Ela está o quê? — perguntei, surpreso.

— Æthelflaed — disse Gisela com paciência — está grávida. — Quase todo dia Gisela ia ao palácio e passava um tempo com ela, mas Æthelflaed nunca tinha permissão de visitar nossa casa.

Fiquei surpreso com a notícia da gravidez de Æthelflaed. Não sei por que deveria estar, mas estava. Acho que ainda pensava em Æthelflaed como uma criança.

— E ele bate nela? — perguntei.

— Porque acha que ela ama outros homens.

— E ama?

— Não, claro que não, mas ele teme isso. — Gisela parou para juntar mais lã que estava fiando numa roca. — Ele acha que ela ama você.

Pensei na súbita raiva de Æthelred na ponte de Lundene.

— Ele é louco!

— Não, ele tem ciúme — disse Gisela, pondo a mão em meu braço. — E sei que ele não tem do que sentir ciúme. — Ela sorriu para mim, depois voltou a juntar sua lã. — É um modo estranho de demonstrar amor, não é?

Æthelflaed viera para a cidade um dia depois da queda. Viajou de barco até a cidade saxã, e de lá um carro de boi havia levado-a atravessando o Fleot até o novo palácio de seu marido. Homens ladeavam o caminho balançando galhos cheios de folhas, um padre ia adiante dos bois espalhando água benta enquanto um coro de mulheres seguia a carroça, que, como os chifres dos bois, estava enfeitada com flores de primavera. Æthelflaed, segurando a lateral da carroça para se firmar, parecera desconfortável, mas havia me dado um sorriso triste enquanto os bois a arrastavam pelas pedras irregulares no interior da porta da cidade.

A chegada de Æthelflaed foi comemorada com uma festa no palácio. Tenho certeza de que Æthelred não queria me convidar, mas meu posto lhe dava pouca opção, e uma mensagem de má vontade havia chegado na tarde anterior à comemoração. A festa não fora nada especial, mas a cerveja era em quantidade suficiente. Uma dúzia de padres compartilhou a mesa do alto com Æthelred e Æthelflaed, e eu recebi um banco no fim daquela tábua comprida. Æthelred fez cara feia para mim, os padres me ignoraram, e eu saí cedo, dizendo que tinha de fazer a ronda nas muralhas e me certificar de que as sentinelas estivessem acordadas. Lembro-me de que naquela noite meu primo estava pálido, mas havia sido logo depois do ataque de vômito. Eu perguntei por sua saúde e ele descartou a pergunta como se fosse irrelevante.

Gisela e Æthelflaed ficaram amigas em Lundene. Eu consertei a muralha e Æthelred caçava enquanto seus homens saqueavam a cidade para equipar seu palácio. Um dia cheguei em casa e encontrei seis de seus seguidores no pátio de minha casa. Egbert, o homem que havia me dado as tropas na véspera do ataque, era um deles. Cinco usavam cota de malha e espadas, o sexto usava um gibão lindamente bordado que mostrava cães perseguindo cervos. Esse sexto homem também usava corrente de prata, sinal de nobreza. Era Aldhelm, amigo de meu primo e comandante de suas tropas domésticas.

— Isto — respondeu Aldhelm. Ele estava parado junto à urna que Gisela havia limpado. Agora ela servia para captar água da chuva que caía do telhado, e essa água era doce e de gosto limpo, uma raridade em qualquer cidade.

— Duzentos xelins de prata — disse eu a Aldhelm — e ela é sua.

Ele deu um riso de desprezo. O preço era ultrajante. Os quatro homens mais jovens haviam conseguido virar a urna, fazendo a água cair, e agora estavam lutando para endireitá-la de novo, mas haviam interrompido os esforços quando apareci.

Gisela veio da casa principal e sorriu para mim.

— Eu disse a eles que não poderiam levá-la — disse ela.

— O senhor Æthelred a quer — insistiu Aldhelm.

— Você se chama Aldhelm — disse eu. — Só Aldhelm, e eu sou Uhtred, senhor de Bebbanburg, e você me chama de "senhor".

— Este, não — Gisela falou com voz sedosa. — Ele me chamou de cadela intrometida.

Meus homens, que eram quatro, moveram-se para meu lado e puseram a mão no punho da espada.

— Você chamou minha mulher de cadela? — perguntei a Aldhelm.

— Meu senhor requisita esta estátua — disse ele, ignorando minha pergunta.

— Você vai pedir desculpas à minha mulher — disse eu — e depois a mim. — E coloquei o cinto com as duas espadas pesadas sobre as pedras do piso.

Ele me deu as costas.

— Deixe-a de lado — disse aos quatro homens — e rolem para a rua.

— Quero dois pedidos de desculpas — disse eu.

Ele ouviu a ameaça em minha voz e se virou de volta, agora alarmado.

— Esta casa — explicou Aldhelm — pertence ao senhor Æthelred. Se você vive aqui é pela permissão graciosa dele. — Aldhelm ficou ainda mais alarmado à medida que eu me aproximava. — Egbert! — disse ele em voz alta, mas a única reação de Egbert foi um movimento pedindo calma com a mão direita, sinal de que seus homens deveriam manter as espadas nas bainhas. Egbert sabia que se uma única espada saísse da bainha longa haveria uma luta entre seus homens e os meus, e teve o bom senso de evitar aquela matança, mas Aldhelm não tinha bom senso. — Seu desgraçado impertinente — disse ele, em seguida tirou uma faca de uma bainha na cintura e tentou acertar minha cintura.

Quebrei o queixo de Aldhelm, o nariz, as duas mãos e talvez duas costelas antes que Egbert me afastasse. Quando Aldhelm pediu desculpas a Gisela, fez isso cuspindo dentes através do sangue que borbulhava, e a urna permaneceu no pátio. Dei sua faca às garotas que trabalhavam na cozinha, onde ela se mostrou útil para cortar cebolas.

E no dia seguinte Alfredo chegou.

O rei veio silenciosamente, seu navio chegando num cais acima da ponte partida. O *Haligast* esperou que um navio mercante do rio desatracasse, depois se aproximou em remadas curtas e eficientes. Alfredo, acompanhado por uma vintena de padres e monges e guardado por seis homens usando cotas de malha, desembarcou sem arautos nem anúncios. Desviou-se das mercadorias empilhadas no cais, passou por cima de um bêbado dormindo à sombra e se abaixou passando pelo pequeno portão na muralha, que dava no pátio de um mercador.

Ouvi dizer que ele foi ao palácio. Æthelred não estava lá, fora caçar de novo, mas o rei foi ao aposento de sua filha e ficou lá por muito tempo. Depois desceu de novo o morro e, ainda com seu séquito de sacerdotes, veio à nossa casa. Eu estava com um dos grupos que fazia consertos nas muralhas, mas Gisela fora alertada da presença de Alfredo em Lundene e, suspeitando de que ele poderia vir à nossa casa, havia preparado uma refeição de pão, cerveja, queijo e lentilha cozida. Não ofereceu carne, porque Alfredo não tocava carne. Seu estômago era fraco e as entranhas viviam em tormento perpétuo, e de algum modo ele havia se convencido de que a carne era uma abominação.

Gisela havia mandado um serviçal me alertar da vinda do rei, mas mesmo assim cheguei à casa muito depois de Alfredo, encontrando meu elegante pátio preto de tantos padres, dentre os quais estava Pyrlig e, perto dele, Osferth, que de novo vestia mantos de monge. Osferth me deu um olhar azedo, como se me culpasse por seu retorno à Igreja, enquanto Pyrlig me abraçava.

— Æthelred não disse nada sobre você no informe dado ao rei — murmurou ele com bafo de cerveja em minha cara.

— Nós não estávamos aqui quando a cidade caiu? — perguntei.

— Segundo seu primo, não — disse Pyrlig, depois deu um risinho. — Mas contei a verdade a Alfredo. Ande, ele está esperando por você.

Alfredo estava no terraço do rio. Seus guardas se mantinham atrás dele, enfileirados de encontro a casa, enquanto o rei ocupava uma cadeira. Parei junto à porta, surpreso porque o rosto de Alfredo, geralmente tão pálido e solene, tinha uma expressão animada. Estava até mesmo sorrindo. Gisela sentava-se ao lado dele e o rei estava inclinado adiante, falando, e Gisela, de costas para mim, ouvia. Fiquei onde estava, olhando aquela visão raríssima, Alfredo feliz. Ele bateu o dedo comprido e branco no joelho dela uma vez, para enfatizar algum argumento. Não havia nada de estranho no gesto, a não ser que aquilo não era muito do estilo dele.

Mas, claro, talvez fosse do estilo dele. Alfredo fora um famoso mulherengo antes de ser apanhado nas garras do cristianismo, e Osferth era produto dessa antiga luxúria principesca. Alfredo gostava de mulheres bonitas, e era óbvio que gostava de Gisela. Ouvi-a rir subitamente e Alfredo, lisonjeado por sua diversão, deu um sorriso tímido. Parecia não se importar que ela não fosse cristã e que usasse um amuleto pagão no pescoço, estava simplesmente feliz na companhia dela e fiquei tentado a deixá-los a sós. Nunca o vira feliz na companhia de Ælswith, sua esposa com língua de doninha, cara de arminho e voz de pica-pau. Então, por acaso, ele olhou por cima do ombro de Gisela e me viu.

Seu rosto mudou imediatamente. Ele se enrijeceu, sentou-se empertigado e, relutante, sinalizou para eu me aproximar.

Peguei um banco que nossa filha usava e ouvi um som sibilante enquanto os guardas de Alfredo desembainhavam espadas. Alfredo sinalizou para largarem as armas, sensível o bastante para saber que, se eu quisesse atacá-lo, não usaria um banco de ordenha, de três pernas. Ficou olhando enquanto eu dava minhas espadas a um dos guardas, sinal de respeito, e em seguida carregava o banco pelo terraço.

— Senhor Uhtred — cumprimentou ele com frieza.

— Bem-vindo à nossa casa, senhor rei. — Fiz uma reverência, depois me sentei de costas para o rio.

Ele ficou em silêncio por um momento. Estava usando uma capa marrom apertada ao redor do corpo magro. Uma cruz de prata pendia do pescoço, e no cabelo que ia rareando havia um aro de bronze, o que me surpreendeu, porque ele raramente usava símbolos do reinado, pensando que eram badulaques vaidosos, mas devia ter decidido que Lundene precisava ver um rei. Sentiu minha surpresa, porque tirou o aro da cabeça.

— Eu havia esperado — disse friamente — que os saxões da nova cidade tivessem abandonado suas casas. Que estariam vivendo aqui. Eles poderiam ser protegidos pelas muralhas! Por que não se mudam?

— Eles temem os fantasmas, senhor.

— E você não teme?

Pensei por um tempo.

— Temo — falei depois de pensar na resposta.

— No entanto, mora aqui? — ele indicou a casa.

— Nós propiciamos os espíritos, senhor — explicou Gisela em voz baixa e, quando o rei levantou uma das sobrancelhas, contou que colocávamos comida e bebida no pátio para receber qualquer fantasma que chegasse à nossa casa.

Alfredo esfregou os olhos.

— Poderia ser melhor se nossos padres exorcizassem as ruas — disse ele. — Orações e água benta! Vamos expulsar os fantasmas.

— Ou então me deixe levar trezentos homens para saquear a cidade nova — sugeri. — Se queimarmos as casas, senhor, eles terão de viver na cidade velha.

Um meio sorriso tremulou no rosto dele, e sumiu tão rapidamente quanto havia surgido.

— É difícil obrigar a obediência sem encorajar o ressentimento — disse ele. — Algumas vezes acho que a única autoridade verdadeira que tenho é sobre minha família, e mesmo assim fico em dúvida! Se eu soltá-lo com espadas e lanças na cidade nova, senhor Uhtred, eles aprenderão a odiá-lo. Lundene deve ser obediente, mas também deve ser um bastião para os cristãos saxões, e se eles nos odiarem, irão receber bem um retorno dos dinamarqueses, que os deixaram em paz. — Ele balançou a cabeça abruptamente. — Vamos deixá-los em paz, mas não construa uma paliçada para eles. Agora, desculpe — estas últimas palavras eram para Gisela —, mas devemos falar de coisas ainda mais sombrias.

Alfredo sinalizou para um guarda que abriu a porta do terraço. O padre Beocca apareceu e com ele veio um segundo padre; uma criatura carrancuda, de cabelos pretos, rosto fundo, chamada padre Erkenwald. Ele me odiava. Uma vez tentou fazer com que eu fosse morto acusando-me de pirataria e, ainda que a acusação fosse totalmente verdadeira, eu havia escapado de suas garras mal-humoradas. Ele me lançou um olhar azedo enquanto Beocca cumprimentava solene com a cabeça, depois os dois olharam atentamente para Alfredo.

— Conte — disse Alfredo, olhando para mim — o que Sigefrid, Haesten e Erik fazem agora.

— Estão em Beamfleot, senhor — respondi —, reforçando seu acampamento. Eles têm 32 navios e homens suficientes para tripulá-los.

— Você já viu esse lugar? — perguntou o padre Erkenwald. Os dois padres, eu sabia, tinham sido chamados ao terraço para servir como testemunhas da conversa. Alfredo, sempre cauteloso, gostava de ter um registro, escrito ou memorizado, de todas essas discussões.

— Não vi — respondi com frieza.

— Seus espiões, então? — Alfredo retomou as perguntas.

— Sim, senhor.

Ele pensou por um momento.

— Os navios podem ser queimados?

Balancei a cabeça.

— Estão num riacho, senhor.

— Eles devem ser destruídos — disse ele em tom vingativo, e eu vi suas mãos longas e finas se apertando no colo. — Eles atacaram Contwaraburg! — Alfredo parecia muito perturbado.

— Ouvi falar, senhor.

— Queimaram a igreja! — disse ele com indignação. — E roubaram tudo! Evangelhos, cruzes, até as relíquias! — e estremeceu. — A igreja possuía uma folha da figueira que nosso Senhor Jesus Cristo secou! Eu a toquei uma vez, e senti sua força. — Ele parecia a ponto de chorar.

Não falei nada. Beocca havia começado a escrever, sua pena raspando um pergaminho seguro desajeitadamente na mão aleijada. O padre Erkenwald estava segurando um pote de tinta e tinha expressão de desdém como se essa tarefa lhe fosse indigna.

— Trinta e dois navios, foi o que você disse? — perguntou Beocca.

— Foi o que ouvi pela última vez.

— Pode-se entrar em riachos — disse Alfredo com azedume, tendo perdido subitamente a perturbação.

— O riacho em Beamfleot seca na maré baixa, senhor — expliquei —, e para chegar aos navios inimigos temos de passar pelo acampamento deles, que fica num morro acima do atracadouro. E pelo último relatório que recebi, senhor, um navio fica permanentemente ancorado no meio do canal. Poderíamos destruir esse navio e abrir caminho lutando, mas o senhor precisaria de mil homens para isso e perderia pelo menos duzentos.

— Mil? — perguntou ele com ceticismo.

— Pelo que ouvi falar da última vez, senhor, Sigefrid tinha quase dois mil homens.

Ele fechou os olhos brevemente.

— Sigefrid vive?

— Por pouco — respondi. Eu havia recebido a maior parte dessas notícias de Ulf, meu comerciante dinamarquês, que adorava a prata que eu lhe pagava. Não tinha dúvida de que Ulf recebia prata de Haesten e Erik para lhes contar o que eu fazia em Lundene, mas esse era um preço que valia a pena. — O irmão Osferth o feriu seriamente.

Os olhos astutos do rei pousaram em mim.

— Osferth — disse ele em tom opaco.

— Venceu a batalha, senhor — respondi com o mesmo tom. Alfredo só ficou me olhando, ainda inexpressivo. — O senhor foi informado pelo padre Pyrlig? — perguntei, e recebi uma curta afirmação de cabeça. — O que Osferth fez, senhor, foi corajoso, e não sei se eu teria a coragem para fazer isso. Ele saltou de uma grande altura e atacou um guerreiro temível, e sobreviveu para lembrar o feito. Se não fosse por Osferth, senhor, Sigefrid estaria hoje em Lundene e eu estaria em minha sepultura.

— Você o quer de volta? — perguntou Alfredo.

A resposta, claro, era não, mas Beocca assentiu de modo quase imperceptível com a cabeça grisalha, e eu entendi que Osferth não era desejado em Wintanceaster. Eu não gostava do garoto e, a julgar pela mensagem silenciosa de Beocca, ninguém gostava dele em Wintanceaster também, no entanto sua coragem fora exemplar. Pensei que Osferth era um guerreiro no coração.

— Sim, senhor — respondi, e vi o sorriso secreto de Gisela.

— Ele é seu — disse Alfredo, curto e grosso. Beocca revirou o olho bom para o céu, em agradecimento. — E quero os nórdicos fora do estuário do Temes — continuou Alfredo.

Dei de ombros e perguntei:

— Isso não é problema de Guthrum? — Beamfleot ficava no reino da Ânglia Oriental com o qual, oficialmente, estávamos em paz.

Alfredo ficou irritado, provavelmente porque eu usara o nome dinamarquês de Guthrum.

— O rei Æthelstan foi informado do problema — disse ele.

— E não faz nada?

— Faz promessas.

— E os vikings usam suas terras com impunidade — observei.

Alfredo se eriçou.

— Está sugerindo que eu declare guerra contra o rei Æthelstan?

— Ele permite que os saqueadores entrem em Wessex, senhor, então por que não devolvemos o favor? Por que não mandamos navios à Ânglia Oriental para prejudicar os domínios do rei Æthelstan?

Alfredo se levantou, ignorando minha sugestão.

— O mais importante — disse ele — é que não percamos Lundene. — Em seguida estendeu a mão para o padre Erkenwald, que abriu uma sacola de couro e tirou um rolo de pergaminho lacrado com cera marrom. Alfredo estendeu o pergaminho para mim. — Nomeei você governador militar desta cidade. Não deixe o inimigo tomá-la de volta.

Peguei o pergaminho.

— Governador militar? — perguntei objetivamente.

— Todas as tropas e os membros do *fyrd* estarão sob seu comando.

— E a cidade, senhor?

— Será um lugar de Deus.

— Vamos limpá-la da iniquidade — exclamou o padre Erkenwald — e lavá-la até ficar mais branca do que a neve.

— Amém — disse Beocca com fervor.

— Estou nomeando o padre Erkenwald bispo de Lundene — disse Alfredo — e o governo civil ficará com ele.

Senti um aperto no coração. Erkenwald? Que me odiava?

— E quanto ao *ealdorman* da Mércia? Não terá comando civil aqui?

— Meu genro — disse Alfredo sem dar importância — não contrariará minhas ordens.

— E quanta autoridade ele tem aqui?

— Isto é a Mércia! — disse Alfredo, batendo com o pé no terraço. — E ele governa a Mércia.

— Então pode nomear um novo governador militar?

— Ele fará o que eu mandar — disse Alfredo, e havia uma raiva súbita em sua voz. — E dentro de quatro dias vamos todos nos reunir — ele havia recuperado rapidamente a postura — e discutir o que precisa ser feito para tornar esta cidade segura e cheia de graça. — Ele assentiu bruscamente para mim, inclinou a cabeça para Gisela e se virou.

— Senhor rei. — Gisela falou baixo, contendo a partida de Alfredo. — Como está sua filha? Eu a vi ontem, e ela estava machucada.

O olhar de Alfredo foi até o rio, onde seis cisnes nadavam abaixo do tumulto da ponte quebrada.

— Ela está bem — respondeu em voz distante.

— Os machucados... — começou Gisela.

— Ela sempre foi uma criança travessa — interrompeu Alfredo.

— Travessa? — a resposta de Gisela foi hesitante.

— Eu a amo — disse Alfredo, e pela paixão inesperada em sua voz não podia haver dúvida disso —, mas ainda que a travessura numa criança possa ser divertida, num adulto é pecaminosa. Minha cara Æthelflaed deve aprender a obediência.

— Para que aprenda a odiar? — perguntei, ecoando as palavras anteriores do rei.

— Agora ela é casada — disse Alfredo —, e seu dever diante de Deus é obedecer ao marido. Ela vai aprender isso, tenho certeza, e agradecer a lição. É difícil castigar uma criança que nós amamos, mas é pecado não dar esse castigo. Rezo a Deus para que ela chegue a um estado de boa graça.

— Amém — disse o padre Erkenwald.

— Louvado seja Deus — completou Beocca.

Gisela não disse nada, e o rei saiu.

Eu deveria saber que a convocação ao palácio no topo da colina de Lundene envolveria padres. Tinha esperado um conselho de guerra e uma discussão intensa sobre o melhor modo de limpar o Temes dos bandoleiros que infestavam o estuário, mas, em vez disso, assim que me livraram de minhas espadas, fui levado ao salão com colunas no qual fora erguido um altar. Finan e Sihtric estavam comigo. Finan, bom cristão, fez o sinal da cruz, mas Sihtric, como eu, era pagão, e me olhou alarmado como se temesse alguma magia religiosa.

Suportei a missa. Monges cantaram, padres rezaram, sinos tocaram e homens se ajoelharam. Havia cerca de quarenta homens no salão, na maioria padres, mas somente uma mulher. Æthelflaed estava sentada junto do marido. Usava um vestido branco, preso à cintura por uma faixa azul, e o cabelo ouro-trigo tinha verônicas trançadas no coque. Eu estava atrás dela, mas uma vez, quando ela se virou para olhar o pai, vi o hematoma arroxeado em volta do olho direito. Alfredo não olhou para ela, mas permaneceu de joelhos. Eu o observei, observei os ombros caídos de Æthelflaed, e pensei em Beamfleot e em como aquele ninho de vespas poderia ser queimado. Primeiro, pensei, eu precisava levar um navio rio abaixo e ver Beamfleot pessoalmente.

Alfredo se levantou de repente e eu presumi que o serviço religioso havia finalmente terminado, mas em vez disso o rei se virou para nós e fez uma homilia misericordiosamente breve. Encorajou-nos a ponderar as palavras do profeta Ezequiel, quem quer que ele fosse.

— "Então os gentios que restarem perto de vocês" — leu o rei — "saberão que eu, o Senhor, construí os lugares arruinados, e que plantei o que estava desolado." — O rei pousou o pergaminho com as palavras de Ezequiel.

— Lundene é de novo uma cidade saxã, e mesmo estando em ruínas, com a ajuda de Deus iremos reconstruí-la. Vamos torná-la um lugar de Deus, uma luz para os pagãos. — Ele fez uma pausa, deu um sorriso grave e sinalizou para o bispo Erkenwald, que, vestido com uma capa branca com tiras vermelhas nas quais haviam sido bordadas cruzes de prata, levantou-se para fazer um sermão. Gemi. Deveríamos estar discutindo como livrar o Temes de nossos inimigos, e em vez disso éramos torturados com devoção maçante.

Há muito tempo eu havia aprendido a ignorar sermões. Fora meu destino infeliz ouvir muitos, e as palavras da maioria deles passavam sobre mim como chuva caindo em telhado com palha nova, mas depois de alguns minutos da arenga rouca de Erkenwald comecei a prestar atenção.

Porque ele não estava pregando sobre reconstruir cidades arruinadas, nem mesmo sobre os pagãos que ameaçavam Lundene, em vez disso estava pregando a Æthelflaed.

Ficou parado junto ao altar e gritou. Ele era um homem sempre raivoso, mas naquele dia de primavera, no velho salão romano, estava cheio de uma fúria passional. Disse que Deus estava falando por intermédio dele. Deus tinha uma mensagem, e a palavra de Deus não podia ser ignorada, caso contrário as fogueiras de enxofre do céu consumiriam toda a humanidade. Em nenhum momento usou o nome de Æthelflaed, mas encarava-a, e nenhum homem no salão podia duvidar da mensagem que o deus cristão estava mandando para a pobre garota. Parecia que Deus havia até mesmo escrito a mensagem num evangelho, e Erkenwald pegou uma cópia no altar, ergueu-a para que a luz do buraco da fumaça no telhado batesse na página, e leu em voz alta.

— "Ser discretas." — Ele ergueu a cabeça para olhar Æthelflaed, furioso. — "Castas! Mantenedoras do lar! Boas! Obedientes ao marido!" Essas são as palavras de Deus! É o que Deus exige da mulher! Ser discreta, casta, mantenedora do lar, obediente! Deus falou conosco! — Ele quase se retorceu de êxtase ao dizer estas últimas palavras. — Deus ainda fala conosco! — Ele olhou para o teto como se pudesse vislumbrar seu deus espiando pelo teto. — Deus fala conosco!

Pregou durante mais de uma hora. Seu cuspe girava através do raio de sol lançado pelo buraco de fumaça. Encolhia-se, gritava, estremecia. E repetidamente voltava às palavras do livro do evangelho, dizendo que as mulheres devem obedecer aos maridos.

— Obedecer! — gritou ele, e fez uma pausa.

Ouvi uma pancada na sala externa quando um guarda pousou seu escudo.

— Obedecer! — berrou Erkenwald de novo.

A cabeça de Æthelflaed estava erguida. De meu ponto de vista, atrás dela, parecia que a garota estava olhando direto para aquele padre louco e maligno que agora era bispo e governante de Lundene. Ao lado dela, Æthelred se remexia, mas os poucos vislumbres que tive de seu rosto mostravam uma expressão presunçosa e satisfeita. A maioria dos homens parecia entediada, e só um, o padre Beocca, aparentava desaprovar o sermão do padre. Captou meu olhar uma vez e me fez sorrir ao erguer uma sobrancelha indignada. Tenho certeza de que Beocca não desgostava da mensagem, mas sem dúvida acreditava que não deveria ser pregada de modo tão público. Quanto a Alfredo, simplesmente olhava serenamente para o altar enquanto o bispo arengava, no entanto sua passividade escondia o envolvimento, porque aquele sermão amargo jamais poderia ter sido feito sem o conhecimento e a permissão do rei.

— Obedecer! — gritou Erkenwald de novo, e olhou para o céu como se uma palavra fosse a solução para todos os problemas da humanidade. O rei assentiu aprovando, e ocorreu-me que Alfredo não somente havia aprovado a arenga de Erkenwald, mas devia ter requisitado-a. Talvez ele achasse que uma censura pública salvaria Æthelflaed de surras futuras. A mensagem certamente combinava com a filosofia de Alfredo, porque ele acreditava que um reino só podia prosperar se fosse governado pela lei, ordenado pelo governo e obediente à vontade do rei e de Deus. No entanto, podia olhar para a filha, ver os machucados e aprovar? Ele sempre havia amado os filhos. Eu os tinha visto crescer, e tinha visto Alfredo brincar com eles, entretanto sua religião lhe permitia humilhar a filha que ele amava? Algumas vezes, quando rezo a meus deuses, agradeço fervorosamente por terem deixado que eu escapasse do deus de Alfredo.

Por fim Erkenwald ficou sem mais palavras. Houve uma pausa, depois Alfredo se levantou e se virou para nós.

— A palavra de Deus — disse ele, sorrindo. Os padres murmuraram orações breves, depois Alfredo balançou a cabeça como se a limpasse das questões religiosas. — Agora a cidade de Lundene é uma parte verdadeira da Mércia — disse, e um murmúrio mais alto de aprovação ecoou pela sala. — Confiei o governo civil ao bispo Erkenwald — ele se virou e sorriu para o bispo, que deu um risinho e fez uma reverência —, e o senhor Uhtred será responsável pela defesa da cidade — disse olhando para mim. Não fiz reverência.

Então Æthelflaed se virou. Acho que ela não sabia que eu estava na sala, mas se virou quando meu nome foi falado e me encarou. Pisquei para ela, e seu rosto machucado sorriu. Æthelred não viu a piscadela. Estava objetivamente me ignorando.

— A cidade, claro — continuou Alfredo, com a voz subitamente gélida porque tinha visto minha piscadela —, fica sob a autoridade e o governo de meu amado genro. Com o tempo ela irá se tornar uma parte valiosa de suas posses, mas por enquanto ele concordou gentilmente que Lundene deve ser administrada por homens experientes no governo. — Em outras palavras, Lundene podia fazer parte da Mércia, mas Alfredo não tinha intenção de deixar que saísse das mãos saxãs do oeste. — O bispo Erkenwald tem a autoridade para estabelecer e cobrar impostos — explicou Alfredo — e um terço do dinheiro será gasto no governo civil, um terço com a Igreja e um terço com a defesa da cidade. E sei que, sob a orientação do bispo e com a ajuda de Deus Todo-Poderoso, podemos erguer uma cidade que glorifique Cristo e Sua Igreja.

Eu não conhecia a maioria dos homens no salão porque eram quase todos *thegns* mércios convocados a Lundene para se encontrar com Alfredo. Aldhelm estava entre eles, o rosto ainda preto e sangrado por minhas mãos. Ele havia me olhado uma vez e se virado rapidamente para o outro lado. As convocações tinham sido inesperadas e apenas uns poucos *thegns* haviam feito a viagem a Lundene, e agora esses homens ouviam Alfredo educadamente, mas quase todos estavam divididos entre dois senhores. O norte da Mércia estava sob domínio dinamarquês, e só a parte sul, que fazia fronteira com Wessex, podia ser chamada de terra saxã livre, e mesmo essa terra vivia sob ameaça constante. Um *thegn* mércio que desejasse ficar vivo, que desejasse ver suas filhas livres da escravidão e seus animais livres dos ladrões de gado, fazia bem em pagar tributo aos dinamarqueses além dos impostos a Æthelred, que, em virtude de suas posses herdadas, do casamento e da linhagem, era reconhecido como o mais nobre *thegn* da Mércia. Ele podia ser chamado de rei, se quisesse, e não tenho dúvidas de que queria, mas Alfredo não queria, e sem Alfredo Æthelred não era nada.

— É nossa intenção — disse Alfredo — livrar a Mércia de seus invasores pagãos. Para isso precisamos tomar Lundene e, assim, acabar com os ataques dos navios nórdicos subindo o Temes. Agora temos de sustentar Lundene. Como isso pode ser feito?

A resposta era óbvia, mas não impediu uma discussão geral que serpenteou sem objetivo enquanto os homens discutiam sobre quantos soldados seriam necessários para defender as muralhas. Não participei. Encostei-me na parede dos fundos e observei quais dos *thegns* estavam entusiasmados e quais se resguardavam. O bispo Erkenwald me olhava de vez em quando, obviamente imaginando por que eu não contribuía com meu grão de trigo para a debulha, mas fiquei quieto. Æthelred ouvia atentamente e, por fim, resumiu a discussão.

— A cidade, senhor rei — disse ele animado —, precisa de uma guarnição de dois mil homens.

— Mércios — disse Alfredo. — Esses homens devem vir da Mércia.

— Claro — concordou Æthelred rapidamente. Notei que muitos *thegns* ficaram em dúvida.

Alfredo viu isso também e olhou para mim.

— Isso é sua responsabilidade, senhor Uhtred. Não tem opinião?

Quase bocejei, mas consegui resistir ao impulso.

— Tenho mais do que uma opinião, senhor rei. Posso lhe dar fatos.

Alfredo levantou uma das sobrancelhas e conseguiu parecer que desaprovava, ao mesmo tempo.

— E então? — perguntou irritado quando fiz uma pausa muito longa.

— Quatro homens para cada vara — disse eu. — Uma vara equivalia a seis passos, mais ou menos, e a alocação de quatro homens para uma vara não era minha, e sim de Alfredo. Quando ordenou que os *burhs* fossem construídos, havia deduzido, de seu modo meticuloso, quantos homens seriam necessários para defender cada um, e a distância das muralhas determinava a quantidade final. Os muros de Coccham tinham 1.400 passos de cumprimento, de modo que minha guarda doméstica e o *fyrd* precisavam suprir mil homens para a defesa. Mas Coccham era um *burh* pequeno, e Lundene era uma cidade.

— E qual o tamanho das muralhas de Lundene? — perguntou Alfredo.

Olhei para Æthelred, como se esperasse que ele respondesse. E Alfredo, vendo para onde eu olhava, também olhou para o genro. Æthelred pensou por um instante e, em vez de dizer a verdade, que não sabia, tentou adivinhar.

— Oitocentas varas, senhor rei?

— A muralha voltada para terra — interrompi asperamente — tem 692 varas. A muralha do rio tem mais 358. As defesas, senhor rei, estendem-se por 1.050 varas.

— Quatro mil e duzentos homens — disse imediatamente o bispo Erkenwald, e confesso que fiquei impressionado. Eu havia demorado um longo tempo para descobrir o número, e não tive certeza de que minha computação estava correta até que Gisela também resolveu o problema.

— Nenhum inimigo, senhor rei, pode atacar em todos os lugares ao mesmo tempo — disse eu. — Portanto, acho que a cidade pode ser defendida por uma guarnição de 3.400 homens.

Um dos *thegns* mércios sibilou, como se esse número fosse uma impossibilidade.

— Somente mil homens a mais do que a guarnição de Wintanceaster, senhor rei — observei. A diferença, claro, era que Wintanceaster ficava num leal distrito saxão do oeste, acostumado a ter seus homens servindo por períodos no *fyrd*.

— E onde o senhor encontra esses homens? — perguntou um mércio.

— Com vocês — respondi asperamente.

— Mas... — começou o homem, e hesitou. Ele ia observar que o *fyrd* mércio era inútil, enfraquecido pela falta de uso, e que qualquer tentativa de juntar o *fyrd* poderia atrair a atenção malévola dos *earl*s dinamarqueses que governavam o norte da Mércia, e que por isso esses homens haviam aprendido a ficar abaixados e quietos. Eram como cães caçadores de cervos que tremem no mato baixo por medo de atrair os lobos.

— Mas nada — disse eu, mais alto e áspero ainda. — Porque se um homem não contribui para a defesa de seu país, é traidor. Deve perder a posse de suas terras, ser morto, e sua família, reduzida à escravidão.

Pensei que Alfredo poderia questionar essas palavras, mas ele ficou quieto. Na verdade, assentiu concordando. Eu era a espada dentro de sua bainha, e ele estava evidentemente satisfeito por eu ter mostrado o aço por um instante. Os mércios não disseram nada.

— Também precisamos de homens para os navios, senhor rei — prossegui.

— Navios? — perguntou Alfredo.

— Navios? — ecoou Erkenwald.

— Precisamos de tripulantes — expliquei. Tínhamos capturado 21 navios quando tomamos Lundene, dos quais 17 eram embarcações de luta. Os outros tinham boca mais larga, eram construídos para o comércio, mas também podiam ser úteis. — Eu tenho os navios, mas eles precisam de tripulações, e essas tripulações precisam ser de bons lutadores.

— Você defende a cidade com navios? — perguntou Erkenwald, desafiando.

— E de onde virá seu dinheiro? — perguntei. — Das taxas de alfândega. Mas nenhum mercante ousa navegar aqui, por isso tenho de livrar o estuário dos navios inimigos. Isso significa matar os piratas, e para isso preciso de tripulações de guerreiros. Posso usar minhas tropas domésticas, mas elas têm de ser substituídas na guarnição da cidade por outros homens.

— Eu preciso de navios — interveio Æthelred subitamente.

Æthelred precisava de navios? Fiquei tão atônito que não falei nada. O trabalho de meu primo era defender o sul da Mércia e empurrar os dinamarqueses para o norte, afastando-os do restante de seu país, e isso significaria lutar em terra. Agora, de repente, precisava de navios? O que ele planejava? Remar através das pastagens?

— Eu sugeriria, senhor rei — Æthelred estava sorrindo enquanto falava, a voz macia e respeitosa —, que todos os navios a oeste da ponte fossem dados a mim, para uso a seu serviço — e ele fez uma reverência a Alfredo enquanto falava isso —, e que meu primo ficasse com os navios que estão a leste da ponte.

— Isso... — comecei, mas fui interrompido por Alfredo.

— Isso é justo — disse o rei com firmeza. Não era justo, era ridículo. Só havia dois navios de guerra no trecho de rio a leste da ponte, e 15 acima da obstrução. A presença daqueles 15 navios sugeria que Sigefrid estivera planejando um grande ataque contra o território de Alfredo antes que o atacássemos, e eu precisava daqueles navios para expulsar os inimigos do estuário. Mas Alfredo, ansioso para ser visto apoiando o genro, varreu para o lado minhas objeções. — Você usará os navios que tem, senhor Uhtred — insistiu ele —, e eu colocarei setenta homens de minha guarda doméstica sob seu comando para tripular um navio.

Assim eu deveria expulsar os dinamarqueses do estuário com dois navios? Desisti e me encostei na parede enquanto a discussão continuava, principalmente sobre os impostos alfandegários a serem cobrados, e em quanto os distritos vizinhos deveriam ser taxados, e fiquei me perguntando mais uma vez por que não estava no norte, onde a espada de um homem era livre e havia pouca lei e muitos risos.

O bispo Erkenwald me acuou no fim da reunião. Eu estava prendendo o cinto da espada quando ele me espiou com seus olhos pequenos.

— Você deveria saber que eu me opus à sua nomeação — cumprimentou ele.

— Assim como eu teria me oposto à sua — respondi amargo, ainda com raiva do roubo dos 15 navios de guerra por Æthelred.

— Deus pode não olhar com bênçãos um guerreiro pagão — explicou-se o bispo recém-nomeado —, mas o rei, em sua sabedoria, considera você um soldado hábil.

— E a sabedoria de Alfredo é famosa — respondi em tom chapado.

— Falei com o senhor Æthelred — continuou ele, ignorando minhas palavras — e ele concordou que posso emitir mandados de reunião para os distritos adjacentes a Lundene. Você não tem objeção?

Erkenwald queria dizer que agora tinha poder de juntar o *fyrd*. Era um poder que teria sido melhor se ficasse comigo, mas duvidei de que Æthelred concordasse com isso. Nem achava que Erkenwald, mesmo tremendamente maldoso, fosse qualquer coisa que não leal a Alfredo.

— Não tenho objeção — respondi.

— Então informarei sua concordância ao senhor Æthelred — disse ele formalmente.

— E quando falar com ele, diga para parar de bater na mulher.

Erkenwald pulou como se eu tivesse acabado de lhe dar um tapa no rosto.

— É o dever cristão dele — disse rigidamente — disciplinar a esposa, e o dever dela é se submeter. Não ouviu o que eu preguei?

— Cada palavra.

— Ela mesma provocou isso — rosnou Erkenwald. — Ela tem um espírito feroz, o desafia!

— Ela é pouco mais do que uma criança — disse eu —, e uma criança grávida.

— E a tolice se aloja no fundo do coração das crianças — reagiu Erkenwald — e aquelas foram as palavras de Deus! E o que Deus diz que deve ser feito sobre a tolice das crianças? Que a vara da correção deve arrancá-la a pancadas! — Ele estremeceu de repente. — É isso que a gente faz, senhor Uhtred! Bate na criança até que ela obedeça! A criança aprende por meio da dor, sendo espancada, e aquela criança grávida deve aprender seu dever. Deus quer isso! Louvado seja Deus!

Semana passada mesmo, ouvi dizer que querem tornar Erkenwald santo. Padres vêm à minha casa junto ao mar do norte onde encontram um velho, e dizem que estou a apenas alguns passos do fogo do inferno. Que só preciso me arrepender, dizem eles, para ir ao céu e viver para sempre na abençoada companhia dos santos.

E prefiro queimar até que o tempo se queime de vez.

Sete

A ÁGUA PINGAVA DAS PÁS dos remos, as gotas espalhando ondulações num mar feito de lajes brilhantes de luz que se mexiam e se partiam lentamente, juntavam-se e deslizavam.

Nosso navio estava sobre aquela luz mutável, silencioso.

O céu a leste era ouro derretido se derramando ao redor de um agrupamento de nuvens encharcado de sol, enquanto o restante era azul. Azul-claro a leste e azul-escuro a oeste, onde a noite corria em direção às terras desconhecidas além do oceano distante.

Ao sul eu podia ver o litoral baixo de Wessex. Era verde e marrom, sem árvores e não muito distante, mas eu não iria mais perto porque o mar de luzes deslizantes escondia bancos de areia e baixios. Nossos remos repousavam e o vento estava morto, mas íamos nos movendo implacavelmente para o leste, carregados pela maré e pela corrente forte do rio. Esse era o estuário do Temes; uma ampla região de água, lama, areia e terror.

Nosso navio não tinha nome e não levava cabeças de feras na proa nem na popa. Era um navio mercante, um dos dois que eu havia capturado em Lundene, e tinha boca larga, era lento, barrigudo e desajeitado. Levava uma vela, mas ela estava enrolada na verga, que mantinha-se presa com suas forquilhas. Deslizávamos na maré em direção ao amanhecer dourado.

Eu estava de pé com o remo-leme na mão direita. Usava cota de malha, mas sem elmo. Minhas duas espadas estavam presas à cintura, mas, como a cota, ficavam escondidas por uma capa de lã marrom. Havia 12 remadores nos bancos, Sihtric estava a meu lado, havia um homem na plataforma da proa e todos eles, como eu, não mostravam armaduras nem armas.

Parecíamos um navio mercante deslizando pela costa de Wessex na esperança de que ninguém do lado norte do estuário nos visse.

Mas tinham visto.

E um lobo do mar nos espreitava.

Vinha remando a norte de nós, desviando-se para sul e para leste, esperando que virássemos e tentássemos escapar rio acima, contra a maré. Devia estar a um quilômetro e meio de distância, e eu podia ver a linha preta e curta de sua proa, que terminava numa cabeça de fera. Não estava com pressa. Seu comandante podia ver que não remávamos e devia entender essa inatividade como sinal de pânico. Devia pensar que estávamos discutindo o que fazer. Seus bancos de remadores iam se movendo lentamente, mas cada remada levava aquele barco distante à frente, para cortar nossa fuga em direção ao mar.

Finan, que estava com um dos remos de popa de nosso navio, olhou por cima do ombro.

— Tripulação de cinquenta? — sugeriu.

— Talvez mais — respondi.

Ele riu.

— Quanto mais?

— Uns setenta? — supus.

Éramos 43. E todos, menos 15, estávamos escondidos no lugar aonde o navio normalmente levaria mercadorias. Aqueles homens escondidos estavam cobertos por uma vela antiga, fazendo parecer que carregávamos sal ou grãos, alguma carga que precisasse ser protegida da chuva ou dos borrifos do mar.

— Vai ser uma luta rara, se forem setenta — disse Finan, adorando aquilo.

— Não haverá luta nenhuma — disse eu —, porque eles não estarão preparados para nós. — E era verdade. Parecíamos uma vítima fácil, um punhado de homens num navio gorducho. O lobo do mar viria junto ao costado e uma dúzia de homens saltaria a bordo enquanto o restante da tripulação apenas olhava a matança. Isso, pelo menos, era o que eu esperava. A tripulação que olhava estaria armada, claro, mas não esperaria batalha, e meus homens estavam mais do que preparados.

— Lembrem-se — gritei alto para que os homens embaixo da vela me escutassem —, vamos matar todos!

— Até mulheres? — perguntou Finan.

— Mulheres, não. — Eu duvidava de que houvesse mulheres a bordo daquele navio distante.

Sihtric estava ajoelhado perto de mim e agora olhou para cima.

— Por que matar todos, senhor?

— Para que aprendam a nos temer.

O ouro no céu estava clareando e se desbotando. O sol subia acima do banco de nuvens e o mar tremeluzia com o brilho novo. A imagem refletida do inimigo era longa sobre a água que brilhava lenta.

— Remos de estibordo! — gritei. — Para trás. Desajeitados, agora!

Os remadores riram enquanto sacudiam deliberadamente a água com movimentos ineptos que lentamente viraram nossa proa rio acima, para parecer que estávamos tentando escapar. A coisa sensata para fazermos, se fôssemos inocentes e vulneráveis como parecíamos, seria remar para a margem sul, encalhar o barco e correr para salvar a vida, mas em vez disso nos viramos e começamos a remar contra a maré e a correnteza. Nossos remos se chocavam uns nos outros, fazendo com que parecêssemos idiotas incompetentes e apavorados.

— Ele engoliu a isca — falei a nossos remadores, mas, como agora nossa proa apontava para oeste, eles podiam ver por si mesmos que o inimigo havia começado a remar com força. O viking vinha direto para nós, com as fileiras de remos subindo e baixando como asas e a água branca inchando e se encolhendo na proa enquanto cada batida de remo impelia o navio.

Continuamos fingindo pânico. Nossos remos batiam uns nos outros de modo que fazíamos pouca coisa além de agitar a água ao redor do casco desajeitado. Duas gaivotas circularam o mastro baixo, com os gritos tristes na manhã límpida. Longe, no oeste, onde o céu era escurecido pela fumaça de Lundene que ficava além do horizonte, eu podia ver apenas uma minúscula risca preta, que eu sabia ser o mastro de outro navio. Ele vinha em nossa direção, e eu sabia que o navio viking também o teria visto e estaria imaginando se era amigo ou inimigo.

Não que isso importasse, porque o inimigo levaria apenas cinco minutos para capturar nosso cargueiro pequeno e com poucos tripulantes, e iria se passar quase uma hora antes que a maré vazante e remadas firmes trouxessem aquele navio do oeste até onde nós lutávamos. O barco viking veio rápido, os remos trabalhando num sincronismo lindo, mas a velocidade do navio significava que seus remadores estariam cansados, além de despreparados, quando nos encontrassem. Sua cabeça de fera, orgulhosa na proa alta, era uma águia com o bico aberto pintado de vermelho, como se o pássaro tivesse acabado de rasgar a carne sangrenta de uma vítima, enquanto embaixo da cabeça uma dúzia de homens armados se apinhava na plataforma da proa. Eram os que supostamente deveriam nos abordar e matar.

Vinte remos de cada lado somavam quarenta homens. A equipe de abordagem acrescentava mais uma dúzia, ainda que fosse difícil contar os homens tão apinhados, e dois estavam ao lado do remo-leme.

— Entre cinquenta e sessenta — gritei. Os remadores inimigos não usavam cota de malha. Não esperavam lutar, e a maioria devia estar com as espadas junto aos pés e os escudos empilhados no fundo do casco.

— Parem os remos! — gritei. — Remadores, levantem-se!

Agora o navio com proa de águia estava perto. Eu podia ouvir os estalos dos toletes dos remos, o chapinhar das pás e o sibilar da água no talhamar. Podia ver lâminas de machado brilhantes, os rostos cobertos por elmos dos homens que pensavam que iriam nos matar, e a ansiedade no rosto do piloto tentando encostar sua proa diretamente na nossa. Meus remadores estavam se amontoando, fingindo pânico. Os remadores vikings fizeram um último esforço e ouvi seu comandante ordenar que parassem de remar e puxassem os remos para dentro. O navio veio em nossa direção, com a água deslizando para longe da proa, e agora estava muito perto, o suficiente para sentirmos o cheiro, e os homens em sua plataforma de proa sopesaram os escudos enquanto o piloto apontava a proa para deslizar ao longo de nosso flanco. Seus remos estavam puxados para bordo enquanto o navio partia para a presa.

Esperei um instante, esperei até que o inimigo não pudesse mais nos evitar, depois acionei nossa emboscada.

— Agora! — gritei.

A vela foi puxada e de repente nosso pequeno navio estava eriçado de homens armados. Joguei longe minha capa e Sihtric me trouxe o elmo e o escudo. Um homem gritou um alerta no navio inimigo e o piloto jogou todo o peso sobre o remo longo, e a embarcação se virou ligeiramente, mas era tarde demais e houve um estalo enquanto sua proa se chocava contra os cabos de nossos remos.

— Agora! — gritei de novo.

Clapa era meu homem na proa e atirou um arpéu para atrair o inimigo para nosso abraço. O arpéu bateu sobre a tábua superior do costado, Clapa fez força e o ímpeto do navio inimigo o fez balançar na corda e se chocar contra nosso flanco. Meus homens saltaram imediatamente por cima do costado. Aquelas eram minhas tropas domésticas, guerreiros treinados, vestidos com malha e famintos pela matança, e saltaram em meio aos remadores sem armadura, absolutamente despreparados para uma luta. Os inimigos a postos para a abordagem, os únicos armados e estimulados para a batalha, hesitaram enquanto os dois navios se chocavam. Poderiam ter atacado meus homens que já estavam matando, mas em vez disso seu líder gritou para pularem em nosso navio. Ele esperava pegar meus homens na popa, e era uma tática bastante hábil, mas ainda tínhamos homens suficientes a bordo para impedi-los.

— Matem todos! — gritei.

Um dinamarquês, presumo que fosse dinamarquês, tentou pular em minha plataforma e simplesmente bati com meu escudo e ele desapareceu entre os navios, onde sua cota de malha levou-o instantaneamente para o leito do mar. Os outros vikings que nos abordaram chegaram aos bancos dos remadores de popa, onde golpearam e xingaram meus homens. Eu estava atrás e acima deles, tinha apenas Sihtric por companhia e nós dois poderíamos ter ficado em segurança permanecendo na plataforma do leme, mas um homem não lidera permanecendo fora da luta.

— Fique onde está — disse eu a Sihtric, e pulei.

Gritei um desafio enquanto pulava, e um homem alto se virou para me encarar. Tinha uma asa de águia no elmo, e sua malha era boa, seus braços, cheios de braceletes, o escudo era pintado com uma águia e eu soube que devia ser o dono do navio inimigo. Era um viking de barba clara e olhos castanhos, levava um machado de cabo comprido, com a lâmina já vermelha. Girou-o para mim e eu o aparei com o escudo, mas o machado baixou no último instante para cortar meus tornozelos e, por um presente de Tor, o navio estremeceu e o machado perdeu sua força numa costela do navio mercante. Ele manteve meu golpe de espada longe usando o escudo, enquanto levantava o machado de novo e eu o atacava com o escudo, jogando-o para trás com meu peso.

Ele deveria ter caído, mas trombou em seus próprios homens e com isso permaneceu de pé. Tentei cortar seu tornozelo, mas Bafo de Serpente bateu em metal. Suas botas eram protegidas por tiras de metal, como as minhas. O machado girou e bateu em meu escudo, e o dele se chocou contra minha espada e fui lançado para trás pelo golpe duplo. Bati com as omoplatas na borda da plataforma do leme e ele me atacou de novo, tentando me derrubar, e percebi sorrateiramente Sihtric ainda de pé na pequena plataforma de popa, batendo com uma espada em meu inimigo, mas a lâmina resvalou no elmo do dinamarquês e o golpe foi desperdiçado nos ombros cobertos com a cota de malha. Ele chutou meus pés, sabendo que eu estava desequilibrado, e caí.

— Seu bosta — rosnou ele, depois recuou um passo. Atrás dele seus homens estavam morrendo, mas ele teria tempo de me matar antes de morrer também. — Sou Olaf Garra de Águia — disse com orgulho — e vou encontrar você no castelo dos cadáveres.

— Uhtred de Bebbanburg — respondi, e ainda estava caído no convés enquanto ele erguia seu machado.

E Olaf Garra de Águia gritou.

Eu havia caído de propósito. Ele era mais pesado do que eu, havia me acuado, e eu sabia que ele continuaria batendo em mim, que eu ficaria sem condições de empurrá-lo para longe, por isso havia caído. As espadas se desperdiçavam em sua boa cota de malha e no elmo brilhante, mas agora impeli Bafo de Serpente para cima, por baixo da bainha de sua malha, cravando a lâmina enquanto o sangue encharcava o convés entre nós. Ele estava me olhando, arregalado e boquiaberto, enquanto o machado caía de sua mão. Agora eu estava de pé, ainda empurrando Bafo de Serpente, e ele caiu para longe, estremecendo, e arranquei-a de seu corpo e vi sua mão direita tentando pegar o cabo do machado. Chutei-o na direção dele e vi seus dedos se enrolando na madeira, antes de matá-lo cravando rapidamente a espada em sua garganta. Mais sangue espirrou nas tábuas do navio.

Faço aquela pequena luta parecer fácil. Não foi. É verdade que caí de propósito, mas Olaf me fez cair, e em vez de resistir eu me deixei tombar. Algumas vezes, na velhice, acordo tremendo à noite quando me lembro dos momentos em que deveria ter morrido e não morri. Aquele é um. Talvez eu me lembre errado, não é? A idade nubla as coisas antigas. Deve ter havido o som de pés raspando o convés, o grunhido de homens golpeando, o fedor do casco imundo, o arfar dos feridos. Lembro-me do medo enquanto sentia o pânico que azeda as tripas e faz a mente gritar, o pânico da morte iminente. Era apenas um momento da vida, que logo se foi, um jorro de golpes e pânico, uma luta que mal valeria ser lembrada, mas ainda assim Olaf Garra de Águia pode me acordar na escuridão e eu fico deitado, ouvindo o mar bater na areia, e sei que ele estará me esperando no castelo dos cadáveres, onde desejará saber se eu o matei por pura sorte ou se planejei aquele golpe fatal. Também vai se lembrar de que chutei o machado de volta para sua mão, para que ele pudesse morrer segurando uma arma, e por isso irá me agradecer.

Estou ansioso para vê-lo.

Quando Olaf estava morto seu navio foi tomado e sua tripulação, trucidada. Finan havia liderado o ataque contra o *Águia do Mar*. Eu sabia que o nome era esse porque estava gravado em letras rúnicas no poste de proa.

— Não foi uma luta — informou Finan, parecendo enojado.

— Eu lhe disse.

— Alguns remadores encontraram armas — disse ele, desconsiderando o esforço com uma encolhida de ombros. Depois apontou para o casco do *Águia do Mar* que estava encharcado de sangue. Cinco homens estavam agachados ali, tremendo, e Finan viu meu olhar interrogativo. — São saxões, senhor — explicou por que os homens ainda estavam vivos.

Os cinco homens eram pescadores que contaram que viviam num lugar chamado Fughelness. Eu mal conseguia entendê-los. Falavam inglês, mas de modo tão estranho que era como uma língua estrangeira, mas entendi quando disseram que Fughelness era uma ilha estéril numa vastidão de pântanos e riachos. Um local de pássaros, vazio e com algumas pessoas pobres que viviam na lama pegando pássaros, enguias e peixes. Disseram que Olaf os havia capturado havia uma semana e os obrigara a ficar nos remos. Tinham sido 11, mas seis haviam morrido com a fúria do ataque de Finan antes que aqueles sobreviventes conseguissem convencer meus homens de que eles eram prisioneiros, e não inimigos.

Tiramos tudo dos inimigos, depois empilhamos suas cotas de malha, armas, braceletes e roupas ao pé do mastro do *Águia do Mar*. No devido tempo, dividiríamos esses espólios. Cada homem receberia uma parte — Finan ficaria com três e eu tomaria cinco. Eu deveria dar um terço a Alfredo e outro terço ao bispo Erkenwald, mas raramente lhes entregava meus saques de batalha.

Jogamos os mortos nus no navio mercante, no qual formaram uma carga medonha de corpos sujos de sangue. Lembro-me de ter pensado em como aqueles corpos pareciam brancos e ao mesmo tempo em como seus rostos eram escuros. Uma nuvem de gaivotas gritava para nós, querendo descer e bicar os cadáveres, mas os pássaros estavam nervosos demais com nossa proximidade, para ousar a tentativa. Agora o navio que estivera descendo do oeste com a maré havia nos alcançado. Era um belo navio de guerra, com a proa coroada por uma cabeça de dragão, a popa mostrando uma cabeça de lobo e o topo do mastro decorado com um cata-vento em forma de corvo. Era um dos dois navios de guerra que havíamos capturado em Lundene, e Ralla o havia batizado de *Espada do Senhor*. Alfredo teria aprovado. Ele parou, e Ralla, seu comandante, pôs as mãos em concha.

— Muito bem!

— Perdemos três homens — gritei de volta. Todos os três haviam morrido na luta contra a equipe de abordagem de Olaf, e esses homens nós carregávamos a bordo do *Águia do Mar*. Eu os teria jogado na água e deixado que afundassem para o abraço da deusa do mar, mas eles eram cristãos e seus amigos queriam levá-los de volta a um cemitério cristão em Lundene.

— Quer que eu o reboque? — gritou Ralla, indicando o navio mercante.

Respondi que sim, e houve uma pausa enquanto ele fixava um cabo ao poste de proa do cargueiro. Então, juntos, remamos para o norte pelo estuário do Temes. As gaivotas, agora se sentindo corajosas, estavam bicando os olhos dos mortos.

Era quase meio-dia e a maré havia afrouxado. O estuário arfava oleoso e lento sob o sol alto enquanto remávamos lentamente, conservando as forças, deslizando pelo mar prateado pelo sol. E lentamente, também, a costa norte do estuário surgiu.

Morros baixos tremeluziam no calor do dia. Eu já havia remado por aquele litoral e sabia da existência de morros cobertos de florestas para além daquela prateleira plana de terra encharcada. Ralla, que conhecia o litoral muito melhor do que eu, nos guiou, e memorizei os marcos enquanto nos aproximávamos. Notei um morro ligeiramente mais alto, um penhasco e um agrupamento de árvores, e soube que veria essas coisas de novo porque estávamos remando nossos navios na direção de Beamfleot. Esse era o covil dos lobos do mar, a toca da serpente marinha, o refúgio de Sigefrid.

Esse também era o antigo reino dos saxões do leste, um reino desaparecido há muito, mas histórias antigas diziam que eles haviam sido temidos. Era um povo do mar, saqueadores, mas os anglos, ao norte, os haviam conquistado e agora esse litoral fazia parte do reino de Guthrum, a Ânglia Oriental.

Era um litoral sem lei, longe da capital de Guthrum. Aqui, nos riachos que secavam durante a maré baixa, navios podiam esperar e, quando a maré subia, podiam sair de seus braços de mar para atacar os navios mercantes que levavam mercadorias subindo o Temes. Era o ninho dos piratas, e aqui Sigefrid, Erik e Haesten tinham seu acampamento.

Deviam ter visto enquanto nos aproximávamos, mas o que viram? Viram o *Águia do Mar*, um de seus navios, e com ele outro navio dinamarquês, ambos orgulhosamente decorados com cabeças de feras. Viram um terceiro navio, um cargueiro gorducho, e teriam presumido que Olaf estava retornando de um ataque bem-sucedido. Deviam pensar que o *Espada do Senhor* era um navio nórdico recém-chegado à Inglaterra. Resumindo, eles nos viram, mas não suspeitaram de nada.

Enquanto nos aproximávamos da terra ordenei que as cabeças de feras fossem retiradas dos postes de proa e popa. Essas coisas jamais eram deixadas enquanto um navio entrava nas águas de seu lar, porque os animais estavam ali para amedrontar espíritos hostis, e Olaf teria presumido que os espíritos que habitavam os riachos de Beamfleot eram amigáveis, portanto não admitiria amedrontá-los. Assim, os vigias do acampamento de Sigefrid viram as cabeças esculpidas serem retiradas e devem ter pensado que éramos amigos remando para casa.

E fiquei olhando para aquela costa, sabendo que o destino iria me trazer de volta, e toquei o punho de Bafo de Serpente, porque a espada também tinha um destino e eu sabia que ela voltaria a este local. Este era um local para minha espada cantar.

Beamfleot ficava abaixo de uma colina que descia íngreme até o riacho. Um dos pescadores, um homem mais novo que parecia abençoado com mais inteligência do que os companheiros, ficou de pé a meu lado e deu o nome dos lugares enquanto eu ia apontando. Aquele povoado sob o morro, confirmou ele, era Beamfleot, e o riacho que ele insistia em que era um rio era o Hothlege. Beamfleot ficava na margem norte do Hothlege enquanto a margem sul era uma ilha baixa, escura, larga e feia.

— Caninga — disse o pescador.

Repeti os nomes, decorando-os enquanto memorizava a terra que via.

Caninga era um lugar encharcado, uma ilha de pântanos e junco, aves selvagens e lama. O Hothlege, que mais me parecia um riacho do que um rio, era um emaranhado de bancos de lama através do qual um canal serpenteava na direção do morro acima de Beamfleot, e agora, enquanto rodeávamos a ponta leste de Caninga, pude ver o acampamento de Sigefrid coroando aquele morro. Era um morro verde, e suas muralhas, feitas de terra e encimadas por uma paliçada de madeira, pareciam uma cicatriz marrom no cume arredondado. A encosta junto à muralha leste era um precipício, caindo até onde um monte de navios estava encalhado na lama exposta pela maré baixa. A foz do Hothlege era guardada por um navio que bloqueava o canal. Ele estava parado transversalmente ao caminho d'água, contido contra as marés por correntes na proa e na popa. Uma corrente levava até um enorme poste afundado na beira de Caninga, e a outra estava presa numa árvore que crescia solitária na ilha menor que formava o banco norte da boca do canal.

— Ilha das Duas Árvores. — O pescador viu para onde eu estava olhando e disse o nome.

— Mas só há uma árvore lá — observei.

— No tempo de meu pai eram duas, senhor.

A maré havia virado. A enchente ia começando e as grandes águas jorravam para o estuário de modo que nossos três navios eram carregados na direção do acampamento inimigo.

— Virar! — gritei para Ralla, e vi o alívio no rosto dele. — Mas primeiro ponha de volta a cabeça de dragão!

Assim os homens de Sigefrid viram a cabeça de dragão ser reposta, e a cabeça de águia ser colocada no alto da proa do *Águia do Mar*, e deviam saber que havia algo errado, não somente porque pusemos nossas feras, mas porque viramos os navios e Ralla soltou o pequeno cargueiro. E, enquanto eles olhavam de sua alta fortaleza, devem ter visto meu estandarte ser desenrolado no mastro do *Águia do Mar*. Gisela e suas aias tinham feito aquela bandeira com a cabeça de lobo, e eu a pendurei para que os homens de vigia soubessem quem havia matado a tripulação do *Águia do Mar*.

Então remamos para longe, fazendo força contra aquela maré montante. Viramos ao sul e a oeste ao redor de Caninga, depois deixamos a nova maré forte nos levar rio acima até Lundene.

E o navio cargueiro, com o casco cheio de cadáveres sangrentos bicados por gaivotas, subiu na mesma maré pelo riacho até bater no navio longo ancorado de través no canal.

Agora eu tinha três navios de guerra, enquanto meu primo possuía 15. Ele havia levado aqueles barcos capturados rio acima, onde, pelo que eu sabia, estariam apodrecendo. Se eu possuísse mais dez navios e tivesse tripulações para eles, poderia tomar Beamfleot, mas tinha apenas três navios e o riacho sob a fortaleza no alto estava atulhado de mastros.

Mesmo assim eu estava mandando uma mensagem.

A morte ia chegar a Beamfleot.

Primeiro a morte visitou Hrofeceastre, uma cidade perto de Lundene, na margem sul do estuário do Temes, no antigo reino de Cent. Os romanos haviam feito uma fortaleza ali, e agora uma cidade de tamanho razoável havia crescido ao redor da velha fortificação. Cent, claro, fazia parte de Wessex havia muito tempo e Alfredo ordenara que as defesas da cidade fossem reforçadas, o que foi feito com facilidade, porque as antigas muralhas de terra da fortaleza romana continuavam de pé, e tudo o que precisava ser acrescentado era um aprofundamento do fosso, uma paliçada de carvalho e a destruição de algumas construções que ficavam do lado de fora e muito perto da fortificação. E era bom que o trabalho estivesse terminado porque, no início daquele verão, uma grande frota de navios dinamarqueses veio da Frankia. Eles encontraram refúgio na Ânglia Oriental, de onde navegaram para o sul, subiram a maré do Temes e encalharam seus navios no rio Medwæg, afluente onde ficava Hrofeceastre. Haviam esperado invadir a cidade, saqueá-la com fogo e terror, mas as novas muralhas e a forte guarnição os desafiou.

Recebi notícia da chegada deles antes de Alfredo. Mandei um mensageiro para lhe contar sobre o ataque e, no mesmo dia, levei o *Águia do Mar* pelo Temes e subi o Medwæg até descobrir que a situação era insustentável. Pelo menos sessenta navios de guerra estavam ancorados na margem lamacenta do rio, e dois outros haviam sido acorrentados juntos atravessando o Medwæg para deter qualquer ataque por parte de navios saxões do oeste. Na margem dava para ver os invasores levantando um barranco de terra, sugerindo que pretendiam cercar Hrofeceastre com sua própria muralha.

O líder dos invasores era um homem chamado Gunnkel Rodeson. Mais tarde fiquei sabendo que ele havia partido de uma temporada magra na Frankia, com esperança de tomar a prata que supostamente estaria na grande igreja e no mosteiro de Hrofeceastre. Remei para longe de seus navios e, num rápido vento sudeste, levantei a vela do *Águia do Mar* e atravessei o estuário. Esperava encontrar Beamfleot deserta, mas mesmo sendo óbvio que muitos navios de Sigefrid tinham ido se juntar a Gunnkel, 16 embarcações continuavam ali e a alta muralha do forte continuava apinhada de homens e pontas de lanças.

E assim retornamos a Lundene.

— Você conhece Gunnkel? — perguntou-me Gisela. Falávamos em dinamarquês, como quase sempre.

— Nunca ouvi falar nele.

— Um novo inimigo? — perguntou ela, sorrindo.

— Eles não param de vir do norte. A gente mata um, e mais dois navegam para o sul.

— Um bom motivo para parar de matá-los, então. — Isso foi o mais perto que Gisela chegou de me censurar por matar seu povo.

— Sou jurado a Alfredo — falei como explicação vazia.

No dia seguinte acordei e encontrei navios atravessando a ponte. Uma trompa me alertou. Ela foi tocada por uma sentinela nas muralhas de um pequeno *burh* que eu estava construindo na extremidade sul da ponte. Chamamos aquele *burh* de Suthriganaweorc, que significava simplesmente defesa sul, e estava sendo construído e guardado por homens do *fyrd* de Suthrige. Quinze navios de guerra vinham rio abaixo, e remaram através da abertura durante a água alta, quando o tumulto no meio ficava mais calmo. Todos os 15 navios passaram em segurança, e vi que o terceiro tinha o estandarte de meu primo Æthelred, com o cavalo branco empinando. Assim que estavam abaixo da ponte, os navios remaram para os cais, nos quais atracaram em filas triplas. Parecia que Æthelred estava retornando a Lundene. No início do verão ele havia levado Æthelflaed de volta às suas propriedades no oeste da Mércia, para lutar contra os ladrões de gado galeses que adoravam penetrar nas terras gordas da Mércia. Agora estava de volta.

Foi para seu palácio. Æthelflaed, claro, estava com ele, já que Æthelred se recusava a deixá-la fora de suas vistas, mas não creio que isso fosse amor. Era ciúme. Meio esperei receber uma convocação à sua presença, mas isso não aconteceu e, na manhã seguinte, quando Gisela caminhou até o palácio, foi mandada embora. Foi informada que a senhora Æthelflaed não estava bem.

— Eles não foram grosseiros comigo — disse ela. — Apenas insistentes.

— Será que ela não está bem? — perguntei.

— Mais motivo ainda para ver uma amiga — disse Gisela, olhando pela janela aberta para onde o sol de verão cobria o Temes de prata brilhante. — Ele a pôs numa jaula, não é?

Fomos interrompidos pelo bispo Erkenwald, ou melhor, por um de seus padres, anunciando a chegada iminente do bispo. Sabendo que Erkenwald nunca falaria abertamente diante dela, Gisela foi para a cozinha enquanto eu o recebia à porta.

Jamais gostei do sujeito. Com o tempo iríamos nos odiar, mas ele era leal a Alfredo, eficiente e consciencioso. Não perdeu tempo com amenidades, mas disse que havia emitido um mandato para juntar o *fyrd* local.

— O rei — disse ele — ordenou que homens de sua guarda pessoal se juntassem aos navios de seu primo.

— E eu?

— O senhor ficará aqui — disse ele bruscamente —, assim como eu.

— E o *fyrd*?

— É para a defesa da cidade. Eles substituem as tropas reais.

— Por causa de Hrofeceastre?

— O rei está decidido a punir os pagãos, mas enquanto ele está fazendo a obra de Deus em Hrofeceastre, há uma chance de outros pagãos atacarem Lundene. Vamos impedir que um ataque assim tenha sucesso.

Nenhum pagão atacou Lundene, assim fiquei sentado na cidade enquanto os acontecimentos em Hrofeceastre se desdobravam e, estranhamente, aqueles acontecimentos ficaram famosos. Hoje em dia os homens costumam me procurar e perguntam sobre Alfredo, porque sou um dos poucos vivos que se lembram dele. São todos homens da Igreja, claro, e querem ouvir falar de sua devoção, da qual finjo não saber nada, e alguns, uns poucos, perguntam sobre suas guerras. Sabem sobre seu exílio nos pântanos e a vitória em Ethandun, mas também querem ouvir falar de Hrofeceastre. É estranho. Alfredo obteria muitas vitórias sobre seus inimigos e sem dúvida Hrofeceastre era uma delas, mas não foi o grande triunfo que os homens hoje acreditam ter sido.

Claro que foi uma vitória, mas deveria ter sido uma grande vitória. Havia a chance de destruir toda uma frota de vikings e deixar o Medwæg escuro com o sangue deles, mas a chance foi perdida. Alfredo confiou em que os defensores de Hrofeceastre segurariam os invasores no lugar, e as muralhas e a guarnição fizeram o serviço enquanto ele juntava um exército de cavaleiros. Ele tinha as tropas de sua real guarda doméstica, às quais acrescentou os guerreiros domésticos de cada *ealdorman* entre Wintanceaster e Hrofeceastre, e todos cavalgaram para o leste, com o exército aumentando de tamanho à medida que viajavam, e se reuniram em Mæides Stana, logo ao sul da antiga fortaleza romana que agora era a cidade de Hrofeceastre.

Alfredo havia se movido rápido e bem. A cidade derrotara dois ataques dinamarqueses, e agora os homens de Gunnkel se viam ameaçados não somente pela guarnição de Hrofeceastre, mas por mais de mil dos melhores guerreiros de Wessex. Gunnkel, sabendo que perdera o jogo, mandou um enviado a Alfredo, que concordou em conversar. O que Alfredo esperava era a chegada dos navios de Æthelred na foz do Medwæg, porque então Gunnkel ficaria preso, por isso Alfredo falou e falou, e os navios continuavam não chegando. E quando Gunnkel percebeu que Alfredo não iria pagar para ele ir embora, que a conversa era um ardil e que o rei saxão do oeste planejava lutar, fugiu. À meia-noite, depois de dois dias de negociações evasivas, os invasores deixaram as fogueiras do acampamento acesas para sugerir que ainda estavam em terra, depois embarcaram nos navios e partiram na vazante do Temes. Assim o cerco de Hrofeceastre terminou, e foi uma grande vitória no sentido de que um exército viking fora ignominiosamente expulso de Wessex, mas as águas do Medwæg não ficaram densas de sangue. Gunnkel vivia, e os navios que tinham vindo de Beamfleot retornaram para lá, e alguns outros navios foram com eles, de modo que o acampamento de Sigefrid foi reforçado com novas tripulações de guerreiros famintos. O restante da frota de Gunnkel foi procurar presas mais fáceis na Frankia ou encontrou refúgio na costa da Ânglia Oriental.

E, enquanto tudo isso acontecia, Æthelred ainda estava em Lundene.

Reclamou que a cerveja em seus navios estava azeda. Disse ao bispo Erkenwald que seus homens não podiam lutar se tinham a barriga borbulhando e as tripas se esvaziando, por isso insistiu em que os barris fossem esvaziados e enchidos de novo com cerveja recém-preparada. Isso demorou dois dias, e no dia seguinte ele insistiu em fazer julgamento no tribunal, um trabalho que pertencia propriamente a Erkenwald, mas que Æthelred, como *ealdorman* da Mércia, tinha todo o direito de fazer. Podia não ter desejado falar comigo, e Gisela podia ter sido mandada embora do palácio quando tentara visitar Æthelflaed, mas nenhum cidadão livre poderia ser proibido de testemunhar os julgamentos, assim nos juntamos à multidão no grande salão com colunas.

Æthelred estava esparramado numa cadeira que poderia muito bem ser um trono. Tinha encosto alto, braços esculpidos e era estofada com pele. Não sei se nos viu e não quis reconhecer nossa presença, mas Æthelflaed, que estava sentada numa cadeira mais baixa ao lado dele, certamente nos viu. Encarou-nos com uma aparente falta de reconhecimento, depois virou o rosto para longe, como se estivesse entediada. Os casos que ocuparam Æthelred eram triviais, mas ele insistiu em ouvir cada testemunha. A primeira queixa era sobre um moleiro acusado de usar pesos falsos, e Æthelred interrogou implacavelmente as testemunhas. Seu amigo, Aldhelm, estava sentado atrás dele e ficava sussurrando conselhos em seu ouvido. O rosto de Aldhelm, que já fora bonito, estava repleto de cicatrizes pela surra que eu lhe dera, o nariz, torto e o malar, achatado. A mim, que havia frequentemente julgado esse tipo de questões, pareceu que o moleiro era obviamente culpado, mas Æthelred e Aldhelm demoraram longo tempo para chegar à mesma conclusão. O homem foi condenado à perda de uma orelha e a uma marca na bochecha. Depois um jovem padre leu alto um indiciamento contra uma prostituta acusada de roubar da caixa dos pobres da igreja de Santo Alban. Foi enquanto o padre ainda estava falando que Æthelflaed subitamente se retesou. Sacudiu-se para a frente com uma das mãos segurando a barriga. Pensei que ela ia vomitar, mas nada saiu da boca aberta a não ser um gemido baixo, de dor. Ela ficou curvada à frente, a boca aberta, e com a mão apertando a barriga que ainda não mostrava qualquer sinal de gravidez.

O salão havia silenciado. Æthelred olhou para a jovem esposa, aparentemente impotente diante do sofrimento, então duas mulheres saíram de uma passagem em arco e, depois de se ajoelharem diante de Æthelred e, evidentemente recebendo sua permissão, ajudaram Æthelflaed a sair. Meu primo, com o rosto pálido, sinalizou para o padre.

— Recomece do início do indiciamento, padre — disse Æthelred —, minha atenção foi distraída.

— Eu havia quase terminado, senhor — explicou o padre, solícito — e tenho testemunhas que podem descrever o crime.

— Não, não, não! — Æthelred ergueu a mão. — Quero ouvir o indiciamento. Devemos ser meticulosos ao julgar.

Assim o padre recomeçou. As pessoas arrastavam os pés, entediadas, enquanto ele falava, e foi então que Gisela tocou meu cotovelo.

Uma mulher havia acabado de falar com Gisela que, dando um puxão em minha túnica, virou-se e seguiu a mulher por uma porta no fundo do salão. Também fui, esperando que Æthelred estivesse envolvido demais em seu fingimento de ser o juiz perfeito para ver nossa partida.

Seguimos a mulher por um corredor que já fora o lado recluso do pátio, mas em alguma época o espaço entre as colunas da arcada aberta foi preenchido com paredes de pau a pique. Na extremidade do corredor, uma grosseira porta de madeira fora pendurada num portal de madeira. Videiras esculpidas subiam pela alvenaria. Do lado mais distante havia um cômodo com um piso de pequenos ladrilhos que mostravam algum deus romano lançando um raio, e depois disso havia um jardim ensolarado em que três pereiras lançavam sombra num trecho de grama cheio de margaridas e ranúnculos. Æthelflaed nos esperava sob as árvores.

Não demonstrava qualquer sinal da perturbação que a havia mandado meio agachada e com ânsias de vômito para fora do salão. Em vez disso, estava empertigada, as costas eretas e uma expressão solene, mas essa solenidade se iluminou num sorriso quando viu Gisela. As duas se abraçaram, e eu vi os olhos de Æthelflaed se fecharem como se estivesse lutando contra as lágrimas.

— Não está doente, senhora? — perguntei.

— Só grávida — respondeu ela, com os olhos ainda fechados. — Doente, não.

— Pareceu doente agora mesmo — disse eu.

— Eu queria falar com vocês. — Ela se soltou de Gisela. — E fingir que estava passando mal foi o único modo de ter privacidade. Ele não suporta quando fico enjoada. Me deixa sozinha quando vomito.

— Você vomita com frequência? — perguntou Gisela.

— Toda manhã. Fico enjoada como um cachorro, mas todo mundo não fica?

— Desta vez, não — disse Gisela, e tocou seu amuleto. Usava uma pequena imagem de Frigg, mulher de Odin e rainha de Asgard, onde vivem os deuses. Frigg é a deusa da gravidez e do parto, e o amuleto deveria fazer com que Gisela desse à luz em segurança. A pequena imagem havia funcionado bem com nossos dois primeiros filhos, e eu rezava diariamente para que funcionasse de novo com o terceiro.

— Vomito toda manhã — disse Æthelflaed —, depois me sinto bem pelo resto do dia. — Ela tocou a barriga, depois acariciou a de Gisela, que agora estava distendida com o filho. — Você precisa me falar sobre o parto — disse Æthelflaed ansiosa. — É doloroso, não é?

— Você esquece a dor porque fica inundada pela alegria.

— Odeio dor.

— Há ervas — disse Gisela, tentando parecer convincente — e há muita alegria quando a criança vem.

As duas falaram sobre parto, eu me encostei na parede de tijolos e fiquei olhando o trecho de céu azul para além das folhas das pereiras. A mulher que havia nos trazido tinha ido embora, e estávamos a sós. Em algum lugar para além da parede de tijolos havia um homem gritando com recrutas, para manterem os escudos altos, e pude ouvir o som de cajados na madeira enquanto eles treinavam. Pensei na cidade nova, na Lundene fora das paredes, onde os saxões haviam feito sua cidade. Eles queriam que eu fizesse uma nova paliçada lá, e que a defendesse com minha guarnição, mas eu estava recusando porque Alfredo havia ordenado que eu recusasse e porque, com a cidade nova cercada por uma muralha, haveria fortificações demais para proteger. Eu queria que aqueles saxões se mudassem para a cidade velha. Alguns tinham vindo, querendo a proteção da antiga muralha romana e de minha guarnição, mas a maioria ficou teimosamente na cidade nova.

— O que você está pensando? — Æthelflaed interrompeu subitamente meus pensamentos.

— Está agradecendo a Tor por ser homem — disse Gisela — e não ter de dar à luz.

— Verdade — concordei —, e estava pensando que, se as pessoas preferem morrer na cidade nova a viver na velha, devemos deixá-las morrer.

Æthelflaed sorriu dessa declaração desumana. Em seguida veio até mim. Estava descalça e parecia muito pequena.

— Você não bate em Gisela, não é? — perguntou olhando-me.

Olhei para Gisela e sorri.

— Não, senhora — falei gentilmente.

Æthelflaed continuou me encarando. Tinha olhos azuis com manchas castanhas, nariz ligeiramente arrebitado e o lábio inferior era maior do que o superior. Os hematomas haviam sumido, mas um leve tom escuro numa bochecha mostrava onde havia apanhado pela última vez. Parecia muito séria. Fiapos de cabelos dourados apareciam ao redor da touca.

— Por que não me alertou, Uhtred?

— Porque você não queria ser alertada.

Ela pensou nisso, depois assentiu abruptamente.

— Não, não queria, está certo. Eu me coloquei na jaula, não foi? Depois tranquei-a.

— Então destranque — falei com brutalidade.

— Não posso.

— Não? — perguntou Gisela.

— Deus tem a chave.

Sorri daquilo.

— Jamais gostei de seu deus — respondi.

— Não é de espantar que meu marido diga que você é um homem mau — retrucou Æthelflaed com um sorriso.

— Ele diz isso?

— Diz que você é maligno, indigno de confiança e traiçoeiro.

Sorri, não falei nada.

— Cabeça de porco — continuou Gisela com a litania —, simplório e brutal.

— Esse sou eu — confirmei.

— E muito gentil — terminou Gisela.

Æthelflaed continuou me olhando.

— Ele tem medo de você — disse ela —, e Aldhelm odeia você. Vai matá-lo, se puder.

— Ele pode tentar — respondi.

— Aldhelm quer que meu marido seja rei.

— E o que seu marido acha? — perguntei.

— Ele gostaria — disse Æthelflaed, e isso não me surpreendeu. A Mércia carecia de um rei, e Æthelred tinha direito de reivindicar o trono, mas meu primo não era nada sem o apoio de Alfredo, e Alfredo não queria que nenhum homem fosse chamado de rei da Mércia.

— Por que seu pai não se declara simplesmente rei da Mércia? — perguntei a Æthelflaed.

— Acho que ele fará isso, um dia.

— Mas não por enquanto?

— A Mércia é um país orgulhoso — disse ela — e nem todo mércio ama Wessex.

— E você está aqui para fazer com que eles amem Wessex?

Ela tocou a barriga.

— Talvez meu pai queira que seu primeiro neto seja rei da Mércia. Um rei com sangue saxão do oeste, não é?

— E com o sangue de Æthelred — falei azedamente.

Ela suspirou.

— Ele não é um homem mau — disse em tom pensativo, quase como se estivesse tentando se convencer.

— Ele bate em você — argumentou Gisela secamente.

— Ele quer ser um homem bom — reagiu Æthelflaed. Em seguida tocou meu braço. — Ele quer ser como você, Uhtred.

— Como eu! — falei quase rindo.

— Temido — explicou Æthelflaed.

— Então por que está perdendo tempo aqui? Por que não está levando os navios para atacar os dinamarqueses?

Æthelflaed suspirou.

— Porque Aldhelm lhe diz para não fazer isso. Aldhelm diz que se Gunnkel ficar em Cent ou na Ânglia Oriental, meu pai terá de manter mais forças aqui. Ele tem de ficar olhando para o leste.

— Ele tem de fazer isso de qualquer modo — disse eu.

— Mas Aldhelm diz que se meu pai tiver de se preocupar o tempo todo com uma horda de pagãos no estuário do Temes, talvez não perceba o que acontece na Mércia.

— Onde meu primo irá se declarar rei?

— Será o preço que ele exigirá por defender a fronteira norte de Wessex.

— E você será rainha.

Ela fez uma careta diante disso.

— Acha que eu quero?

— Não — admiti.

— Não. O que quero é os dinamarqueses fora da Mércia. Quero os dinamarqueses fora da Ânglia Oriental. Quero os dinamarqueses fora da Nortúmbria. — Ela era pouco mais do que uma criança, uma criança magra com nariz arrebitado e olhos brilhantes, mas tinha aço por dentro. Estava falando comigo, que amava os dinamarqueses porque havia sido criado por eles, e com Gisela, que era dinamarquesa, mas Æthelflaed não tentou suavizar as palavras. Havia nela um ódio pelos dinamarqueses, um ódio que ela herdara do pai. Então, de repente, estremeceu e o aço desapareceu. — E quero viver.

Eu não soube o que dizer. Mulheres morriam dando à luz. Muitas morriam. Eu havia feito sacrifícios a Odin e Tor nas duas vezes em que Gisela dera à luz, e mesmo assim fiquei apavorado, e me sentia apavorado agora porque ela estava grávida outra vez.

— A gente usa as mulheres mais sábias — disse Gisela —, confia nas ervas e nos amuletos que elas usam.

— Não — disse Æthelflaed —, não é isso.

— Então o que é?

— Esta noite — disse Æthelflaed —, à meia-noite. Na igreja de Santo Alban.

— Esta noite? — perguntei absolutamente confuso. — Na igreja?

Ela me encarou com seus enormes olhos azuis.

— Eles podem me matar — disse ela.

— Não! — protestou Gisela, sem acreditar no que ouvia.

— Ele quer ter certeza de que o filho é dele! — interrompeu Æthelflaed. — E claro que é! Mas querem ter certeza de que eu esteja apavorada!

Gisela abraçou Æthelflaed e acariciou seu cabelo.

— Ninguém vai matar você — disse baixinho, olhando para mim.

— Estejam na igreja, por favor — disse Æthelflaed numa voz tornada pequena porque sua cabeça estava esmagada contra os seios de Gisela.

— Estaremos com você — disse Gisela.

— Vão à igreja grande, a dedicada a Alban. — Æthelflaed estava chorando baixinho. — Então, a dor é ruim demais? É como ser partida ao meio? É o que minha mãe diz!

— É ruim — admitiu Gisela —, mas leva a uma alegria como nenhuma outra. — Ela acariciou Æthelflaed e me olhou como se eu pudesse explicar o que iria acontecer à meia-noite, mas eu não fazia ideia do que se passava na mente cheia de suspeitas de meu primo.

Então a mulher que havia nos levado até o jardim das pereiras surgiu à porta.

— Seu marido, senhora — disse ela com urgência. — Ele quer a senhora no salão.

— Preciso ir. — Æthelflaed esfregou os olhos com a manga, sorriu para nós sem alegria e saiu rapidamente.

— O que vão fazer com ela? — perguntou Gisela com raiva.

— Não sei.

— Feitiçaria? Alguma feitiçaria cristã?

— Não sei — repeti, e não sabia mesmo, só que a convocação era para a meia-noite, a hora mais escura, quando o mal aparece, os alteradores de forma percorrem a terra e os caminhantes das sombras aparecem. À meia-noite.

Oito

A igreja de Santo Alban era antiga. As paredes mais baixas eram de pedra, o que significava que os romanos a haviam construído, mas em algum momento o teto caíra e a parte superior da alvenaria havia despencado, de modo que agora quase tudo acima da altura das cabeças era feito de madeira, barro e palha. A igreja ficava na rua principal de Lundene, que ia de norte a sul, partindo do que agora era chamado de Porta do Bispo até a ponte quebrada. Uma vez Beocca me disse que a igreja fora uma capela real dos reis da Mércia, e talvez estivesse certo.

— E Alban foi soldado! — acrescentara Beocca. Ele sempre ficava entusiasmado ao falar sobre os santos cuja história conhecia e amava. — De modo que você deveria gostar dele!

— Eu deveria gostar simplesmente porque ele era soldado? — perguntei com ceticismo.

— Porque era um soldado corajoso! — disse Beocca. — E — ele fez uma pausa, fungando empolgado porque tinha uma informação importante a compartilhar —, e quando foi martirizado, os olhos do carrasco caíram! — Ele riu para mim com seu olho bom. — Caíram, Uhtred! Simplesmente saltaram da cabeça! Foi o castigo de Deus, vê? Se você matar um homem santo, Deus arranca seus olhos!

— Então o irmão Jænberht não era santo, não é? — sugeri. Jænberht era um monge que eu havia matado dentro de uma igreja, para horror do padre Beocca e de uma multidão de outros homens da igreja que observavam. — Ainda estou com meus olhos, padre.

— Você merece ser cegado! — disse Beocca. — Mas Deus é misericordioso. Às vezes estranhamente misericordioso, devo dizer.

Eu havia pensado em Alban durante um tempo.

— Por que — perguntei —, se o seu deus pode arrancar os olhos de um homem, não salvou simplesmente a vida de Alban?

— Porque escolheu não fazer isso, claro! — respondeu Beocca, fungando, exatamente o tipo de resposta que a gente sempre recebe quando pede a um padre cristão para explicar outro ato inexplicável de seu deus.

— Alban era um soldado romano? — perguntei, optando por não questionar a natureza caprichosamente cruel de seu deus.

— Era britão — disse Beocca —, um britão muito corajoso e muito santo.

— Quer dizer que era galês?

— Claro que sim!

— Talvez por isso seu deus o tenha deixado morrer — observei, e Beocca fez o sinal da cruz e revirou o olho bom para o céu.

Assim, ainda que Alban fosse galês, e nós, saxões, não tenhamos amor pelos galeses, havia uma igreja dedicada a ele em Lundene, e essa igreja parecia tão morta quanto o cadáver do santo quando Gisela, Finan e eu chegamos. A rua estava num negrume total. Algumas luzes escapavam pelas janelas de poucas casas, e uma taverna ressoava com cantos numa rua próxima, mas a igreja estava negra e silenciosa.

— Não gosto disso — sussurrou Gisela, e eu soube que ela havia tocado o amuleto no pescoço. Antes de deixarmos a casa ela havia lançado suas varetas de runas, esperando ver algum padrão para esta noite, mas a queda aleatória das varetas a deixara perplexa.

Algo se moveu num beco próximo. Podia não ser mais do que um rato, mas Finan e eu nos viramos, com as espadas sibilando para fora das bainhas, e o ruído no beco parou imediatamente. Deixei Bafo de Serpente deslizar de volta para a bainha forrada de pele.

Nós três estávamos usando capas escuras com capuzes para que, se alguém estivesse olhando, pensasse que fôssemos padres ou monges enquanto estávamos parados diante da porta escura silenciosa da igreja de Santo

Alban. Nenhuma luz passava pelas bordas da porta. Tentei abri-la, puxando a corda curta que levantava a trava por dentro, mas aparentemente a porta estava trancada. Empurrei com força, chacoalhando-a, depois bati nas tábuas com o punho, mas não houve resposta. Então Finan tocou meu braço e eu ouvi os passos.

— Na rua — sussurrei, e atravessamos até o beco no qual tínhamos ouvido o barulho. A passagem pequena e apertada fedia a esgoto.

— São padres — sussurrou Finan.

Dois homens caminhavam pela rua. Ficaram momentaneamente visíveis à luz fraca lançada por uma janela mal fechada, e vi seus mantos pretos e o brilho das cruzes de prata que usavam no peito. Pararam diante da igreja e um deles bateu com força na porta trancada. Deu três batidas, parou, deu uma batida, parou de novo, e bateu mais três vezes.

Ouvimos a barra ser levantada e o ranger de dobradiças enquanto a porta era aberta, então a luz jorrou para a rua enquanto uma cortina dentro da porta era puxada de lado. Um padre ou monge deixou os dois homens entrarem na igreja iluminada por velas, em seguida espiou para um lado e outro da rua e eu soube que ele estava procurando quem quer que tivesse sacudido a porta havia alguns instantes. Uma pergunta devia ter sido gritada para ele, porque se virou e deu uma resposta:

— Não há ninguém aqui, senhor — disse, depois trancou a porta. Ouvi a tranca baixar e, por um instante, surgiu luz junto ao portal até que a cortina de dentro foi fechada e a igreja ficou escura de novo.

— Esperem — disse eu.

Esperamos, escutando o vento farfalhar nos tetos de palha e gemer nas casas arruinadas. Esperei por longo tempo, deixando a lembrança da porta chacoalhada ir sumindo.

— Deve ser quase meia-noite — sussurrou Gisela.

— Quem quer que abra a porta — falei baixinho — tem de ser silenciado. — Eu não sabia o que estava acontecendo dentro da igreja, mas sabia que era tão secreto a ponto de a igreja estar trancada e ser necessária uma batida em código para entrar, e também sabia que não éramos convidados, e que se o homem que abrisse a porta fizesse algum protesto, talvez jamais descobríssemos o perigo que Æthelflaed corria.

— Deixe-o comigo — disse Finan, alegre.

— Ele é um homem da Igreja — sussurrei. — Isso não preocupa você?

— No escuro, senhor, todos os gatos são pretos.

— O que quer dizer...

— Deixe-o comigo — repetiu o irlandês.

— Então vamos à igreja — disse eu, e nós três atravessamos a rua e eu bati com força na porta. Bati três vezes, dei uma batida isolada, depois bati três vezes de novo.

Demorou longo tempo para a porta ser aberta, mas finalmente a barra foi levantada e a porta foi empurrada para fora.

— Eles já começaram — sussurrou uma figura vestida com manto, depois ofegou quando segurei sua gola e o puxei para a rua, onde Finan bateu em sua barriga. O irlandês era um homem pequeno, mas tinha força extraordinária nos braços magros, e a figura vestida de manto se dobrou ao meio ofegando subitamente. A cortina interna havia caído sobre a abertura e ninguém dentro da igreja podia ver o que acontecia lá fora. Finan deu outro soco no sujeito, tateando-o, depois se ajoelhou junto à figura caída.

— Vá embora — sussurrou Finan — se quer viver. Vá para muito longe da igreja e esqueça que nos viu. Entendeu?

— Entendi — respondeu o homem.

Finan deu-lhe um tapa na cabeça para reforçar a ordem, depois se levantou e vimos a figura escura ficar de pé e descer o morro cambaleando. Esperei um pouco para garantir que ele fora mesmo embora, depois nós três entramos e Finan fechou a porta e pôs a barra nos suportes.

E eu empurrei a cortina de lado.

Estávamos na parte mais escura da igreja, mas ainda me sentia exposto porque a outra extremidade, na qual ficava o altar, era totalmente iluminada com velas de junco e de cera. Uma fileira de homens com mantos estava parada diante do altar e suas sombras nos encobriam. Um daqueles padres se virou para nós, mas só viu três figuras com capa e capuz e deve ter presumido que fôssemos mais padres, porque se virou de novo para o altar.

Demorei um instante para ver quem estava no tablado largo e baixo do altar, porque estavam escondidos pelos padres e monges, mas então todos os homens da igreja fizeram reverência para o crucifixo de prata e vi Æthelred e Aldhelm parados do lado esquerdo do altar, e o bispo Erkenwald do lado direito. Entre eles estava Æthelflaed. Usava uma camisola de linho presa com cinto logo abaixo dos seios pequenos e o cabelo louro estava solto, como se ela fosse outra vez uma menina. Parecia apavorada. Havia uma mulher mais velha atrás de Æthelred. Tinha olhos duros e seu cabelo grisalho estava enrolado num coque apertado no topo do crânio.

O bispo Erkenwald rezava em latim, e a intervalos de alguns minutos os padres e os monges que olhavam — eram nove no total — ecoavam suas palavras. Erkenwald usava mantos vermelhos e brancos sobre os quais haviam sido costuradas cruzes feitas de joias. Sua voz, sempre áspera, ecoava nas paredes de pedra, e as respostas dos homens da Igreja eram um murmúrio fraco. Æthelred parecia entediado, enquanto Aldhelm aparentava um deleite silencioso nos mistérios que se desdobravam naquele santuário iluminado pelas chamas.

O bispo terminou suas orações, todos os homens que olhavam disseram amém e houve uma ligeira pausa antes de Erkenwald pegar um livro no altar. Ele desembrulhou as capas de couro e depois virou as páginas rígidas até um lugar marcado com uma pena de gaivota.

— Esta — falou em inglês agora — é a palavra do Senhor.

— Ouçam a palavra do Senhor — murmuraram os padres e os monges.

— Se um homem teme que sua esposa tenha sido infiel — falou o bispo mais alto, com a voz rascante repetida pelo eco —, deve levá-la diante do sacerdote! E deve levar uma oferenda! — Ele olhou objetivamente para Æthelred, que vestia um manto verde-claro sobre uma cota de malha completa. Estava até com as espadas, algo que a maioria dos padres jamais permitiria numa igreja. — Uma oferenda! — repetiu o bispo.

Æthelred levou um susto, como se tivesse sido acordado de um semissono. Remexeu numa bolsa pendurada no cinto da espada e pegou um pequeno saco que estendeu para o bispo.

— Centeio — disse ele.

— Como o Senhor Deus ordenou — respondeu Erkenwald, mas não pegou o centeio oferecido.

— E prata — acrescentou Æthelred, rapidamente pegando um segundo saco na bolsa.

Erkenwald pegou as duas oferendas e colocou-as diante do crucifixo. Fez uma reverência para a imagem brilhante de seu deus pregado, depois pegou de novo o livro grande.

— Esta é a palavra do Senhor — disse com ferocidade. — Que levemos água benta num vaso de barro, e do pó que há no piso do tabernáculo o padre deve tomar, e deve colocar esse pó na água.

O livro foi recolocado no altar enquanto um padre oferecia ao bispo um grosseiro copo de cerâmica que evidentemente continha água benta, porque Erkenwald fez uma reverência a ele, depois se abaixou e raspou um punhado de terra e poeira. Colocou a terra na água, depois colocou o copo no altar antes de pegar o livro de novo.

— Digo-vos, mulher — exclamou selvagemente, olhando do livro para Æthelflaed. — Se nenhum homem se deitou convosco, e se não vos desviastes para compartilhar atos impuros com outro homem que não o vosso esposo, estareis livre da maldição desta água amarga!

— Amém — disse um dos padres.

— A palavra do Senhor! — disse outro.

— Mas se vos desviastes para outro homem — Erkenwald cuspia as palavras enquanto as lia — e se fostes desonrada, que o Senhor faça vossa coxa apodrecer e vossa barriga inchar. — Ele recolocou o livro no altar. — Falai, mulher.

Æthelflaed simplesmente olhou para o bispo. Não disse nada. Seus olhos estavam arregalados de medo.

— Fale mulher! — rosnou o bispo. — Você sabe que palavras deve dizer! Diga!

Æthelflaed parecia apavorada demais para falar. Aldhelm sussurrou algo a Æthelred, que assentiu, mas não fez nada. Aldhelm sussurrou de novo, e de novo Æthelred assentiu, e desta vez Aldhelm avançou um passo e bateu em Æthelflaed. Não foi com força, apenas um tapa na cabeça, mas o bastante para me obrigar a dar um passo involuntário adiante. Gisela agarrou meu braço, contendo-me.

— Fale, mulher — ordenou Aldhelm a Æthelflaed.

— Amém — conseguiu sussurrar Æthelflaed. — Amém.

A mão de Gisela ainda estava em meu braço. Dei um tapinha em seus dedos como sinal de que estava calmo. Sentia raiva, perplexidade, mas estava calmo. Acariciei a mão de Gisela, depois baixei os dedos para o punho de Bafo de Serpente.

Evidentemente, Æthelflaed havia falado as palavras certas porque o bispo Erkenwald pegou o copo de cerâmica no altar. Ergueu-o no alto, diante do crucifixo, como se o mostrasse a seu deus, depois derramou um pouco da água suja de poeira num cálice de prata. Levantou de novo o copo de cerâmica, em seguida ofereceu-o cerimoniosamente a Æthelflaed.

— Beba a água amarga — ordenou ele.

Æthelflaed hesitou, depois viu o braço de Aldhelm coberto pela cota de malha e pronto para bater nela de novo, por isso estendeu a mão obedientemente para o copo. Pegou-o, segurou-o junto à boca por um breve momento, depois fechou os olhos, franziu o rosto e bebeu o conteúdo. Os homens olhavam atentamente, certificando-se de que ela engolisse tudo. As chamas das velas tremeluziram numa corrente de vento que entrou pelo buraco de fumaça no teto, e em algum lugar na cidade um cão uivou subitamente. Agora Gisela estava pressionando meu braço, os dedos apertados como garras.

Erkenwald segurou o copo e, quando ficou satisfeito ao ver que estava vazio, assentiu para Æthelred.

— Ela bebeu — confirmou o bispo. O rosto de Æthelflaed brilhava com as lágrimas refletindo a luz oscilante do altar, no qual, como vi agora, havia uma pena de escrever, um pote de tinta e um pedaço de pergaminho.

— O que faço agora — disse Erkenwald com solenidade — está de acordo com a palavra de Deus.

— Amém — disseram os padres. Æthelred estava olhando a esposa como se esperasse que a carne dela começasse a apodrecer diante de seus olhos, enquanto a própria Æthelflaed tremia tanto que tive medo de que ela desmoronasse.

— Deus me ordena a anotar as maldições — anunciou o bispo, depois se curvou para o altar. A pena raspou por longo tempo. Æthelred ainda estava olhando atentamente para Æthelflaed. Os padres também olhavam-na enquanto o bispo continuava rabiscando. — E tendo escrito as maldições — disse Erkenwald, tampando o pote de tinta —, apago-as segundo os mandamentos de Deus Todo-Poderoso, nosso Pai no céu.

— Ouçam a palavra do Senhor — disse um padre.

— Louvado seja Seu nome — disse outro.

Erkenwald pegou o cálice de prata no qual havia derramado uma pequena quantidade da água suja e derramou o conteúdo nas palavras recém-escritas. Esfregou a tinta com um dos dedos, depois levantou o pergaminho para mostrar que o que havia escrito fora manchado até sumir.

— Está feito — disse em tom pomposo, depois assentiu para a mulher grisalha. — Faça o seu trabalho! — ordenou.

A mulher velha e de rosto amargo foi até o lado de Æthelflaed. A garota se encolheu para longe, mas Aldhelm segurou seus ombros. Æthelflaed gritou de terror, e a resposta de Aldhelm foi dar-lhe um cascudo com força na cabeça. Pensei que Æthelred deveria reagir a esse ataque feito por outro homem contra sua mulher, mas evidentemente aprovava, porque não fez nada além de olhar enquanto Aldhelm segurava Æthelflaed pelos ombros de novo. Segurou-a imóvel enquanto a velha parava para levantar a bainha da camisola de linho de Æthelflaed.

— Não! — protestou Æthelflaed numa voz gemida, desesperada.

— Mostre-a a nós! — disse Erkenwald rispidamente. — Mostre suas coxas e sua barriga!

A mulher levantou obedientemente a camisola, mostrando as coxas de Æthelflaed.

— Chega! — Eu gritei essa palavra.

A mulher se imobilizou. Os padres estavam se abaixando para olhar as pernas nuas de Æthelflaed e esperando que o vestido fosse levantado para revelar a barriga. Aldhelm ainda a segurava pelos ombros, enquanto o bispo olhava boquiaberto para as sombras junto à porta da igreja, de onde eu havia falado.

— Quem está aí? — perguntou Erkenwald.

— Seus desgraçados malignos — falei enquanto avançava, meus passos ecoando nas paredes de pedra —, seus bostas imundos. — Lembro-me da raiva que senti naquela noite, uma fúria fria e selvagem que havia me levado a intervir sem pensar nas consequências. Todos os padres de minha mulher pregam dizendo que a raiva é um pecado, mas um guerreiro que não tem raiva não é guerreiro de verdade. A raiva é uma espora, um aguilhão, suplanta o medo para fazer o homem lutar, e naquela noite eu lutaria por Æthelflaed. — Ela é filha de um rei — rosnei. — Portanto, baixe o vestido!

— Você fará o que Deus ordena — rosnou Erkenwald para a mulher, mas ela não ousava baixar nem levantá-lo mais.

Abri caminho por entre os padres curvados, chutando um na bunda com tanta força que ele foi lançado no tablado aos pés do bispo. Erkenwald havia apanhado seu cajado, com o remate curvo como uma bengala de pastor, e girou-o em minha direção, mas conteve o golpe ao ver meus olhos. Desembainhei Bafo de Serpente, seu aço longo raspando e sibilando na boca da bainha.

— Quer morrer? — perguntei a Erkenwald, e ele ouviu a ameaça em minha voz e seu cajado de pastor baixou lentamente. — Baixe o vestido — ordenei à mulher. — Ela hesitou. — Largue, sua cadela velha e imunda — rosnei, depois senti que o bispo havia se movido e girei Bafo de Serpente de modo que a lâmina tremeluziu logo abaixo da garganta dele. — Uma palavra, bispo, só uma palavra, e você vai encontrar seu deus aqui e agora. Gisela! — chamei, e Gisela veio ao altar. — Leve a bruxa e leve Æthelflaed, e veja se a barriga dela inchou ou se as coxas apodreceram. Façam isso numa privacidade decente. E você — virei a lâmina para apontar para o rosto de Aldhelm, cheio de cicatrizes —, tire as mãos da filha do rei Alfredo, ou eu vou pendurá-lo na ponte de Lundene e os pássaros vão bicar seus olhos e comer sua língua. — Ele soltou Æthelflaed.

— Você não tem o direito... — disse Æthelred, encontrando a própria língua.

— Vim aqui com um recado de Alfredo — interrompi-o. — Ele quer saber onde seus navios estão. Quer que você zarpe. Quer que você cumpra com seu dever. Quer saber por que está acovardado aqui enquanto há dinamarqueses para matar. — Pus a ponta de Bafo de Serpente na bainha e deixei-a entrar em casa. — E — continuei quando o som da espada havia acabado de ecoar na igreja — ele quer que você saiba que a filha é preciosa para ele, e que não gosta de que as coisas preciosas para ele sejam maltratadas.

Inventei essa mensagem, claro.

Æthelred apenas me encarou. Não disse nada, mas havia uma expressão indignada em seu rosto presunçoso. Será que acreditava que eu tinha vindo com uma mensagem de Alfredo? Não dava para saber, mas ele deve ter temido uma mensagem assim, porque sabia que estivera fugindo ao dever.

O bispo Erkenwald estava igualmente indignado.

— Você ousa trazer uma espada para a casa de Deus? — perguntou furioso.

— Ouso mais do que isso, bispo. Já ouviu falar do irmão Jænberht? Um de seus preciosos mártires? Eu o matei dentro de uma igreja e seu deus não o salvou nem impediu minha espada. — Sorri, lembrando-me de minha própria perplexidade ao cortar a garganta de Jænberht. Eu odiava aquele monge. — Seu rei quer que a obra de Deus seja feita — falei a Erkenwald. — E essa obra é matar dinamarqueses, não se divertir olhando a nudez de uma menina.

— Isto é a obra de Deus! — gritou Æthelred.

Quis matá-lo então. Senti o tremor enquanto minha mão ia para o punho de Bafo de Serpente, mas nesse momento a bruxa velha retornou.

— Ela... — começou a mulher, depois ficou em silêncio ao ver o olhar de ódio que eu estava dando a Æthelred.

— Fale, mulher! — ordenou Erkenwald.

— Ela não mostra nenhum sinal, senhor — disse a mulher, de má vontade. — A pele não tem marcas.

— Barriga e coxas? — pressionou Erkenwald.

— Ela está pura — falou Gisela de um recesso na lateral da igreja. Estava com o braço ao redor de Æthelflaed e sua voz era amarga.

Erkenwald pareceu desconcertado com a resposta, mas se conteve e reconheceu, relutante, que Æthelflaed estava mesmo pura.

— Ela evidentemente não foi desonrada, senhor — disse ele a Æthelred, ostensivamente me ignorando. Finan permanecia atrás dos padres que assistiam, e sua presença era uma ameaça para eles. O irlandês estava sorrindo e olhando Aldhelm, que, como Æthelred, usava espada. Qualquer um dos dois poderia tentar me matar, mas nenhum tocou sua arma.

— Sua esposa — disse eu a Æthelred — não está desonrada. Ela foi desonrada por você.

Seu rosto subiu rapidamente, como se eu houvesse cuspido nele.

— Você é... — começou ele.

Nesse momento soltei a raiva. Eu era muito mais alto e largo do que meu primo, e o impeli de costas do altar até a parede lateral da igreja, e ali falei com ele num sibilar de fúria. Só ele pôde ouvir o que eu disse. Aldhelm poderia se sentir tentado a resgatar Æthelred, mas Finan estava vigiando-o, e a reputação do irlandês era suficiente para garantir que Aldhelm não se mexesse.

— Conheço Æthelflaed desde que ela era criança — falei a Æthelred — e a amo como se fosse minha filha. Você entende isso, seu *earsling*? Ela é como uma filha para mim, e é uma boa esposa para você. E se você tocar nela de novo, primo, se eu vir mais um machucado no rosto de Æthelflaed, vou encontrar você e matá-lo. — Parei, e ele ficou em silêncio.

Virei-me e olhei para Erkenwald.

— E o que você teria feito, bispo — falei com desprezo —, se as coxas da senhora Æthelflaed tivessem apodrecido? Teria ousado matar a filha de Alfredo?

Erkenwald murmurou alguma coisa sobre condená-la a um convento, não que eu me importasse. Eu havia parado perto de Aldhelm e olhei-o.

— E você bateu numa filha do rei.

Bati nele com tanta força que ele girou na direção do altar e cambaleou tentando recuperar o equilíbrio. Esperei, dando-lhe a chance de reagir, mas não lhe restava coragem, por isso bati de novo, afastei-me e levantei a voz para que todo mundo na igreja pudesse ouvir:

— E o rei de Wessex ordena que o senhor Æthelred zarpe.

Alfredo não havia mandado essa ordem, mas dificilmente Æthelred ousaria perguntar ao sogro se ele havia mandado ou não. Quanto a Erkenwald, eu tinha certeza de que ele contaria a Alfredo que eu havia levado uma espada e feito ameaças dentro de uma igreja, e Alfredo ficaria com raiva disso. Ficaria com mais raiva de mim por ter desonrado uma igreja do que com os padres por ter humilhado sua filha, mas eu queria que Alfredo ficasse com raiva. Queria que ele me castigasse me liberando do juramento e assim me retirando de seu serviço. Queria que Alfredo me tornasse um homem livre de novo, um homem com uma espada, um escudo e inimigos. Queria me livrar de Alfredo, mas Alfredo era inteligente demais para permitir isso. Sabia exatamente como me castigar.

Faria com que eu mantivesse o juramento.

Somente dois dias mais tarde, muito depois de Gunnkel ter fugido de Hrofeceastre, Æthelred finalmente zarpou. Sua frota de 15 navios de guerra, a mais poderosa que Wessex já havia reunido, deslizou rio abaixo com a maré vazante, impelida por uma mensagem furiosa entregue a Æthelred por Steapa. O grandalhão havia cavalgado de Hrofeceastre, e a mensagem de Alfredo exigia saber por que a frota se demorava enquanto os vikings derrotados fugiam. Steapa ficou aquela noite em nossa casa.

— O rei está infeliz — disse ele durante o jantar. — Nunca o vi com tanta raiva! — Gisela estava fascinada com a visão de Steapa comendo. Ele usava uma das mãos para segurar costelas de porco que descarnava com os dentes, enquanto a outra colocava pão num canto livre da boca. — Com muita raiva — disse ele, parando para beber cerveja. — No Sture — acrescentou misteriosamente, pegando mais um pedaço de costelas.

— No Sture?

— Foi onde Gunnkel fez um acampamento, e Alfredo acha que ele provavelmente voltou para lá.

O Sture era um rio na Ânglia Oriental, ao norte do Temes. Eu havia estado lá uma vez e me lembrava de uma foz larga, protegida das tempestades do leste por uma longa faixa de terra arenosa.

— Lá ele está em segurança — disse eu.

— Em segurança? — perguntou Steapa.

— É território de Guthrum.

Steapa fez uma pausa para tirar uma lasca de carne de entre os dentes.

— Guthrum o abrigou lá. Alfredo não gostou. Acha que Guthrum tem de levar um tapa.

— Alfredo vai entrar em guerra contra a Ânglia Oriental? — perguntou Gisela, surpresa.

— Não, senhora. Só vai lhe dar um tapa — disse Steapa, fazendo barulho com as mandíbulas em algum pedaço de osso. Eu achei que ele havia comido meio porco, e não demonstrava sinais de estar diminuindo o ritmo. — Guthrum não quer guerra, senhora. Mas tem de aprender a não abrigar pagãos. Por isso ele está mandando o senhor Æthelred atacar o acampamento de Gunnkel no Sture, e já que está com a mão na massa, roubar um pouco do gado de Guthrum. Só lhe dar um tapa. — Steapa me dirigiu um olhar solene. — Uma pena que você não pode ir.

— É mesmo — concordei.

E por que Alfredo teria escolhido Æthelred para liderar uma expedição para punir Guthrum? Æthelred nem era saxão do oeste, apesar de ter feito juramento a Alfredo de Wessex. Meu primo era mércio, e os mércios nunca foram famosos por seus navios. Então por que escolher Æthelred? A única explicação que pude descobrir era que o filho mais velho de Alfredo, Eduardo, ainda era uma criança que não tinha mudado de voz, e o próprio Alfredo era um homem doente. Ele temia pela própria morte e pelo caos que poderia baixar sobre Wessex se Eduardo subisse ao trono ainda criança. Assim, Alfredo estava oferecendo a Æthelred a chance de se redimir pelo fracasso em prender os navios de Gunnkel no Medwæg e uma oportunidade de fazer reputação suficiente para convencer os *thegns* e *ealdormen* de Wessex que Æthelred, senhor da Mércia, poderia governá-los caso Alfredo morresse antes que Eduardo tivesse idade suficiente para sucedê-lo.

A frota de Æthelred levava uma mensagem aos dinamarqueses da Ânglia Oriental. Se você ataca Wessex, estava dizendo Alfredo, nós atacaremos você. Vamos devastar seu litoral, queimar suas casas, afundar seus navios e deixar suas praias fedendo a morte. Alfredo havia transformado Æthelred num viking, e eu senti ciúme. Queria pegar meus navios, mas recebera ordens de ficar em Lundene. Era impressionante. Os maiores navios capturados tinham trinta remos de cada lado, e havia seis desses, ao passo que o menor tinha fileiras de vinte. Æthelred estava liderando quase mil homens em seu ataque, e todos eram homens bons; guerreiros da casa de Alfredo e de suas próprias tropas treinadas. Æthelred zarpou num dos grandes navios, que um dia havia carregado uma grande cabeça de corvo, preto-queimado, na proa, mas aquela imagem havia sumido e agora o navio se chamava *Rodbora*, que significava "carregador da cruz". Agora seu poste de proa era decorado com uma enorme cruz e o navio levava guerreiros a bordo, padres e, claro, Æthelflaed, porque Æthelred não ia a lugar algum sem ela.

Era verão. As pessoas que jamais viveram numa cidade durante o verão não podem imaginar o fedor nem as moscas. Milhafres vermelhos se amontoavam nas ruas, vivendo de carniça. Quando o vento vinha do norte o cheiro de urina e esterco de animais nos poços dos curtumes se misturava com o fedor da cidade, de esgoto humano. A barriga de Gisela crescia, e meu medo por ela crescia junto.

Eu ia para o mar o máximo que podia. Levamos o *Águia do Mar* e o *Espada do Senhor* rio abaixo na maré vazante e voltávamos na montante. Caçávamos navios de Beamfleot, mas os homens de Sigefrid haviam aprendido a lição e jamais saíam de seu riacho com menos de três navios por companhia. Mas, ainda que esses grupos de navios caçassem presas, o comércio finalmente estava chegando a Lundene, porque os mercadores haviam aprendido a navegar em grandes comboios. Uma dúzia de navios fazia companhia mútua, todos com homens armados a bordo, de modo que as colheitas de Sigefrid eram escassas, mas as minhas também.

Esperei duas semanas por notícias da expedição de meu primo, e fiquei sabendo de seu destino num dia em que fazia minha excursão usual descendo o Temes. Sempre havia um momento abençoado em que deixávamos a fumaça e o cheiro de Lundene e sentíamos os ventos limpos do mar. O rio serpenteava em pântanos largos onde as garças espreitavam. Lembro-me de que estava feliz naquele dia porque havia borboletas azuis em toda parte. Elas pousavam no *Águia do Mar* e no *Espada do Senhor*, que vinha logo atrás. Um inseto se empoleirou em meu dedo estendido e ficou abrindo e fechando as asas.

— Isso significa sorte, senhor — disse Sihtric.

— É mesmo?

— Quanto mais tempo ela ficar aí, mais tempo vai durar sua sorte — disse Sihtric, e estendeu a mão, mas nenhuma borboleta azul pousou nela.

— Parece que você não tem sorte — falei em tom leve. Fiquei olhando a borboleta azul no dedo e pensei em Gisela e no parto. Fique aí, ordenei silenciosamente ao inseto, e ele ficou.

— Eu tenho sorte — disse Sihtric, rindo.

— Tem?

— Ealhswith está em Lundene. — Ealhswith era a puta que Sihtric amava.

— Há mais trabalho para ela em Lundene do que em Coccham — disse eu.

— Ela parou de fazer isso — respondeu Sihtric enfaticamente.

Olhei-o, surpreso.

— Parou?

— Parou, senhor. Ela quer se casar comigo.

Ele era um rapaz bonito, com cara de falcão, cabelos pretos e corpo bom. Eu o conhecia desde que ele era praticamente criança, e supunha que isso alterava minha impressão a seu respeito, porque ainda via o garoto cheio de medo cuja vida eu havia poupado em Cair Ligualid. Ealhswith talvez visse o rapaz que ele havia se tornado. Desviei o olhar, espiando um pequeno fio de fumaça que subia dos pântanos ao sul, e me perguntei de quem seria aquele fogo, e como aquelas pessoas viviam no pântano infestado de mosquitos.

— Você está com ela há muito tempo — disse eu.

— É, senhor.

— Mande-a falar comigo. — Sihtric era jurado a mim e precisava de minha permissão para casar, porque sua esposa iria se tornar parte de minha casa e, portanto, de minha responsabilidade. — Vou falar com ela — acrescentei.

— O senhor vai gostar dela.

Sorri disso.

— Espero que sim.

Um bando de cisnes passou voando entre nossos barcos, as asas ruidosas no ar de verão. Eu me sentia contente, a não ser por meus temores com relação a Gisela, e a borboleta estava afastando essa preocupação, mas depois de um tempo ela decolou de meu dedo e voou desajeitada na esteira dos cisnes, indo para o sul. Toquei o punho de Bafo de Serpente, depois meu amuleto, e fiz uma oração a Figg para que Gisela ficasse em segurança.

Era meio-dia antes de chegarmos perto de Caninga. A maré estava baixa e as planícies de lama se estendiam até o calmo estuário no qual éramos os únicos navios. Levei o *Águia do Mar* para perto da costa sul de Caninga e olhei na direção do riacho de Beamfleot, mas não pude ver nada útil através da névoa de calor que tremeluzia sobre a ilha.

— Parece que foram embora — comentou Finan. Como eu, ele estava olhando para o norte.

— Não — disse eu. — Há navios lá. — Pensei que podia ver os mastros dos navios de Sigefrid através do ar trêmulo.

— Não tantos quanto deveria — disse Finan.

— Vamos dar uma olhada.

Assim, remamos ao redor da ponta leste da ilha e descobrimos que Finan estava certo. Mais de metade dos navios de Sigefrid havia deixado o pequeno rio Hothlege.

Apenas três dias antes havia 36 mastros no riacho, e agora eram apenas 14. Eu sabia que os navios desaparecidos não tinham subido o rio em direção a Lundene, porque os teríamos visto, e com isso restavam apenas duas opções; ou tinham ido para o leste e o norte ao redor do litoral da Ânglia Oriental ou então haviam remado para o sul, para fazer outro ataque contra Cent. O sol, tão quente, alto e luminoso, refletia-se piscando nas pontas de lança das fortificações no acampamento elevado. Homens nos olhavam daquela muralha alta e nos viram dar a volta, levantar as velas e usar um fraco vento nordeste, que havia começado desde o amanhecer, para nos levar para o sul através do estuário. Eu estava procurando uma grande mancha de fumaça que me informasse que um grupo havia desembarcado para atacar, saquear e queimar alguma cidade, mas o céu sobre Cent estava límpido. Baixamos a vela e remamos para o leste em direção à foz do Medwæg, e ainda não vimos fumaça, e então Finan, de olhos afiados e postado em nossa proa, viu os navios.

Seis navios.

Eu estava procurando uma frota de pelo menos vinte barcos, e não um pequeno grupo de navios, e a princípio não liguei, presumindo que fossem navios mercantes mantendo companhia enquanto remavam na direção de Lundene, mas então Finan voltou correndo por entre os bancos dos remadores.

— São navios de guerra — disse ele.

Olhei para o leste. Podia ver as manchas escuras dos cascos, mas meus olhos não eram tão bons quanto os de Finan, e não pude identificar as formas. Os seis cascos tremeluziam na névoa de calor.

— Estão se movendo? — perguntei.

— Não, senhor.

— Por que ficar ancorados ali? — imaginei. Os navios estavam do outro lado da foz do Medwæg, junto da ponta chamada Scerhnesse, que significa "ponta de terra luminosa", e era um lugar estranho para ancorar, porque as correntes redemoinhavam fortes perto da ponta baixa.

— Acho que estão encalhados, senhor — disse Finan. Se os navios estivessem ancorados eu presumiria que estavam esperando a maré para levá-los rio acima, mas em geral os barcos encalhados significavam que homens tinham ido a terra, e o único motivo para ir à terra era encontrar saque.

— Mas não resta nada para roubar em Scaepege — disse eu, perplexo. Scerhnesse ficava na extremidade oeste de Scaepege, que era uma ilha no lado sul do estuário do Temes, e Scaepege fora pilhada, devastada e pilhada de novo por ataques vikings. O canal entre Scaepege e o restante da Inglaterra era conhecido como o Swealwe, e frotas vikings inteiras haviam se abrigado ali no tempo ruim. Scaepege e o Swealwe eram locais perigosos, mas não eram lugares para encontrar prata ou escravos.

— Vamos chegar mais perto — disse eu. Finan voltou à proa enquanto Ralla, no *Espada do Senhor*, chegava ao lado do *Águia do Mar*. Apontei para os navios distantes. — Vamos dar uma olhada naqueles seis barcos! — gritei. Ralla assentiu, gritou uma ordem e seus remos cortaram a água.

Vi que Finan estava certo enquanto atravessávamos a ampla foz do Medwæg; os seis eram navios de guerra, todos mais longos e mais esguios do que qualquer embarcação cargueira, e todos os seis estavam encalhados. Um fio de fumaça ia para o sul e o leste, sugerindo que as tripulações haviam acendido uma fogueira em terra. Eu não podia ver nenhuma cabeça de fera nas proas, mas isso não queria dizer nada. As tripulações vikings poderiam considerar que toda a área de Scaepege era território dinamarquês, e assim tirar seus dragões, águias, corvos e serpentes para não amedrontar os espíritos da ilha.

Chamei Clapa para o remo-leme.

— Leve o barco direto para os navios — ordenei, depois fui me juntar a Finan na proa. Osferth estava num dos remos, suando e mal-humorado. — Não há nada como remar para criar músculos — falei animado e fui recompensado por uma careta.

Subi ao lado do irlandês.

— Parecem dinamarqueses — disse ele.

— Não podemos lutar contra seis tripulações — respondi.

Finan coçou a virilha.

— Acha que eles estão fazendo acampamento ali?

Era um pensamento maligno. Já era bastante ruim que os navios de Sigefrid viessem do lado norte do estuário, sem que outro ninho de vespas estivesse sendo construído na margem sul.

— Não — respondi, porque pela primeira vez meus olhos se mostraram mais afiados do que os do irlandês. — Não, eles não estão fazendo um acampamento. — E toquei meu amuleto.

Finan viu o gesto e ouviu a raiva em minha voz.

— O que é? — perguntou.

— O navio da esquerda — falei apontando — é o *Rodbora*. — Eu tinha visto a cruz montada no poste de proa.

A boca de Finan se abriu, mas por um momento ele não disse nada. Apenas ficou olhando. Seis navios, apenas seis navios, e 15 haviam partido de Lundene.

— Santo Jesus Cristo — disse ele finalmente. Fez o sinal da cruz. — Será que os outros foram rio acima?

— Nós teríamos visto.

— Então estarão vindo atrás?

— É melhor que você esteja certo — falei carrancudo —, caso contrário nove navios se foram.

— Meu Deus, não.

Agora estávamos perto. Os homens em terra viram a cabeça de águia em meu barco e acharam que eu era um viking, e alguns correram para os baixios entre dois dos navios encalhados e fizeram uma parede de escudos ali, desafiando-me a atacar.

— Aquele é Steapa — falei, vendo a figura enorme no centro da parede de escudos. Ordenei que a águia fosse baixada, depois parei com os braços abertos, de mãos vazias, para mostrar que tinha vindo em paz. Steapa me reconheceu, os escudos foram baixados e as armas, embainhadas. Um instante depois a proa do *Águia do Mar* deslizou macia na lama arenosa. A maré ia subindo, por isso o navio estava em segurança.

Pulei na água que chegava à cintura e vadeei até chegar em terra. Achei que haveria pelo menos quatrocentos homens na praia, uma quantidade grande demais para somente seis navios, e enquanto me aproximava pude ver que muitos daqueles homens estavam feridos. Estavam deitados com bandagens encharcadas de sangue e rosto pálido. Padres se ajoelhavam no meio deles enquanto, no topo da praia, onde um capim claro cobria as dunas baixas, pude ver grosseiras cruzes feitas de madeira lançada pelo mar, enfiadas em sepulturas recém-cavadas.

Steapa me esperou, o rosto mais sério do que nunca.

— O que aconteceu? — perguntei.

— Pergunte a ele — disse Steapa, parecendo amargo. Em seguida virou a cabeça na direção da praia e vi Æthelred sentado perto da fogueira, na qual uma panela borbulhava suavemente. Seu séquito de sempre estava junto, incluindo Aldhelm, que me olhou ressentido. Nenhum deles falou enquanto eu me aproximava. A fogueira estalou. Æthelred estava brincando com um pedaço de pau e, mesmo que certamente soubesse de minha aproximação, não levantou a cabeça.

Parei junto à fogueira.

— Onde estão os outros nove navios? — perguntei.

O rosto de Æthelred subiu rapidamente, como se ele estivesse surpreso ao me ver. Sorriu.

— Boas notícias — disse. Esperou que eu perguntasse quais eram as notícias, mas eu só fiquei olhando-o sem dizer nada. — Vencemos — disse expansivamente. — Uma grande vitória!

— Uma vitória magnífica — exclamou Aldhelm.

Vi que o sorriso de Æthelred era forçado. Suas palavras seguintes foram hesitantes, como se precisasse de grande esforço para juntá-las.

— Gunnkel aprendeu o poder de nossas espadas.

— Queimamos os navios deles! — alardeou Aldhelm.

— E fizemos grande matança — disse Æthelred, e vi que seus olhos estavam brilhando.

Olhei para um lado e outro da praia, onde os feridos estavam deitados e os não feridos sentavam-se de cabeça baixa.

— Você partiu com 15 navios.

— Queimamos os navios dele — disse Æthelred, e pensei que ele ia chorar.

— Onde estão os outros nove navios? — exigi saber.

— Nós paramos aqui — disse Aldhelm, e devia pensar que eu estava criticando sua decisão de encalhar os navios — porque não pudemos remar contra a maré vazante.

— E os outros nove navios? — perguntei de novo, mas não recebi resposta. Ainda estava examinando a praia e não pude encontrar o que procurava. Olhei de novo para Æthelred, cuja cabeça havia baixado de novo, e temi fazer a pergunta seguinte, mas ela precisava ser feita. — Onde está sua esposa?

Silêncio.

— Onde está Æthelflaed? — falei mais alto.

Uma gaivota soltou seu grito áspero, abandonado.

— Foi tomada — disse Æthelred finalmente, numa voz tão baixa que mal pude ouvir.

— Tomada?

— Como prisioneira — disse Æthelred, com a voz ainda baixa.

— Santo Jesus Cristo — disse eu, usando a expressão predileta de Finan. O vento agitou a fumaça amarga em meu rosto. Por um momento não acreditei no que tinha ouvido, mas ao meu redor havia provas de que a vitória magnífica de Æthelred fora na verdade uma derrota catastrófica. Nove navios haviam ido embora, mas navios podiam ser substituídos, e metade dos soldados de Æthelred estava faltando, no entanto novos homens podiam ser encontrados para substituir os mortos, mas o que poderia substituir a filha de um rei? — Quem está com ela? — perguntei.

— Sigefrid — murmurou Aldhelm.

O que explicava para onde haviam ido os navios de Beamfleot.

E Æthelflaed, a doce Æthelflaed, a quem eu fizera um juramento, era prisioneira.

Nossos oito navios cavalgaram a maré montante de volta pelo Temes até Lundene. Era uma tarde de verão, límpida e calma, no qual o sol parecia se demorar como um gigantesco globo vermelho suspenso no véu de fumaça que nublava o ar sobre a cidade. Æthelred fez a viagem no *Rodbora* e, quando deixei o *Águia do Mar* passar remando ao lado daquele navio, vi as marcas pretas em que o sangue havia manchado as tábuas. Apressei as remadas e me adiantei outra vez.

Steapa foi comigo no *Águia do Mar* e me contou o que havia acontecido no rio Sture.

De fato havia sido uma vitória magnífica. A frota de Æthelred surpreendera os vikings que faziam acampamento na margem sul do rio.

— Chegamos ao amanhecer — disse Steapa.

— Ficaram a noite toda no mar?

— O senhor Æthelred ordenou.

— Corajoso — comentei.

— Era uma noite calma — disse Steapa, desconsiderando —, e às primeiras luzes encontramos os navios deles. Dezesseis navios. — Ele parou abruptamente. Era um homem taciturno e achava difícil falar mais do que algumas palavras de cada vez.

— Encalhados? — perguntei.

— Estavam ancorados.

Isso sugeria que os dinamarqueses queriam suas embarcações prontas em qualquer condição da maré, mas também significava que os navios não podiam ser defendidos porque as tripulações estavam principalmente em terra, onde levantavam muros de terra para fazer um acampamento. A frota de Æthelred acabara rapidamente com os poucos homens a bordo das embarcações inimigas, depois as grandes pedras enroladas em cordas, que serviam como âncoras, haviam sido levantadas e os 16 navios foram rebocados para a margem norte e encalhados ali.

— Ele ia mantê-los lá — explicou Steapa — até ter acabado, depois iria trazê-los de volta.

— Acabado?

— Ele queria matar todos os pagãos antes de irmos embora. — E Steapa explicou como a frota de Æthelred havia subido o Sture e o rio adjacente, o Arwan, desembarcando homens ao longo das margens para queimar castelos dinamarqueses, trucidar o gado dinamarquês e, quando pudesse, matar dinamarqueses. Os atacantes saxões haviam causado pânico. Pessoas tinham fugido para o interior, mas Gunnkel, sem navios em seu acampamento na foz do Sture, não entrou em pânico.

— Vocês não atacaram o acampamento? — perguntei a Steapa.

— O senhor Æthelred disse que ele estava protegido demais.

— Achei que você havia dito que não estava pronto.

Steapa deu de ombros.

— Eles não tinham construído a paliçada, pelo menos de um dos lados, de modo que poderíamos ter entrado e matado todos, mas teríamos perdido muitos homens, também.

— Verdade — admiti.

— Assim, em vez disso, atacamos fazendas — continuou Steapa, e enquanto os homens de Æthelred devastavam os povoados dinamarqueses, Gunnkel havia mandado mensageiros para o sul, aos outros rios do litoral da Ânglia Oriental. Lá, naquelas margens de rios, havia outros acampamentos vikings. Gunnkel estava convocando reforços.

— Eu pedi que o senhor Æthelred fosse embora — disse Steapa, sombrio. — Disse no segundo dia. Disse que estávamos ficando tempo demais.

— Ele não quis ouvir?

— Ele me chamou de idiota — respondeu Steapa, dando de ombros. Æthelred queria saquear, por isso havia ficado no Sture e seus homens lhe traziam tudo de valor que pudessem encontrar, desde panelas até facas de ceifar. — Encontrou um pouco de prata, mas não muito.

E enquanto Æthelred permanecia para enriquecer, os lobos do mar se juntavam.

Navios dinamarqueses vieram do sul. Os navios de Sigefrid haviam partido de Beamfleot, juntando-se a outros barcos que remavam saindo da foz do Colaun, do Hwealf e do Pant. Eu havia passado por aqueles rios com frequência suficiente e imaginei os barcos esguios e rápidos deslizando pelos bancos de lama na maré vazante, com as proas altas ferozmente enfeitadas com animais e os cascos cheios de homens vingativos, escudos e armas.

Os navios dinamarqueses se reuniram perto da ilha de Horseg, ao sul do Sture, na ampla baía assombrada pelas aves selvagens. Então, numa manhã cinzenta, sob uma tempestade de verão que soprava do mar, e na maré montante tornada mais forte pela lua cheia, 38 navios vieram do oceano e entraram no Sture.

— Era domingo — disse Steapa —, e o senhor Æthelred insistiu em que ouvíssemos o sermão.

— Alfredo ficará satisfeito em saber disso — falei com sarcasmo.

— Foi na praia, onde os barcos dinamarqueses estavam encalhados.

— Por que lá?

— Porque os padres queriam expulsar os espíritos malignos dos barcos — disse ele, e contou como as cabeças de feras dos navios capturados tinham sido postas numa grande pilha na areia. Restos de madeira lançada pelo mar haviam sido amontoados ao redor delas, junto com palha de um telhado próximo, e então, sob ruidosas orações dos padres, fora posto fogo no monte. Dragões e águias, corvos e lobos haviam queimado, as chamas saltando altas, e a fumaça da grande fogueira devia ter soprado para o interior enquanto a chuva cuspia e sibilava na madeira que ardia. Os padres haviam rezado e cantado, grasnando sua vitória sobre os pagãos, e ninguém notou as formas escuras vindo pela garoa do mar.

Só posso imaginar o medo, a fuga e a chacina. Dinamarqueses saltando em terra. Dinamarqueses de espadas, dinamarqueses de lanças, dinamarqueses de machados. O único motivo para tantos terem escapado era porque havia tantos morrendo. Os dinamarqueses tinham começado a matança, e encontraram tantos homens para matar que não puderam alcançar os que fugiam para os navios. Outros barcos dinamarqueses estavam atacando a frota saxã, mas o *Rodbora* os manteve afastados.

— Eu havia deixado homens a bordo — disse Steapa.

— Por quê?

— Não sei — respondeu ele em tom chapado. — Só tive uma sensação.

— Conheço essa sensação.

Era o arrepio na nuca, a suspeita vaga e informe de que o perigo estava perto, e era uma sensação que jamais devia ser ignorada. Eu tinha visto meus cães levantarem subitamente a cabeça saindo do sono e rosnarem baixo, ou gemerem de dar pena com os olhos me encarando num apelo mudo. Quando isso acontece, sei que o trovão está chegando, e sempre chega, mas não sei como os cães sentem isso. Porém, deve ser a mesma sensação, o desconforto do perigo oculto.

— Foi uma luta rara — disse Steapa, com voz embotada.

Estávamos rodeando a última curva do Temes antes de o rio chegar a Lundene. Dava para ver a muralha consertada da cidade, a madeira nova se destacando crua contra a antiga pedra romana. Estandartes pendiam daquelas fortificações, a maioria mostrando santos ou cruzes, símbolos coloridos para desafiar o inimigo que vinha todo dia inspecionar a cidade a partir do leste. Um inimigo, pensei, que havia acabado de obter uma vitória que deixaria Alfredo atordoado.

Steapa era econômico com os detalhes da luta, e tive de arrancar o pouco que consegui saber. Os barcos inimigos, disse ele, haviam na maior parte parado na margem leste da praia, atraídos para lá pela grande fogueira, e o *Rodbora* e sete outros navios saxões estavam mais a oeste. A praia era um local de caos e gritos enquanto os pagãos uivavam e matavam. Os saxões tentaram chegar aos navios no oeste e Steapa fez uma parede de escudos para proteger esses barcos enquanto os fugitivos subiam a bordo.

— Æthelred alcançou vocês — comentei azedamente.

— Ele corre rápido.

— E Æthelflaed?

— Não pudemos voltar para pegá-la.

— É, tenho certeza — disse eu, e sabia que ele falava a verdade. Steapa contou como Æthelflaed ficara encurralada e fora rodeada pelo inimigo. Estava com suas damas de companhia perto da grande fogueira, enquanto Æthelred estivera acompanhando os padres, que borrifavam água benta na proa dos navios dinamarqueses capturados.

— Ele quis voltar para pegá-la — admitiu Steapa.

— E deveria mesmo.

— Mas isso não poderia ser feito, de modo que remamos para longe.

— Eles não tentaram impedir vocês?

— Tentaram.

— E? — instiguei.

— Alguns entraram a bordo — respondeu ele, e deu de ombros. Imaginei Steapa, machado na mão, trucidando os invasores. — Conseguimos passar por eles remando — disse como se tivesse sido fácil. Os dinamarqueses, pensei, deviam ter impedido a fuga de todos os barcos, mas os seis navios tinham conseguido escapar para o mar. — Mas oito navios saíram, no total — acrescentou Steapa.

Dois navios saxões, portanto, haviam sido abordados com sucesso, e me encolhi ao pensar no trabalho dos machados e das espadas, em tábuas do casco escorregadias de sangue.

— Você viu Sigefrid? — perguntei.

Steapa assentiu.

— Estava numa cadeira. Amarrado.

— E sabe se Æthelflaed está viva?

— Está. Quando saímos, eu a vi. Naquele navio que esteve em Lundene, sabe? O navio que você deixou ir.

— O *Domador de Ondas*.

— O navio de Sigefrid — disse Steapa. — E ele mostrou-a para nós. Fez com que ela ficasse de pé na plataforma do leme.

— Vestida?

— Vestida? — perguntou ele, franzindo a testa como se minha pergunta fosse um tanto inadequada. — Sim, estava vestida.

— Com sorte — falei, esperando que fosse a verdade — eles não vão estuprá-la. Ela é mais valiosa incólume.

— Valiosa?

— Prepare-se para o pedido de resgate — disse eu enquanto sentia o fedor imundo de Lundene.

O *Águia do Mar* deslizou para a doca. Gisela estava esperando e eu lhe dei a notícia, e ela soltou um gritinho como se sentisse dor, em seguida esperou Æthelred desembarcar, mas ele a ignorou, assim como me ignorou. Subiu o morro em direção ao palácio, e seu rosto estava pálido. Seus homens, os que sobreviveram, juntaram-se ao redor para protegê-lo.

E eu encontrei a tinta velha, apontei uma pena e escrevi outra carta a Alfredo.

Terceira Parte

A limpeza

Nove

Fomos proibidos de remar descendo o Temes.

O bispo Erkenwald me deu a ordem e minha reação instintiva foi rosnar para ele, dizendo que deveríamos usar cada navio saxão no amplo estuário para atacar os dinamarqueses implacavelmente. Ele me ouviu sem comentar e, quando terminei, pareceu ignorar tudo o que eu havia dito. Estava escrevendo, copiando algum livro que fora colocado em sua escrivaninha inclinada.

— E o que sua violência conseguiria? — perguntou finalmente em voz ácida.

— Iria ensiná-los a nos temer.

— A nos temer — ecoou ele, dizendo cada palavra muito distintamente e imbuindo-a de zombaria. Sua pena raspou o pergaminho. Ele havia me convocado à sua casa, que ficava perto do palácio de Æthelred e era um lugar surpreendentemente sem conforto, sem nada na grande sala principal além de um fogão aberto, um banco e a mesa inclinada em que o bispo escrevia. Um jovem sacerdote estava sentado no banco, sem dizer nada, mas olhando-nos ansiosamente. O padre, eu tinha certeza, estava ali simplesmente para ser testemunha, de modo que, caso surgisse alguma discussão sobre o que era dito na reunião, o bispo teria alguém para apoiar sua versão. Não que muita coisa estivesse sendo dita, já que Erkenwald me ignorou de novo durante outro longo período, curvando-se sob a mesa com os olhos fixos nas palavras que rabiscava laboriosamente. — E se eu estiver certo — disse ele subitamente, enquanto continuava a olhar seu trabalho —, os dinamarqueses acabam de destruir a maior frota já reunida por Wessex. Não creio que irão se amedrontar se você remexer a água com seus poucos remos.

— Então vamos deixar a água calma? — perguntei com raiva.

— Ouso dizer — ele fez uma pausa enquanto escrevia outra letra — que o rei não quererá que façamos nada que possa agravar — outra pausa enquanto outra letra era formada — uma situação desafortunada.

— A situação desafortunada é que a filha dele está sendo estuprada diariamente pelos dinamarqueses? E você espera que não façamos nada?

— Exatamente. Você captou a essência de minhas ordens. Não vai fazer nada para piorar uma situação que já é ruim. — Ele continuou sem me olhar. Mergulhou a pena em seu pote de tinta e tirou cuidadosamente o excesso da ponta. — Como você impede uma vespa de picar?

— Matando-a primeiro.

— Ficando imóvel — disse o bispo —, e é assim que devemos nos comportar agora, não fazendo nada para piorar a situação. Você tem alguma prova de que a senhora está sendo estuprada?

— Não.

— Ela é valiosa para eles — disse o bispo, repetindo o argumento que eu mesmo havia usado com Steapa —, e suponho que não farão nada para diminuir esse valor. Sem dúvida você é mais informado do que eu sobre os costumes pagãos, mas se nossos inimigos possuírem ao menos um fiapo de bom senso, vão tratá-la com o respeito devido à sua importância. — Por fim ele me espiou, lançando um olhar de lado, de puro desprezo. — Vou precisar de soldados quando chegar a hora de levantar o resgate.

O que queria dizer que meus homens deveriam ameaçar todo outro homem que possuísse uma moeda velha.

— E de quanto será? — perguntei azedamente, imaginando que contribuição seria esperada de mim.

— Há trinta anos, na Frankia — o bispo estava escrevendo de novo —, o abade Louis, do mosteiro de Saint Denis, foi capturado. Um homem devoto e bom. O resgate pelo abade e seu irmão chegou a 311 quilos de ouro e a 1.474 quilos de prata. A senhora Æthelflaed pode ser apenas uma mulher, mas não posso imaginar que nossos inimigos queiram aceitar uma quantia inferior. —

Não falei nada. O resgate que o bispo havia citado era inimaginável, no entanto ele certamente estava correto em pensar que Sigefrid desejaria o mesmo ou, mais provavelmente, uma quantia maior. — Portanto, veja — continuou o bispo com frieza — que o valor da senhora é de importância significativa para os pagãos, e eles não irão querer desvalorizá-la. Garanti isso ao senhor Æthelred, e eu agradeceria que você não o desiludisse dessa esperança.

— O senhor teve alguma notícia de Sigefrid? — perguntei, pensando que Erkenwald parecia ter muita certeza de que Æthelflaed estava sendo bem-tratada.

— Não. E você? — A pergunta era um desafio, dando a entender que eu poderia estar em negociações secretas com Sigefrid. Não respondi e o bispo não esperava que eu respondesse. — Prevejo — continuou ele — que o rei irá querer supervisionar pessoalmente as negociações. Portanto, até que ele chegue aqui, ou até que me dê ordens em contrário, você deve ficar em Lundene. Seus navios não irão zarpar!

E não zarparam. Mas os navios dos nórdicos estavam navegando. O comércio, que havia aumentado durante o verão, se reduziu a nada enquanto enxames de barcos com cabeças de feras saíam de Beamfleot para assolar o estuário. Minhas melhores fontes de informações morreram junto com os navios mercantes, ainda que alguns homens conseguissem subir o rio. Geralmente eram pescadores trazendo o produto de seu trabalho para o mercado de peixe de Lundene, e diziam que agora mais de cinquenta navios encalhavam as quilhas no riacho que secava perto da alta fortaleza de Beamfleot. Os vikings estavam se amontoando no estuário.

— Eles sabem que Sigefrid e o irmão vão ficar ricos — disse eu a Gisela na noite depois de o bispo ter me ordenado a não fazer nenhuma provocação.

— Muito rico — respondeu ela secamente.

— O bastante para juntar um exército — continuei com amargura, porque, assim que o resgate fosse pago, os irmãos Thurgilson seriam doadores de ouro, e navios chegariam de todos os mares, aumentando em quantidade até formar uma horda que poderia penetrar em Wessex. O sonho dos irmãos, de conquistar todas as terras saxãs, que um dia dependera da ajuda de Ragnar, agora parecia a ponto de se tornar verdadeiro sem qualquer ajuda do norte, e tudo graças à captura de Æthelflaed.

— Eles vão atacar Lundene? — perguntou Gisela.

— Se eu fosse Sigefrid, atravessaria o Temes e penetraria em Wessex através de Cent. Ele terá navios suficientes para levar um exército para o outro lado do rio e nós nem de longe temos o bastante para impedi-lo.

Stiorra estava brincando com uma boneca de madeira que eu havia esculpido com bétula e para a qual Gisela havia feito roupas com restos de pano. Minha filha parecia totalmente distraída com a brincadeira e muito feliz, e tentei imaginar como seria perdê-la. Tentei imaginar a perturbação de Alfredo, e descobri que meu coração nem poderia suportar o mero pensamento.

— O neném está chutando — disse Gisela, acariciando a barriga.

Senti o pânico que sempre experimentava quando pensava no parto próximo.

— Temos de arranjar um nome para ele — falei escondendo meus pensamentos.

— Ou ela.

— Ele — respondi com firmeza, ainda que sem alegria porque o futuro, naquela noite, parecia sombrio demais.

Alfredo chegou, como o bispo havia previsto, e de novo fui chamado ao palácio, mas dessa vez fomos poupados de qualquer sermão. O rei veio com sua guarda pessoal, o que restava dela depois do desastre no Sture, e cumprimentei Steapa no pátio externo, onde um guarda recolheu nossas espadas. Os padres tinham vindo em força total, um bando de corvos grasnando, mas entre eles estavam os rostos amigáveis do padre Pyrlig, do padre Beocca e, para minha surpresa, do padre Willibald. Este, todo saltitante e alegre, atravessou correndo o pátio para me cumprimentar.

— O senhor está mais alto do que nunca! — disse ele.

— E como vai você, padre?

— O Senhor achou bom me abençoar! — respondeu ele, animado. — Hoje em dia ministro para as almas em Exanceaster!

— Gosto daquela cidade.

— O senhor tinha uma casa perto, não é? Com sua... — Willibald parou, sem jeito.

— Com aquela desgraça devota com quem me casei antes de Gisela — respondi. Mildrith ainda vivia, mas naqueles dias estava num convento e havia muito que eu esquecera a maior parte da dor daquela união infeliz. — E você? — perguntei. — Está casado?

— Com uma mulher ótima — disse Willibald, alegre. Ele já fora meu tutor, mas havia ensinado pouca coisa, no entanto era um homem bom, gentil e cumpridor dos deveres.

— O bispo de Exanceaster ainda mantém as putas ocupadas? — perguntei.

— Uhtred, Uhtred — censurou Willibald. — Sei que você só fala essas coisas para me chocar.

— E também digo a verdade — respondi, e dizia mesmo. — Havia uma ruiva de quem ele realmente gostava. A história é que ele gostava que ela vestisse os mantos dele, e depois...

— Todos já pecamos — interrompeu Willibald rapidamente — e ficamos aquém das expectativas de Deus.

— Você também? Ela era ruiva? — perguntei, depois ri de seu desconforto. — É bom vê-lo, padre. Então, o que o traz de Exanceaster a Lundene?

— O rei, que Deus o abençoe, queria a companhia de velhos amigos — disse Willibald, depois balançou a cabeça. — Ele está mal, Uhtred, muito mal. Peço que você não diga nada que o deixe perturbado. Ele precisa de orações!

— Ele precisa de um novo genro — respondi azedamente.

— O senhor Æthelred é um fiel servidor de Deus — disse Willibald — e um nobre guerreiro! Talvez ainda não tenha sua reputação, mas o nome dele inspira medo entre nossos inimigos.

— Inspira? De que eles têm medo? De que possam morrer de rir se ele os atacar de novo?

— Senhor Uhtred! — censurou ele de novo.

Gargalhei, depois acompanhei Willibald até o salão cheio de colunas, onde *thegns*, padres e *ealdormen* se reuniam. Este não era oficialmente um *witangemot*, o conselho real dos grandes homens que se reunia duas vezes por ano para aconselhar o rei, mas quase todos os presentes faziam parte do *witan*. Tinham viajado de todo Wessex, enquanto outros vinham do sul da Mércia, convocados a Lundene para que a decisão de Alfredo tivesse o apoio dos dois reinos. Æthelred já estava lá dentro, sem encarar ninguém e encurvado numa cadeira sob o tablado de onde Alfredo presidiria. Os homens evitavam Æthelred, todos menos Aldhelm, que se agachava ao lado de sua cadeira e sussurrava em seu ouvido.

Alfredo chegou acompanhado por Erkenwald e pelo irmão Asser. Eu nunca vira o rei tão abatido. Tinha uma das mãos apertando a barriga, o que sugeria que sua doença incomodava muito, mas não creio que fosse isso que dava a seu rosto as rugas fundas e a expressão lívida, quase desesperançada. Seu cabelo estava ficando ralo e, pela primeira vez, vi-o como um velho. Ele tinha 36 anos. Ocupou sua cadeira no tablado, balançou a mão para indicar que os homens podiam sentar-se e não disse nada. Ficou por conta do bispo Erkenwald fazer uma oração breve, depois pedir que qualquer homem que tivesse uma sugestão falasse.

Eles falaram, e falaram, e falaram mais um pouco. O mistério que os incomodava era que nenhuma mensagem viera do acampamento de Beamfleot. Um espião havia informado a Alfredo que sua filha vivia, até mesmo que estava sendo tratada com respeito, como Erkenwald havia suposto, mas nenhum mensageiro viera de Sigefrid.

— Ele quer que sejamos o suplicante — sugeriu o bispo Erkenwald, e ninguém tinha ideia melhor. Foi observado que Æthelflaed era mantida como prisioneira em território que pertencia ao rei Æthelstan, da Ânglia Oriental, e que sem dúvida aquele dinamarquês cristianizado iria ajudar, não? O bispo Erkenwald disse que uma delegação já partira para se encontrar com o rei.

— Guthrum não vai lutar — disse eu, dando minha primeira contribuição.

— O rei Æthelstan — disse o bispo Erkenwald, enfatizando o nome cristão de Guthrum — está se mostrando um aliado constante. Tenho certeza de que irá nos oferecer ajuda.

— Ele não vai lutar — repeti.

Alfredo balançou a mão na minha direção, indicando que desejava ouvir o que eu tinha a dizer.

— Guthrum está velho e não quer guerra — disse eu. — Nem pode atacar os homens que estão perto de Beamfleot. Eles ficam mais fortes a cada dia. Se Guthrum lutar contra eles, pode muito bem perder, e se perder, Sigefrid será rei na Ânglia Oriental. — Ninguém gostou desse pensamento, mas não podiam argumentar contra ele. Apesar do ferimento causado por Osferth, Sigefrid estava ficando cada vez mais poderoso e já possuía seguidores suficientes para desafiar as forças de Guthrum.

— Eu não desejaria que o rei Æthelstan lutasse — disse Alfredo, infeliz —, porque qualquer guerra poria em risco a vida de minha filha. Em vez disso, devemos contemplar a necessidade de pagar um resgate.

Houve silêncio enquanto os homens na sala imaginavam a vasta quantia necessária. Alguns, os mais ricos, evitavam o olhar de Alfredo, enquanto todos, tenho certeza, estavam imaginando onde poderiam esconder suas riquezas antes que os coletores e as tropas de Alfredo fossem visitá-los. O bispo Erkenwald rompeu o silêncio observando, com pesar, que a igreja estava empobrecida, caso contrário ele ficaria feliz em contribuir.

— O pouco que possuíamos — disse ele — está dedicado à obra de Deus.

— Está mesmo — concordou um abade gordo cujo peito brilhava com três cruzes de prata.

— E agora a senhora Æthelflaed é mércia — resmungou um *thegn* de Wiltunscir — de modo que os mércios devem ficar com o fardo maior.

— Ela é minha filha — disse Alfredo em voz baixa — e, claro, eu contribuirei com o que puder.

— Mas de quanto precisaremos? — perguntou energicamente o padre Pyrlig. — Primeiro temos de saber isso, senhor rei, o que significa que alguém deve viajar para falar com os pagãos. Se eles não falam conosco, devemos falar com eles. Como diz o bom bispo — e aqui Pyrlig fez uma reverência séria na direção de Erkenwald —, eles querem que sejamos os suplicantes.

— Eles querem nos humilhar — resmungou um homem.

— Querem mesmo! — concordou o padre Pyrlig. — Por isso devemos mandar uma delegação para sofrer essa humilhação.

— O senhor iria a Beamfleot? — perguntou Alfredo a Pyrlig, com esperança.

O galês balançou a cabeça.

— Senhor rei, aqueles pagãos têm motivos para me odiar. Não sou o homem a ser mandado. Mas o senhor Uhtred fez um favor a Erik Thurgilson.

— Que favor? — perguntou rapidamente o irmão Asser.

— Eu o alertei sobre a traição dos monges galeses — respondi, e houve gargalhadas baixas enquanto Alfredo me lançava um olhar de reprovação. — Deixei que ele levasse seu navio de Lundene — expliquei.

— Um favor — retrucou Asser — que permitiu a ocorrência dessa situação infeliz. Se você tivesse matado os Thurgilson como deveria, não estaríamos aqui.

— O que nos trouxe aqui — disse eu — foi a estupidez de se demorar no Sture. Se você junta um rebanho gordo, não o deixa pastando junto à toca do lobo.

— Chega! — disse Alfredo asperamente. Æthelred estava tremendo de raiva. Não havia falado uma só palavra até então, mas agora se virou na cadeira e apontou para mim. Abriu a boca e eu esperei sua reação furiosa, mas em vez disso ele se torceu para o outro lado e vomitou. Foi súbito e violento, seu estômago se esvaziando num jorro denso e fétido. Alfredo, pasmo, apenas ficou olhando. Aldhelm se afastou rapidamente. Alguns padres fizeram o sinal da cruz. Ninguém falou nem se moveu para ajudá-lo. O vômito pareceu ter acabado, mas então ele se torceu de novo e outro jorro saiu da boca. Æthelred cuspiu o que restava, enxugou os lábios na manga e se recostou de novo na cadeira, de olhos fechados e rosto pálido.

Alfredo havia observado o ataque súbito do genro, mas agora se virou de novo para o salão e não disse nada sobre o que acontecera. Um serviçal se moveu na borda do salão, obviamente tentado a ir ajudar Æthelred, mas sentiu medo de passar pelo tablado. Æthelred gemia ligeiramente, uma das mãos sobre a barriga. Aldhelm estava olhando a poça de vômito como se nunca tivesse visto algo assim.

— Senhor Uhtred — disse o rei quebrando o silêncio embaraçado.

— Senhor rei — respondi com uma reverência.

Alfredo franziu a testa para mim.

— Há quem diga, senhor Uhtred, que é amigo demais dos nórdicos.

— Eu lhe fiz um juramento, senhor rei — respondi asperamente —, e renovei esse juramento ao padre Pyrlig e depois à sua filha. Se os homens que dizem que sou amigo demais dos nórdicos desejarem me acusar de violar esse juramento triplo, eu os encontrarei com espada na mão no lugar que eles quiserem. E eles enfrentarão uma espada que matou mais nórdicos do que eu posso contar.

Isso provocou silêncio. Pyrlig deu um sorriso maroto. Nenhum homem ali desejava lutar comigo, e o único que poderia me derrotar, Steapa, estava rindo, ainda que o riso de Steapa fosse um ricto mortal que poderia apavorar um demônio lançando-o de volta a seu covil.

O rei suspirou como se minha demonstração de raiva tivesse sido cansativa.

— Sigefrid falará com você? — perguntou ele.

— O *earl* Sigefrid me odeia, senhor rei.

— Mas falará com você? — insistiu Alfredo.

— Ou isso ou me matará. Mas o irmão dele gosta de mim, e Haesten está em dívida para comigo, de modo que, sim, acho que eles falarão.

— O senhor também deve mandar um negociador hábil, senhor rei — disse Erkenwald untuosamente —, um homem que não se sinta tentado a fazer mais favores aos pagãos. Eu sugeriria meu tesoureiro. É um homem muito sutil.

— E, além disso, é padre — disse eu —, e Sigefrid odeia padres. E também tem uma tremenda ambição de ver um padre ser crucificado. — Sorri para Erkenwald. — Talvez você devesse mandar seu tesoureiro. Ou quem sabe ir pessoalmente?

Erkenwald me olhou com expressão vazia. Presumi que estava rezando para que seu deus mandasse um raio para me castigar, mas seu deus não conseguiu cumprir com isso. O rei suspirou de novo.

— Você pode negociar sozinho? — perguntou-me com paciência.

— Já comprei cavalos, senhor, de modo que, sim, posso negociar.

— Barganhar um cavalo não é o mesmo que... — começou Erkenwald com raiva, depois se conteve quando o rei balançou a mão num gesto cansado para ele.

— O senhor Uhtred quis irritá-lo, bispo — disse o rei —, e é melhor não lhe dar a satisfação de demonstrar que ele teve sucesso.

— Eu sei negociar, senhor rei — disse eu —, mas neste caso estarei barganhando uma égua de valor muito alto. Ela não será barata.

Alfredo assentiu.

— Quem sabe, se você levasse o tesoureiro do bispo? — sugeriu hesitando.

— Quero apenas um companheiro — respondi. — Steapa.

— Steapa? — Alfredo pareceu surpreso.

— Quando a gente encara um inimigo, senhor — expliquei —, é bom levar um homem cuja presença seja uma ameaça.

— Você levará dois companheiros — corrigiu o rei. — Apesar do ódio de Sigefrid, quero que minha filha receba as bênçãos dos sacramentos. Deve levar um padre, senhor Uhtred.

— Se o senhor insiste — respondi, não me incomodando em esconder o desdém.

— Insisto sim. — A voz de Alfredo recuperou parte da força. — E esteja aqui rapidamente, porque quero notícias dela.

Ele se levantou, em seguida todos ficaram de pé e fizeram uma reverência.

Æthelred não havia dito uma única palavra.

E eu ia a Beamfleot.

Éramos cem ao partir. Somente três iríamos ao acampamento de Sigefrid, mas três homens não podiam cavalgar pelo campo entre Lundene e Beamfleot sem serem protegidos. Aquela era uma terra de fronteira, a terra erma e plana da fronteira da Ânglia Oriental, e cavalgamos com cota de malha, escudos e armas, deixando as pessoas saberem que estávamos prontos para lutar. Teria sido mais rápido ir de navio, mas eu havia convencido Alfredo de que havia uma vantagem em levar cavalos.

— Já vi Beamfleot do mar — disse a ele na tarde anterior —, e é inexpugnável. Um morro íngreme, senhor, e uma fortaleza no cume. Não vi aquela fortaleza a partir da terra, senhor, e preciso ver.

— Precisa? — Foi o irmão Asser que respondeu. Estava parado perto da cadeira de Alfredo, como se protegesse o rei.

— Se houver uma luta — disse eu —, talvez tenhamos de atacar pelo lado de terra.

O rei me olhou cautelosamente.

— Você quer que haja luta?

— A senhora Æthelflaed morrerá se houver luta — disse Asser.

— Quero devolver sua filha ao senhor — falei a Alfredo, ignorando o monge galês —, mas só um idiota presumiria que não teremos de lutar com eles antes do fim do verão. Sigefrid está ficando poderoso demais. Se deixarmos seu poder crescer, teremos um inimigo que pode ameaçar todo Wessex, e temos de derrubá-lo antes que ele fique forte demais.

— Nada de luta agora — insistiu Alfredo. — Vá por terra, se for preciso, fale com eles e me traga notícias rapidamente.

Ele havia insistido em mandar um padre, mas para meu alívio o padre Willibald foi escolhido.

— Sou um velho amigo da senhora Æthelflaed — explicou Willibald enquanto partíamos de Lundene. — Ela sempre gostou de mim, e eu dela.

Eu montava Smoca. Finan e meus guerreiros domésticos estavam comigo, além de cinquenta homens de Alfredo, escolhidos e comandados por Steapa. Não levávamos estandartes. Em vez disso, Sihtric segurava um galho de amieiro repleto de folhas, como sinal de que buscávamos trégua.

A região a leste de Lundene era medonha, um lugar plano e desolado com riachos, valas, juncos, capim de pântano e aves selvagens. À direita, onde algumas vezes o Temes era visível como um lençol cinza, o pantanal parecia escuro mesmo sob o sol de verão. Poucas pessoas viviam naquela vastidão molhada, mas passamos por algumas choupanas baixas cobertas de junco. Não havia pessoas à vista. Os pescadores de enguias que moravam nas choupanas deviam ter percebido nossa chegada e fugido com suas famílias para esconderijos seguros.

A trilha, que mal poderia ser chamada de estrada, seguia por um terreno ligeiramente mais alto na borda do pântano e passava por pequenos campos com cercas de espinheiros e cheios de barro. As poucas árvores eram mirradas e curvadas pelo vento. Quanto mais íamos para o leste, mais casas víamos, e gradualmente essas construções foram ficando maiores. Ao meio-dia paramos num castelo para dar água e descanso aos cavalos. O castelo tinha paliçada, e um serviçal veio cautelosamente ao portão perguntar o que queríamos.

— Onde estamos? — perguntei antes de responder à sua pergunta.

— Wocca's Dun, senhor — respondeu ele. Falava inglês.

Dei um riso sem graça porque *dun* significava morro, e não havia nenhum morro que desse para ver, mas o castelo ficava numa pequeníssima elevação.

— Wocca está aqui? — perguntei.

— Agora o neto dele é dono da terra, senhor. Ele não está aqui.

Desci da sela de Smoca e joguei as rédeas para Sihtric.

— Ande com ele antes de deixá-lo beber — ordenei a Sihtric, depois me virei de novo para o serviçal. — E quanto a esse neto, a quem ele deve juramento?

— Ele serve a Hakon, senhor.

— E Hakon? — perguntei, notando que um saxão era dono do castelo, mas havia prestado juramento a um dinamarquês.

— É jurado ao rei Æthelstan, senhor.

— A Guthrum?

— Sim, senhor.

— Guthrum convocou homens?

— Não, senhor.

— E se Guthrum convocasse, Hakon e seu senhor iriam obedecer?

O serviçal pareceu cauteloso.

— Eles foram a Beamfleot — disse, e essa era uma resposta realmente interessante. Hakon, segundo o serviçal, tinha um grande trecho daquela terra barrenta, que lhe fora concedida por Guthrum, mas agora Hakon estava dividido entre sua aliança jurada a Guthrum e o medo de Sigefrid.

— Então Hakon seguiria o *earl* Sigefrid?

— Acho que sim, senhor. Veio uma convocação de Beamfleot, senhor, disso eu sei, e meu senhor foi para lá com Hakon.

— Eles levaram seus guerreiros?

— Apenas uns poucos, senhor.

— Os guerreiros não foram convocados?

— Não, senhor.

Então, por enquanto, Sigefrid não estava reunindo um exército, e sim juntando os homens mais ricos da Ânglia Oriental para lhes dizer o que esperava deles. Iria querer seus guerreiros quando chegasse a hora, e sem dúvida agora estava seduzindo-os com visões das riquezas que seriam deles quando o resgate de Æthelflaed fosse pago. E Guthrum? Guthrum, eu supunha, estava simplesmente ficando quieto, enquanto seus homens jurados eram seduzidos por Sigefrid. Certamente não estava fazendo qualquer tentativa de impedir esse processo e provavelmente achava que não tinha poder de impedi-lo, diante das fartas promessas do nórdico. Melhor, nesse caso, deixar Sigefrid liderar suas forças contra Wessex do que tentá-lo a usurpar o trono da Ânglia Oriental.

— E o neto de Wocca — perguntei mesmo sabendo a resposta —, seu senhor, é saxão?

— Sim, senhor. Mas a filha dele é casada com um dinamarquês.

Então parecia que os saxões dessa terra sem graça lutariam pelos dinamarqueses, talvez porque não tivessem escolha ou talvez porque, com casamentos, sua aliança estivesse mudando.

O serviçal nos deu cerveja, enguia defumada e pão duro. E quando havíamos comido partimos enquanto o sol deslizava em direção ao oeste para brilhar sobre uma grande linha de montes que se erguiam abruptamente no terreno plano. As encostas viradas para o sol eram íngremes, de modo que os morros pareciam uma fortificação verde.

— Aquilo é Beamfleot — disse Finan.

— Fica lá em cima — concordei. Beamfleot ficaria na extremidade sul das montanhas, mas a essa distância era impossível discernir a fortaleza. Senti o ânimo afundar. Se tivéssemos de atacar Sigefrid, o caminho limpo seria levar tropas de Lundene, mas eu não tinha desejo de lutar subindo aquelas encostas íngremes.

— Se houver luta, Steapa — gritei alegre —, vou mandar você e suas tropas subirem primeiro!

Como única resposta recebi um olhar azedo.

— Eles devem ter nos visto — disse eu a Finan.

— Estão nos vigiando há uma hora, senhor.

— É mesmo?

— Andei vendo o brilho das pontas de lanças — disse o irlandês. — Eles não estão tentando se esconder de nós.

Era o início de uma longa tarde de verão enquanto subíamos o morro. O ar estava quente e a luz inclinada era linda em meio às folhas que cobriam a encosta. Uma estrada ziguezagueava até as alturas e, enquanto subíamos lentamente, vi as lascas de luz vindas de cima e soube que eram reflexos de pontas de lanças e elmos. Nossos inimigos estavam vigiando e preparados para nós.

Havia apenas três cavaleiros esperando. Todos os três usavam cota de malha, todos usavam elmos e tinham longos penachos de crina de cavalo que faziam os homens parecerem selvagens. Tinham visto o galho de amieiro na mão de Sihtric e, enquanto nos aproximávamos do cume, os três esporearam em nossa direção. Levantei a mão para parar minhas tropas e, acompanhado apenas por Finan, fui cumprimentar os três cavaleiros com penachos de crina.

— Finalmente vieram — gritou um deles num inglês com sotaque forte.

— Viemos em paz — respondi em dinamarquês.

O homem gargalhou. Eu não podia ver seu rosto porque o elmo tinha peças sobre as bochechas e só dava para perceber a boca barbuda e o brilho dos olhos sombreados.

— Vocês vieram em paz — disse ele — porque não ousam vir de outra forma. Ou querem que estripemos a filha de seu rei depois de todos termos nos enfiado entre as coxas dela?

— Quero falar com o *earl* Sigefrid — respondi ignorando sua provocação.

— Mas ele quer falar com você? — perguntou o homem. Em seguida tocou uma espora no cavalo e o garanhão se virou habilmente, não com qualquer propósito, apenas para mostrar a habilidade do cavaleiro. — E quem é você?

— Uhtred de Bebbanburg.

— Já ouvi falar do nome — admitiu o homem.

— Então diga-o ao *earl* Sigefrid, e diga que lhe trago os cumprimentos do rei Alfredo.

— Já ouvi esse nome também — disse o homem. Em seguida parou, brincando com nossa paciência. — Podem seguir a estrada — disse por fim, apontando para onde a trilha desaparecia sobre a crista do morro — e chegarão a uma grande pedra. Ao lado da pedra há um castelo, e é lá que você e todos os seus homens esperarão. O *earl* Sigefrid informará amanhã se deseja falar com você, ou se deseja que você vá embora, ou se deseja se divertir com a morte de vocês. — Em seguida esporeou o flanco do cavalo de novo e os três partiram rapidamente, com o som dos cascos ressoando no ar imóvel de verão.

E partimos para encontrar o castelo ao lado da grande pedra.

O castelo, muito antigo, era um salão feito de carvalho que havia ficado quase preto com o passar dos anos. O teto de palha era íngreme, e a construção era rodeada por altos carvalhos que o abrigavam do sol. Na frente do castelo, num trecho de grama viçosa, havia um pilar de pedra rústica mais alta do que um homem. A pedra era atravessada por um buraco, e neste havia pedrinhas e pedaços de ossos, postos pelo povo que acreditava que a pedra tinha propriedades mágicas. Finan fez o sinal da cruz.

— O povo antigo deve ter posto isso aí — disse ele.

— Que povo antigo?

— As pessoas que viviam aqui quando o mundo era jovem, que vieram antes de nós. Elas puseram essas pedras por toda a Irlanda. — Finan olhou a pedra cautelosamente e fez seu cavalo passar o mais longe possível.

Um único serviçal aleijado esperava do lado de fora do castelo. Era saxão e disse que o lugar se chamava Thunresleam, e esse nome também era antigo. Significava Bosque de Tor, e isso me sugeriu que o castelo devia ter sido construído num lugar onde os antigos saxões — os saxões que não reconheciam o deus pregado dos cristãos — haviam cultuado seu deus mais antigo, meu deus, Tor. Abaixei-me na sela de Smoca para tocar a pedra e fiz uma oração a Tor, para que Gisela sobrevivesse ao parto e que Æthelflaed fosse resgatada.

— Há comida para o senhor — disse o serviçal aleijado, pegando as rédeas de Smoca.

Não havia somente comida e cerveja, havia um festim, e escravas saxãs para preparar o festim e servir a cerveja, o hidromel e o vinho de bétula. Havia carne de porco, de boi, pato, bacalhau seco e hadoque seco, enguias, caranguejos e gansos. Havia pão, queijo, mel e manteiga. O padre Willibald temeu que a comida fosse envenenada e ficou olhando, com medo, enquanto eu comia uma coxa de ganso.

— Pronto — falei enxugando a gordura dos lábios com as costas da mão. — Ainda estou vivo.

— Louvado seja Deus — disse Willibald, ainda me olhando ansioso.

— Louvado seja Tor — respondi. — Esta é a colina dele.

Willibald fez o sinal da cruz, depois cravou cautelosamente sua faca num pedaço de pato.

— Disseram-me — observou nervoso — que Sigefrid odeia os cristãos.

— Odeia. Sobretudo os padres.

— Então por que nos alimenta tão bem?

— Para mostrar que nos despreza.

— Não é para nos envenenar? — perguntou Willibald, ainda preocupado.

— Coma, aproveite. — Eu duvidava de que os nórdicos fossem nos envenenar. Podiam nos querer mortos, mas não antes de ter nos humilhado, mas mesmo assim postei uma guarda cuidadosa nos caminhos que davam no castelo. Receava que a humilhação escolhida por Sigefrid fosse queimar o castelo no meio da noite, conosco dormindo dentro. Eu havia visto um castelo queimar uma vez, e é uma coisa terrível. Guerreiros esperam do lado de fora para fazer os ocupantes em pânico retornar ao inferno de palha caindo em chamas, onde as pessoas gritam antes de morrer. Na manhã seguinte, depois da queima do castelo, as vítimas haviam ficado pequenas como crianças, os cadáveres encolhidos e pretos, as mãos enroladas, os lábios queimados repuxados para longe dos dentes num grito de dor terrível e eterno.

Mas ninguém tentou nos matar naquela curta noite de verão. Montei guarda durante um tempo, ouvindo as corujas, depois vigiando enquanto o sol subia pelo denso emaranhado de árvores. Algum tempo depois ouvi uma trompa tocando. Foi um som de lamento que se repetiu três vezes, depois soou três vezes de novo, e eu soube que Sigefrid devia estar convocando seus homens. Logo iria mandar que nos chamassem, pensei, e me vesti cuidadosamente. Optei por usar minha melhor cota de malha, o belo elmo de guerra e, ainda que o dia prometesse ser quente, a capa preta com o raio descendo pelas costas. Calcei as botas e prendi as espadas no cinto. Steapa também usava malha, mas a sua estava suja e enferrujada; as botas, arranhadas e a cobertura da bainha, rasgada. Mas de algum modo ele parecia muito mais temível do que eu. O padre Willibald vestia seu manto preto e levava uma bolsa pequena que continha um livro do Evangelho e os sacramentos.

— O senhor vai traduzir para mim, não vai? — perguntou sério.

— Por que Alfredo não mandou um padre que falasse dinamarquês?

— Eu falo um pouco — disse Willibald —, mas não tanto quanto gostaria. Não, o rei me mandou porque achou que eu poderia servir de conforto para a senhora Æthelflaed.

— Certifique-se disso — falei, depois me virei porque Cerdic havia chegado correndo pela trilha que vinha do sul por entre as árvores.

— Eles estão chegando, senhor — disse ele.

— Quantos?

— Seis, senhor. Seis cavaleiros.

Os seis entraram na clareira do castelo. Pararam e olharam ao redor. As máscaras dos elmos restringiam sua visão, obrigando-os a mover a cabeça de modo extravagante para ver nossos cavalos amarrados. Estavam contando cabeças, certificando-se de que eu não havia mandado um grupo de batedores explorar a região. Por fim, satisfeito ao ver que um grupo assim não existia, o líder se dignou a me olhar. Pensei que era o mesmo homem que havia nos recebido no topo do morro na véspera.

— Você deve vir sozinho — disse ele, apontando para mim.

— Três de nós vamos — respondi.

— Você sozinho — insistiu ele.

— Então partimos para Lundene agora — disse eu, e me virei. — Juntem as coisas! Selas! Depressa! Vamos embora!

O homem não discutiu.

— Três, então — disse descuidadamente. — Mas vocês não cavalgam até a presença do *earl* Sigefrid. Andam.

Não questionei. Sabia que isso fazia parte do propósito de Sigefrid de nos humilhar, e que modo melhor do que nos obrigando a andar até seu acampamento? Os senhores cavalgavam enquanto os homens comuns andavam a pé, mas Steapa, o padre Willibald e eu caminhamos humildemente atrás dos seis cavaleiros que seguiam uma trilha por entre as árvores, saindo numa ampla colina coberta de capim acima do Temes reluzente de sol. A colina era coberta de abrigos grosseiros, lugares construídos pelas novas tripulações que tinham vindo apoiar Sigefrid antecipando o tesouro que ele logo possuiria e distribuiria.

Eu estava suando ferozmente quando subimos a encosta até o acampamento de Sigefrid. Agora podia ver Caninga e a parte leste do riacho, ambos lugares que eu conhecia intimamente pelo lado junto ao mar, mas que nunca tinha visto desta altitude. Também podia ver que agora havia muito mais navios atulhados no Hothlege, que ia secando. Os vikings percorriam o mundo em busca de um lugar fraco onde pudessem jorrar com machados, espadas e lanças, e a captura de Æthelflaed revelara exatamente uma oportunidade dessas, e assim os nórdicos se reuniam.

Centenas de homens esperavam do lado de fora do portão. Fizeram uma passagem na direção do grande castelo da fortaleza e nós três tivemos de andar por entre aquelas duas fileiras sérias de homens barbudos e armados, em direção a duas grandes carroças de fazenda que tinham sido juntadas para formar uma plataforma longa. No centro desse palco improvisado estava uma cadeira em que Sigefrid se encontrava sentado frouxo. Usava sua capa de urso preto apesar do calor. Seu irmão Erik estava de pé ao lado da cadeira grande, enquanto Haesten, rindo maroto, ficava do outro lado. Uma fileira de guardas usando elmos se encontrava atrás do trio, e na frente, pendurados no leito das carroças, havia estandartes de corvos, águias e lobos. No chão à frente de Sigefrid estavam os estandartes capturados da frota de Æthelred. A grande bandeira do senhor da Mércia, com o cavalo empinando, estava ali, e ao lado outras mostrando cruzes e santos. Os estandartes estavam sujos, e achei que os dinamarqueses teriam se revezado mijando nas bandeiras capturadas. Não havia sinal de Æthelflaed. Eu meio esperava que a víssemos ser mostrada em público, mas ela devia estar sob guarda numa dentre a dúzia de construções sobre o topo do morro.

— Alfredo mandou seus cachorrinhos latirem para nós! — anunciou Sigefrid enquanto chegávamos aos estandartes imundos.

Tirei meu elmo.

— Alfredo o cumprimenta — disse. Meio esperava ser recebido por Sigefrid dentro de seu castelo, depois percebi que ele quisera me receber ao ar livre para que o máximo possível de seus seguidores vissem minha humilhação.

— Você geme que nem um filhote de cachorro — disse Sigefrid.

— E ele deseja a você o júbilo da companhia da senhora Æthelflaed — continuei.

Ele fez uma careta perplexa. Seu rosto largo parecia mais gordo, na verdade todo o corpo parecia mais gordo porque o ferimento dado por Osferth havia tirado o uso de suas pernas, mas não o apetite, por isso ele estava sentado, aleijado, curvado e grosseiro, olhando-me com indignação.

— Júbilo dela, cachorrinho? — rosnou. — Que latidos são esses?

— O rei de Wessex — disse eu em voz alta, deixando a plateia ouvir — tem outras filhas! Há a bela Æthelgifu e sua irmã Æfthryth, portanto que necessidade ele tem de Æthelflaed? E para que servem as filhas, afinal? Ele é um rei e tem filhos homens, Eduardo e Æthelweard, e os filhos são a glória do homem, ao passo que as filhas são o fardo. Por isso ele lhe deseja o júbilo com ela, e me mandou para me despedir dela.

— O cachorrinho tenta nos divertir — disse Sigefrid com escárnio. Não acreditava em mim, claro, mas eu esperava ter plantado uma pequena semente de dúvida, apenas o suficiente para justificar o resgate baixo que iria oferecer. Eu sabia, e Sigefrid sabia, que o preço final seria enorme, mas talvez, e se repetisse isso com bastante frequência, eu pudesse convencê-lo de que Alfredo não se importava demais com Æthelflaed. — Talvez eu devesse torná-la minha amante, não? — sugeriu Sigefrid.

Notei Erik, ao lado do irmão, remexendo-se desconfortavelmente.

— Ela teria sorte nesse caso — falei descuidado.

— Você mente, cachorrinho — respondeu Sigefrid, mas havia uma pequeníssima incerteza em sua voz. — Mas a vaca saxã está prenha. Talvez o pai queira comprar a criança, não?

— Se for um menino — respondi em dúvida —, talvez.

— Então você deve fazer uma oferta — disse Sigefrid.

— Alfredo poderia pagar uma pequena quantia pelo neto — comecei.

— Não a mim — interrompeu Sigefrid. — Você deve persuadir Weland de sua boa-fé.

— Wayland? — perguntei, achando que ele estava falando do ferreiro dos deuses.

— Weland, o gigante — disse Sigefrid e, sorrindo, assentiu para além de mim. — Ele é dinamarquês e ninguém jamais venceu Weland numa luta.

— Virei-me, e encarando-me estava o maior homem que já vi. Um homem gigantesco. Um guerreiro, sem dúvida, mas não usava armas nem cota de malha. Usava calção de couro e botas, mas acima da cintura estava nu para revelar músculos parecendo cordas torcidas sob uma pele que fora marcada e colorida com tinta, de modo que o peito largo e os braços enormes estavam repletos de dragões pretos. Os antebraços eram cheios de braceletes maiores do que eu jamais vira, porque nenhum bracelete normal caberia em Weland. Sua barba, preta como os dragões no corpo, tinha pequenos amuletos amarrados, e o crânio era careca. O rosto era malévolo, coberto de cicatrizes, abrutalhado, mas sorriu quando o encarei.

— Você deve convencer Weland — disse Sigefrid — de que não mente, cachorrinho, caso contrário não falarei com você.

Eu havia esperado alguma coisa do tipo. Na mente de Alfredo, chegaríamos a Beamfleot, realizaríamos uma discussão civilizada e alcançaríamos um compromisso moderado que eu informaria devidamente a ele, mas eu estava mais acostumado com os nórdicos. Eles precisavam de diversão. Se eu fosse negociar, primeiro teria de mostrar minha força. Precisaria me provar, mas quando olhei para Weland soube que fracassaria. Ele era uma cabeça mais alto do que eu, e eu era uma cabeça mais alto do que a maioria dos homens, mas o mesmo instinto que havia me alertado de uma dificuldade também havia me convencido a trazer Steapa.

Que deu seu sorriso de cara da morte. Ele não havia entendido nada que eu dissera a Sigefrid, ou que Sigefrid dissera a mim, mas entendeu a postura de Weland.

— Ele precisa ser espancado? — perguntou-me.

— Deixe-me fazer isso — disse eu.

— Não enquanto eu estiver vivo — respondeu Steapa. Em seguida desafivelou o cinto das espadas e deu as armas ao padre Willibald, depois tirou a pesada cota de malha por cima da cabeça. Os homens que olhavam, antecipando a luta, deram gritos roucos de comemoração.

— É melhor esperar que seu homem vença, cachorrinho — disse Sigefrid atrás de mim.

— Vencerá — respondi com uma confiança que não sentia.

— Na primavera, cachorrinho — resmungou Sigefrid —, você me impediu de crucificar um padre. Ainda estou curioso, de modo que, se seu homem perder, vou crucificar essa bosta de padre que está ao seu lado.

— O que ele está dizendo? — Willibald tinha visto o olhar malévolo que Sigefrid deu em sua direção e, de um jeito pouco surpreendente, pareceu nervoso.

— Ele diz que você não deve usar sua magia cristã para influenciar a luta — menti.

— Mesmo assim, vou rezar — disse corajosamente o padre Willibald.

Weland estava esticando os braços enormes e flexionando os dedos grossos. Bateu os pés, depois se acomodou numa postura de lutador, mas duvidei de que esta disputa seguiria as regras da luta livre. Eu o estivera olhando cuidadosamente.

— Ele está favorecendo a perna direita — falei baixinho a Steapa —, o que pode significar que a esquerda já foi ferida.

Eu poderia ter economizado o fôlego, porque Steapa não me escutou. Seus olhos estavam estreitos e furiosos, e o rosto, sempre severo, era agora uma retesada máscara de raiva concentrada. Parecia um louco. Lembrei-me da única vez em que havia lutado com ele. Tinha sido num dia logo antes do Yule, o mesmo dia em que os dinamarqueses de Guthrum haviam baixado inesperadamente sobre Cippanhamm, e Steapa estivera calmo antes daquela luta. Naquele distante dia de inverno, havia me parecido que ele era um trabalhador indo cumprir sua tarefa, confiante em suas ferramentas e sua habilidade, mas não era assim que parecia neste momento. Agora estava numa fúria particular, e fosse porque lutava contra um pagão odiado ou porque, em Cippanhamm, havia me subestimado, eu não sabia. Nem me importava.

— Lembre-se — tentei de novo — de que Wayland, o ferreiro, era manco.

— Comecem! — gritou Sigefrid atrás de mim.

— Deus e Jesus — berrou Steapa —, inferno e Cristo! — Ele não estava reagindo à ordem de Sigefrid, na verdade duvido até de que tenha ouvido. Em vez disso, invocava sua última tensão, como um arqueiro puxando a corda de um arco de caça mais um centímetro para dar força mortal à flecha. Em seguida, Steapa uivou como um animal e atacou.

Weland atacou também e eles se encontraram como cervos na época do acasalamento.

Os dinamarqueses e os noruegueses haviam se amontoado ao redor, fazendo um círculo limitado pelas lanças da guarda pessoal de Sigefrid, e os guerreiros que assistiam ofegaram quando aqueles dois homens-animais se chocaram. Steapa havia baixado a cabeça, esperando acertar o crânio no rosto de Weland, mas este se moveu no último instante e, em vez disso, seus corpos bateram um no outro e houve uma agitação enquanto cada um procurava um ponto para segurar. Steapa estava agarrando o calção de Weland; este estava puxando o cabelo de Steapa, e os dois usavam as mãos livres para bater um no outro com os punhos fechados. Steapa tentou morder Weland, que lhe deu uma cabeçada, então Steapa baixou a mão e tentou esmagar a genitália de

Weland, e houve outra agitação desesperada enquanto Weland erguia um dos joelhos enormes com força entre as coxas de Steapa.

— Santo Jesus — murmurou Willibald a meu lado.

Weland se separou e deu um soco forte no rosto de Steapa, e o som do punho acertando foi como o barulho lascado e úmido do machado de um açougueiro acertando em carne. Agora havia sangue escorrendo do nariz de Steapa, mas ele parecia não notar. Trocou socos, acertando as costelas e a cabeça de Weland, depois esticou os dedos e mandou-os com força contra os olhos do dinamarquês. Weland conseguiu evitar o golpe violento e acertou um soco tão forte na garganta de Steapa que o saxão cambaleou para trás, subitamente incapaz de respirar.

— Ah, meu Deus, meu Deus — sussurrou Willibald, fazendo o sinal da cruz.

Weland continuou rapidamente, usando os braceletes pesados contra o crânio de Steapa, de modo que os ornamentos de metal rasparam o couro cabeludo do saxão. Mais sangue saiu. Steapa estava girando, cambaleando, ofegando, engasgando, e subitamente caiu de joelhos e a multidão soltou um grande grito de zombaria diante de sua fraqueza. Weland recuou um punho poderosíssimo, mas, antes mesmo que o golpe fosse dado, Steapa se jogou à frente e agarrou o tornozelo esquerdo do dinamarquês. Puxou e torceu, e Weland despencou como um carvalho derrubado. Bateu com força no chão e Steapa, rosnando e sangrando, jogou-se em cima do inimigo e começou a dar socos outra vez.

— Eles vão se matar — disse o padre Willibald numa voz amedrontada.

— Sigefrid não deixará que seu campeão morra — disse eu, mas depois de falar imaginei se isso seria verdade. Virei-me para olhar Sigefrid e descobri que ele estava me espiando. Deu um sorriso maroto, depois olhou de novo para os lutadores. Esse era o jogo dele, pensei. O resultado da batalha não faria diferença para as discussões. Nada, a não ser talvez a vida do padre Willibald, dependia dessa demonstração selvagem. Era só um jogo.

Weland conseguiu virar Steapa para ficarem lado a lado no capim. Trocaram socos ineficazes e então, como se por consentimento mútuo, rolaram afastando-se um do outro e se levantaram outra vez. Houve uma pausa enquanto ambos recuperavam o fôlego, depois se chocaram pela segunda vez. O rosto de Steapa era uma massa de sangue, o lábio inferior e a orelha esquerda de Weland estavam sangrando, um dos olhos quase fechado, e as costelas haviam sofrido um bocado. Por um momento os dois se agarraram, procurando pontos de apoio, os pés se remexendo, grunhindo, então Weland conseguiu segurar o calção de Steapa e puxou-o, e o grande saxão girou sobre o quadril esquerdo do dinamarquês caindo no chão. Weland levantou o pé para pisotear a virilha de Steapa, e este segurou o pé e torceu.

Weland ganiu. Foi um som estranho, pequeno, vindo de um homem tão grande, e o dano causado parecia trivial depois de tantas pancadas que ele sofrera, mas Steapa finalmente havia se lembrado de que Wayland, o ferreiro, fora mutilado por Nidung, e seu gesto de torcer o pé do dinamarquês estava agravando um ferimento antigo. Weland tentou se afastar, mas perdeu o equilíbrio e caiu de novo, e Steapa, respirando com dificuldade e cuspindo sangue, arrastou-se e começou a bater nele outra vez. Estava batendo às cegas, os punhos como marretas acertando braços, peito e cabeça. Weland reagiu tentando arrancar os olhos de Steapa, mas o saxão cravou os dentes na mão que tateava e eu ouvi claramente o estalo quando ele arrancou o dedo mindinho de Weland. Este puxou a mão rapidamente, Steapa cuspiu o dedo e baixou as mãos enormes sobre o pescoço do dinamarquês. Começou a apertar e Weland, engasgando, começou a se sacudir como uma truta tirada do rio.

— Chega! — gritou Erik.

Ninguém se mexeu. Os olhos de Weland iam se arregalando enquanto Steapa, cego pelo sangue e com os dentes à mostra, estava com as mãos em volta do pescoço do dinamarquês. Steapa miava, depois grunhia, enquanto tentava cravar os dedos na goela do dinamarquês.

— Chega! — rugiu Sigefrid.

O sangue de Steapa pingou no rosto de Weland enquanto o saxão esganava o dinamarquês. Pude ouvir Steapa grunhindo e soube que ele não pararia até que o gigante estivesse morto, por isso passei por uma das lanças horizontais que mantinham os espectadores afastados.

— Para! — gritei para Steapa, e quando ele me ignorou, desembainhei Ferrão de Vespa e bati com a parte chata da lâmina curta em seu crânio ensanguentado. — Para! — gritei de novo.

Steapa rosnou para mim e pensei, por um instante, que ele ia me atacar, mas então o senso retornou a seus olhos semicerrados e ele soltou o pescoço de Weland e me olhou.

— Eu ganhei — disse com raiva. — Diga que eu ganhei!

— Ah, você ganhou — respondi.

Steapa ficou de pé. Levantou-se inseguro, depois se firmou com as pernas abertas e socou com os dois braços o ar de verão.

— Eu ganhei! — gritou.

Weland ainda estava tentando respirar. Tentou ficar de pé, mas caiu de novo.

Virei-me para Sigefrid.

— O saxão venceu — falei — e o padre vive.

— O padre vive — foi Erik que respondeu. Haesten estava rindo, Sigefrid parecia achar aquilo divertido, e Weland fazia um ruído áspero enquanto tentava respirar.

— Então faça sua oferta pela cadela de Alfredo — disse-me Sigefrid.

E o regateio podia começar.

Dez

Sigefrid foi carregado da plataforma das carroças por quatro homens que se esforçaram para levantar a cadeira e baixá-la em segurança no chão. Ele me dirigiu uma careta ressentida, como se fosse minha culpa ele estar aleijado, o que, acho, era. Os quatro homens carregaram a cadeira até seu castelo e Haesten, que não havia me cumprimentado nem mesmo reconhecido minha presença além de dar um sorriso maroto, indicou com um gesto que deveríamos ir atrás.

— Steapa precisa de ajuda — falei.

— Uma mulher vai limpar o sangue dele — disse Haesten descuidadamente, depois deu um riso súbito. — Então você descobriu que Bjorn era ilusão?

— E das boas — reconheci de má vontade.

— Agora ele está morto — disse Haesten, com tanto sentimento como se falasse de um cão que tivesse morrido. — Pegou uma febre umas duas semanas depois de você tê-lo visto. E agora não pode mais sair da sepultura, o desgraçado! — Haesten usava uma corrente de ouro, com elos grossos, que pendia pesada em seu peito largo. Lembrei-me dele como um rapaz; era pouco mais do que um garoto quando eu o resgatei, mas agora via o adulto Haesten e não gostava do que via. Seus olhos eram bastante amigáveis, mas tinham uma qualidade resguardada, como se atrás deles houvesse uma alma pronta para atacar como uma cobra. Ele deu um soco no meu braço com familiaridade. — Sabe que essa cadela real saxã vai custar um monte de prata a vocês?

— Se Alfredo decidir que a quer de volta — respondi distraidamente —, acho que ele pode pagar alguma coisa.

Haesten riu disso.

— E se ele não a quiser de volta? Vamos levá-la por toda a Britânia, por toda a Frankia e de volta à nossa terra, e vamos despi-la e amarrá-la numa moldura com as pernas abertas, e deixar que todo mundo venha ver a filha do rei de Wessex. Quer isso para ela, senhor Uhtred?

— Você me quer como inimigo, *earl* Haesten?

— Acho que já somos inimigos — disse Haesten, pela primeira vez permitindo que a verdade aparecesse, mas sorriu imediatamente, como se quisesse provar que não falava sério. — As pessoas pagarão boa prata para ver a filha do rei de Wessex, não acha? E os homens pagarão ouro para desfrutar dela. — Ele riu. — Acho que o seu Alfredo quererá impedir essa humilhação.

Ele estava certo, claro, mas não ousei admitir.

— Ela foi maltratada? — perguntei.

— Erik não deixou que chegássemos perto! — disse Haesten, evidentemente achando divertido. — Não, ela não levou nem um arranhão. Se você quer vender uma porca, não vai bater nela com uma vara de azevinho, não é?

— Certo — respondi. Bater num porco com uma vara de azevinho deixava ferimentos tão fundos que a carne compacta do bicho jamais podia ser adequadamente curada com o sal. O séquito de Haesten esperava ali perto, e entre eles reconheci Eilaf, o Vermelho, o homem cujo castelo fora usado para me mostrar Bjorn, e ele me fez uma pequena reverência. Ignorei a cortesia.

— É melhor entrarmos — disse Haesten, indicando o castelo de Sigefrid — e vermos quanto ouro podemos espremer de Wessex.

— Primeiro preciso ver Steapa — disse eu, mas quando o encontrei ele estava rodeado por escravas saxãs que usavam um unguento de lanolina em seus cortes e hematomas. Ele não precisava de mim, por isso acompanhei Haesten até o castelo.

Um círculo de banquetas e bancos havia sido posto ao redor do fogão central do castelo. Willibald e eu recebemos dois dos bancos mais baixos, enquanto Sigefrid nos olhava irritado de sua cadeira do outro lado do fogão vazio. Haesten e Erik ocuparam seus lugares dos dois lados do aleijado. Em seguida outros homens, todos com braceletes luxuosos, preencheram o círculo. Esses, eu sabia, eram os nórdicos mais importantes, os que haviam trazido dois navios ou mais, e os homens que, caso Sigefrid tivesse sucesso em conquistar Wessex, seriam recompensados com grandes terras. Seus seguidores se apinhavam nas bordas do castelo onde mulheres distribuíam chifres de cerveja.

— Faça sua oferta — ordenou Sigefrid abruptamente.

— Ela é uma filha, não um filho — disse eu —, portanto Alfredo não está querendo pagar uma grande quantia. Cento e trinta quilos de prata parece adequado.

Sigefrid me encarou por longo tempo, depois olhou o salão ao redor, onde os homens observavam e ouviam.

— Eu ouvi um saxão peidar? — perguntou ele, e foi recompensado com gargalhadas. Fungou de modo ostensivo, depois franziu o nariz, enquanto os espectadores irrompiam num coro de sons de peido. Em seguida, Sigefrid bateu com o punho enorme no braço da cadeira e o salão ficou imediatamente silencioso. — Você me insulta — disse ele, e vi a raiva em seus olhos. — Se Alfredo está pensando em oferecer tão pouco, estou pensando em trazer a garota aqui agora e fazer você ficar olhando enquanto nós montamos nela. Por que eu não deveria fazer isso? — Ele lutou na cadeira como se quisesse ficar de pé, depois se afrouxou de novo. — É isso que você quer, seu peido saxão? Quer vê-la ser estuprada?

A raiva, pensei, tinha sido fingida. Assim como eu havia tentado diminuir o valor de Æthelflaed, Sigefrid tinha de exagerar a ameaça contra ela, mas eu havia notado um tremor de nojo no rosto de Erik quando Sigefrid sugeriu estupro, e esse nojo fora dirigido ao irmão, não a mim. Mantive a voz calma.

— O rei me deu alguma autoridade para aumentar a oferta dele.

— Ah, que surpresa! — respondeu Sigefrid, sarcástico — então deixeme descobrir os limites de sua autoridade. Queremos receber 4.500 quilos de prata e 2.300 quilos de ouro. — Ele parou, querendo uma resposta, mas mantive o silêncio. — E o dinheiro — continuou Sigefrid por fim — deve ser trazido aqui pelo próprio Alfredo. Ele deve pagá-lo pessoalmente.

Aquele foi um dia longo, muito longo, lubrificado por cerveja, hidromel e vinho de bétula, e as negociações foram pontuadas por ameaças, raiva e insultos. Bebi pouco, só um pouco de cerveja, mas Sigefrid e seus capitães beberam muito, e por isso, talvez, cederam mais do que eu esperava. A verdade é que queriam dinheiro; queriam um monte de prata e ouro para conseguir mais homens e mais armas e assim começar a conquista de Wessex. Eu havia feito uma estimativa aproximada dos números naquela fortaleza elevada, e achei que Sigefrid poderia juntar um exército de cerca de três mil homens, e isso nem de longe era suficiente para invadir Wessex. Ele precisava de cinco ou seis mil homens, e mesmo esse número podia não ser suficiente, mas se conseguisse juntar oito mil guerreiros, ele venceria. Com um exército assim poderia conquistar Wessex e se tornar o rei aleijado de seus campos férteis, e para conseguir esses guerreiros extras precisava de prata, e se não recebesse o resgate, até mesmo os homens que ele possuía agora iriam se dissolver rapidamente em busca de outros senhores que pudessem lhes dar ouro brilhante e prata luminosa.

No meio da tarde haviam concordado com 1.300 quilos de prata e 230 quilos de ouro. Ainda insistiam em que Alfredo entregasse o dinheiro em mãos, mas recusei resolutamente essa exigência, chegando mesmo ao ponto de me levantar e puxar o braço do padre Willibald, dizendo que íamos embora porque não pudemos chegar a um acordo. Muitos espectadores demonstravam tédio, e um bom número estava bêbado, e rosnaram com raiva ao me ver ficar de pé, de modo que, por um momento, achei que seríamos atacados, mas então Haesten interveio.

— Que tal o marido da cadela? — perguntou ele.

— O que é que tem? — perguntei, virando-me de volta enquanto o salão silenciava lentamente.

— O marido dela não se diz senhor da Mércia? — perguntou Haesten, zombando do título com uma gargalhada. — Então que o senhor da Mércia traga o dinheiro.

— E deixe que ele implore a mim pela esposa — acrescentou Sigefrid. — De joelhos.

— Concordo — disse eu, surpreendendo-os com a facilidade de minha rendição à ideia.

Sigefrid franziu a testa, suspeitando de que eu havia cedido com facilidade demais.

— Concorda? — perguntou ele, sem saber se tinha ouvido direito.

— Concordo — respondi sentando-me de novo. — O senhor da Mércia entregará o resgate e irá de joelhos até você. — Sigefrid ainda estava com suspeitas. — O senhor da Mércia é meu primo — expliquei — e odeio o desgraçadozinho. — E diante disso até Sigefrid riu.

— O dinheiro deve estar aqui antes da lua cheia — disse ele, depois apontou um dedo gordo para mim —, e você venha na véspera para dizer que a prata e o ouro estão a caminho. Vai colocar um galho verde no topo do mastro como sinal de que vem em paz.

Ele queria um dia inteiro de aviso sobre a chegada do resgate a fim de poder juntar a maior quantidade possível de homens para testemunhar seu triunfo, assim concordei em vir na véspera da partida do navio do tesouro, mas expliquei que ele não podia esperar que isso acontecesse logo, porque uma quantia tão vasta demoraria para ser coletada. Sigefrid resmungou diante disso, mas fui rapidamente adiante, dizendo que Alfredo era um homem que mantinha a palavra e que, na próxima lua cheia, o maior adiantamento que pudesse ser juntado seria trazido a Beamfleot. Então Æthelflaed deveria ser libertada, insisti, e o restante da prata e do ouro chegariam antes da lua cheia seguinte. Eles discutiram essas exigências, mas agora os homens entediados no salão estavam ficando inquietos e com raiva, por isso Sigefrid cedeu à proposta de que o resgate seria pago em duas partes, e eu cedi admitindo que Æthelflaed só seria libertada quando a segunda parte fosse entregue.

— E quero ver a senhora Æthelflaed agora — disse, fazendo minha última exigência.

Sigefrid balançou a mão, descuidadamente.

— Por que não? Erik vai levá-lo. — Erik mal havia falado durante todo o dia. Como eu, permanecera sóbrio, e não tinha se juntado aos insultos nem aos risos. Em vez disso, ficou sentado, sério e contido, os olhos atentos indo do irmão para mim. — Você comerá conosco esta noite — disse Sigefrid. E sorriu de repente, mostrando parte do charme que eu havia sentido quando o conheci em Lundene. — Vamos comemorar o acordo com uma festa, e seus homens em Thunresleam também serão alimentados. Pode falar com a garota agora! Vá com meu irmão.

Erik guiou o padre Willibald e eu em direção a uma construção menor guardada por uma dúzia de homens com grandes cotas de malha, todos usando escudos e armas. Obviamente era o lugar onde Æthelflaed estava sendo mantida em cativeiro e ficava perto da muralha voltada para o mar. Erik não falou enquanto andávamos, na verdade parecia quase não notar minha companhia, mantendo os olhos fixos com tanta firmeza no chão que eu tive de guiá-lo ao redor de alguns cavaletes nos quais homens moldavam novos remos. As aparas de madeira, compridas e enroladas, soltavam-se e liberavam um cheiro estranhamente doce no calor do fim de tarde. Erik parou logo depois dos cavaletes e se virou para mim, franzindo a testa.

— Você falou sério, hoje? — perguntou com raiva.

— Falei muita coisa hoje — respondi cautelosamente.

— Sobre o rei Alfredo não querer pagar muito pela senhora Æthelflaed? Porque ela é mulher?

— Os filhos valem mais do que as filhas — respondi sincero.

— Ou você estava só barganhando? — perguntou em tom feroz.

Hesitei. Pareceu-me uma pergunta estranha porque Erik certamente tinha inteligência para ver através daquela tentativa débil de diminuir o valor de Æthelflaed, mas havia uma paixão verdadeira em sua voz e eu senti que ele precisava escutar a verdade. Além disso, nada que eu dissesse agora poderia mudar os arranjos que eu fizera com Sigefrid. Nós dois havíamos bebido a cerveja do trato para demonstrar que tínhamos chegado a um acordo, cuspimos na mão e tocamos as palmas, depois juramos sobre um amuleto do martelo para manter a fé um com o outro. O trato fora feito, e isso significava que eu poderia dizer a verdade a Erik.

— Claro que estava barganhando. Æthelflaed é querida pelo pai, muito querida. Ele está sofrendo por causa de tudo isso.

— Achei que você tinha de estar barganhando — disse Erik, pensativo. Em seguida se virou e olhou para o amplo estuário do Temes. Um navio-dragão estava deslizando na maré montante em direção ao riacho, as pás dos remos subindo e descendo para captar e refletir o sol poente a cada remada preguiçosa. — Quanto o rei teria pagado pela filha?

— O que fosse necessário — respondi.

— Verdade? — Agora ele parecia ansioso. — Ele não estabeleceu limite?

— Ele me mandou — respondi sincero — pagar o que fosse necessário para levar Æthelflaed para casa.

— Para o marido — disse ele em tom chapado.

— Para o marido — concordei.

— Que deveria morrer. — Erik estremeceu incontrolavelmente, um tremor rápido, mas algo que me disse que ele tinha na alma um toque da fúria do irmão.

— Quando o senhor Æthelred vier com o ouro e a prata — alertei Erik —, você não pode tocar nele. Ele virá sob um estandarte de trégua.

— Ele bate nela! É verdade? — A pergunta foi abrupta.

— Bate.

Erik me encarou por um instante e pude vê-lo lutando para controlar aquele jorro súbito de raiva. Assentiu e se virou.

— Por aqui — falou guiando-me para a construção menor. Os guardas, notei, eram todos homens mais velhos, e achei que deveriam não somente guardar Æthelflaed, mas também não molestá-la. — Ela não foi maltratada — disse Erik, talvez lendo meus pensamentos.

— Foi o que me garantiram.

— Ela tem três de suas próprias aias aqui, e eu lhe dei duas garotas dinamarquesas, ambas boas garotas. E pus esses guardas na casa.

— Homens em quem você confia.

— Meus homens — disse ele calorosamente —, e sim, dignos de confiança. — Ele estendeu uma das mãos para me conter. — Vou trazê-la aqui fora para encontrar você, porque ela gosta de ficar ao ar livre.

Esperei enquanto o padre Willibald olhava nervoso para os nórdicos que nos vigiavam de fora do castelo de Sigefrid.

— Por que vamos encontrá-la aqui fora? — perguntou ele.

— Porque Erik diz que ela gosta de ficar ao ar livre.

— Mas eles vão me matar se eu lhe der o sacramento aqui?

— Porque acham que você está fazendo magia cristã? Duvido, padre. — Fiquei olhando Erik puxar de lado a cortina de couro que servia como porta da construção. Ele dissera alguma coisa aos guardas primeiro, e agora esses guerreiros ficaram de lado, deixando um espaço aberto entre a fachada da construção e as muralhas da fortaleza. Aquelas fortificações eram um grosso barranco de terra, com apenas cerca de 1 metro de altura, mas eu sabia que o outro lado desceria numa altura muito maior. O barranco era encimado por uma paliçada de grossos troncos de carvalho que haviam sido afiados até formar pontas. Eu não podia imaginar a possibilidade de subir o morro a partir do riacho e depois tentar atravessar aquela parede formidável. Mas também não podia visualizar um ataque pelo lado de terra, subindo o morro descoberto até chegar ao fosso, à muralha e à paliçada que protegia aquele lugar. Era um bom acampamento, não inexpugnável, mas sua captura seria inimaginavelmente cara em termos de vidas humanas.

— Ela vive — ofegou o padre Willibald, e eu olhei de volta para a construção e vi Æthelflaed passando pela cortina de couro que estava segura de lado por uma mão não vista. Parecia menor e mais nova do que nunca e, ainda que a gravidez tivesse finalmente começado a aparecer, ainda parecia esguia. Esguia e vulnerável, pensei, e então ela me viu, e um sorriso veio ao seu rosto. O padre Willibald foi em sua direção, mas eu o contive segurando seu ombro. Algo na postura de Æthelflaed me fez detê-lo. Eu havia esperado que Æthelflaed corresse para mim, aliviada, mas em vez disso ela hesitou junto à porta e o sorriso que havia me oferecido foi meramente respeitoso. Estava satisfeita em me ver, isso era certo, mas havia uma cautela em seus olhos até que ela se virou para ver Erik seguindo-a pela cortina. Ele indicou que ela deveria me cumprimentar, e só então, quando havia recebido seu encorajamento, Æthelflaed veio em minha direção.

E agora seu rosto estava radiante.

E me lembrei de seu rosto no dia em que ela havia se casado na nova igreja do pai em Wintanceaster. Hoje parecia a mesma daquela ocasião. Parecia feliz. Reluzia. Caminhava leve como uma dançarina, e sorria de modo lindo. E me lembrei de que havia pensado, naquela igreja, que ela estava apaixonada pelo amor. E esta, percebi subitamente, era a diferença entre aquele dia e este.

Porque o sorriso radiante não era para mim. Ela olhou para trás de novo e atraiu o olhar de Erik, e eu simplesmente fiquei olhando. Deveria ter sabido, com base em tudo o que Erik dissera. Deveria saber, porque estava claro como um sangue recém-derramado em neve virgem.

Æthelflaed e Erik estavam apaixonados.

O amor é uma coisa perigosa.

Vem disfarçado para mudar nossa vida. Eu havia pensado que amava Mildrith, mas aquilo era luxúria, se bem que por um tempo pensei que fosse amor. A luxúria é a enganadora. A luxúria arranca nossa vida até que nada mais importe, a não ser quem pensamos amar e, sob esse feitiço enganador, matamos pela pessoa, damos tudo por ela, e então, quando temos o que queríamos, descobrimos que é tudo ilusão e não há nada ali. A luxúria é uma viagem a lugar nenhum, a uma terra vazia, mas alguns homens simplesmente amam essas viagens e jamais se importam com o destino.

O amor também é uma viagem, uma viagem sem destino além da morte, mas é uma viagem de contentamento. Eu amava Gisela, e éramos afortunados porque nossos fios tinham se juntado e ficaram juntos, e estávamos enrolados um ao redor do outro, e as três Norns, pelo menos por um tempo, foram gentis conosco. O amor funciona até mesmo quando os fios não ficam confortavelmente lado a lado. Eu passara a ver que Alfredo amava sua Ælswith, ainda que ela fosse como um bocado de vinagre em seu leite. Talvez ele simplesmente estivesse acostumado com ela, e talvez o amor seja mais amizade do que luxúria, mas os deuses sabem que a luxúria está sempre ali. Gisela e eu havíamos ganhado esse contentamento, como Alfredo com Ælswith, mas acho que nossa viagem era mais feliz porque nosso barco dançava em mares ensolarados e era impulsionado por um vento veloz e quente.

E Æthelflaed? Vi no rosto dela. Vi em seu brilho todo o amor súbito e toda a infelicidade que viria, e todas as lágrimas e todo o sofrimento. Ela estava numa viagem, e era uma viagem de amor, mas era viajar numa tempestade tão opaca e sombria que meu coração quase se partiu.

— Senhor Uhtred — disse ela ao se aproximar.

— Senhora — respondi, e fiz uma reverência, depois não dissemos nada.

Willibald falou sem parar, mas não creio que nenhum de nós tenha ouvido. Olhei para ela, ela sorriu para mim e o sol brilhou naquela grama alta sob as cotovias que cantavam, mas eu só conseguia ouvir o trovão espocando no céu, só podia ver ondas se despedaçando em fúria branca, um navio inundando e a tripulação se afogando desesperada. Æthelflaed amava.

— Seu pai lhe manda seu afeto — falei encontrando a voz.

— Coitado do papai. Ele está com raiva de mim?

— Ele não mostra raiva a ninguém, mas deve estar furioso com seu marido.

— É — concordou ela calmamente. — Deve.

— E estou aqui para combinar sua libertação — falei, ignorando minha certeza de que a libertação era a última coisa que ela desejava agora. — E a senhora gostará de saber que tudo está acordado e que a senhora logo estará em casa.

Ela não demonstrou prazer diante da notícia. O padre Willibald, cego a seus verdadeiros sentimentos, sorriu para ela, e Æthelflaed o recompensou com um sorriso torto.

— Estou aqui para lhe dar os sacramentos — disse Willibald.

— Eu gostaria disso — respondeu Æthelflaed, séria, depois olhou para mim e, por um instante, houve desespero em sua voz. — Você vai esperar por mim? — perguntou ela.

— Esperar pela senhora? — perguntei perplexo com a questão.

— Aqui fora — explicou ela. — E o querido Willibald poderá rezar comigo lá dentro.

— Claro — respondi.

Ela sorriu agradecendo e levou Willibald para a construção enquanto eu ia até a muralha e subia no barranco baixo para me encostar na paliçada aquecida pelo sol e olhar o rio tão lá embaixo. O navio-dragão, sem a cabeça esculpida, que fora retirada, estava entrando no canal pela força dos remos e eu fiquei olhando os homens desacorrentarem o navio de guarda que bloqueava o Hothlege. O navio bloqueador estava amarrado pela proa e pela popa por correntes pesadas presas a postes enormes afundados na margem lamacenta, e a tripulação soltou a corrente da popa e depois liberou-a, amarrada numa corda comprida. A corrente afundou no leito do riacho enquanto o navio girava preso à corrente da proa para se abrir como um portão na maré montante, liberando a passagem. O barco recém-chegado passou remando, depois a tripulação do navio bloqueador puxou a corda para recuperar a corrente e assim arrastar o navio de volta para barrar o riacho outra vez. Havia pelo menos quarenta homens naquele navio bloqueador, e eles não estavam ali simplesmente para puxar cabos e correntes. Os flancos do navio tinham sido reforçados com tábuas extras, todas de madeira pesada, de modo que a linha da amurada era bem mais alta do que a de qualquer embarcação que poderia atacá-lo. Assaltar aquele navio bloqueador seria como atacar uma paliçada de uma fortaleza. O navio-dragão deslizou subindo o Hothlege, passando por barcos erguidos acima da margem lamacenta, onde homens calafetavam as tábuas com crina e alcatrão. A fumaça das fogueiras sob os potes de alcatrão subia pela encosta em que as gaivotas circulavam, com gritos roucos no calor da tarde.

— Sessenta e quatro navios — disse Erik. Ele havia subido ao meu lado.

— Eu sei. Contei.

— E na semana que vem teremos cem tripulações aqui.

— E vão ficar sem comida, com tantas bocas para alimentar.

— Há comida suficiente aqui — respondeu Erik, sem dar importância. — Temos armadilhas para peixe e enguia, caçamos aves e comemos bem. E a perspectiva de prata e ouro compra muito trigo, cevada, aveia, carne, peixe e cerveja.

— Vai comprar homens também — observei.

— Vai — concordou ele.

— E assim Alfredo de Wessex pagará pela própria destruição.

— É o que parece — disse Erik em voz baixa. Em seguida olhou para o sul, para onde grandes nuvens se empilhavam sobre Cent, com os topos branco-prata e as bases escuras sobre a distante terra verde.

Virei-me para olhar o acampamento dentro do círculo de fortificações e vi Steapa, mancando ligeiramente e com bandagens na cabeça, sair de uma cabana. Parecia meio bêbado. Ele me viu, acenou e sentou-se à sombra do castelo de Sigefrid, onde pareceu cair no sono.

— Você acha — falei ainda de costas para Erik — que Alfredo não pensou no que vocês vão comprar com o dinheiro do resgate?

— Mas o que ele pode fazer a respeito?

— Isso não sou eu que vou dizer — falei tentando dar a entender que houvesse uma resposta. Na verdade, se sete ou oito mil nórdicos aparecessem em Wessex, não teríamos opção além de lutar, e a batalha, pensei, seria horrenda. Seria um derramamento de sangue ainda maior do que Ethandun, e no fim provavelmente haveria um novo rei em Wessex e um novo nome para o reino. Norseland, talvez.

— Fale-me de Guthred — pediu Erik abruptamente.

— Guthred! — Virei-me para ele, surpreso com a pergunta. Guthred era irmão de Gisela e rei da Nortúmbria, e eu não podia imaginar o que ele tinha a ver com Alfredo, Æthelflaed ou Erik.

— Ele é cristão, não é? — perguntou Erik.

— É o que diz.

— E é?

— Como é que vou saber? Ele diz que é cristão, mas duvido de que tenha desistido do culto aos deuses verdadeiros.

— Você gosta dele? — perguntou Erik, ansioso.

— Todo mundo gosta de Guthred — respondi, e era verdade, no entanto eu ficava constantemente atônito ao pensar em como um homem tão afável e indeciso podia ter mantido seu trono por tanto tempo. O principal motivo, eu sabia, era que meu cunhado tinha o apoio de Ragnar, meu irmão de alma, e ninguém iria querer lutar contra as forças selvagens de Ragnar.

— Eu estava pensando — disse Erik, e em seguida ficou quieto, e em seu silêncio entendi subitamente o que ele estava sonhando.

— Você estava pensando — falei a verdade brutal — que você e Æthelflaed poderiam pegar um navio, talvez o navio de seu irmão, ir para a Nortúmbria e viver sob a proteção de Guthred?

Erik me olhou como se eu fosse um mago.

— Ela lhe contou?

— O rosto de vocês dois me contou.

— Guthred nos protegeria.

— Como? — perguntei. — Acha que ele vai convocar o exército caso seu irmão vá atrás de vocês?

— Meu irmão? — perguntou Erik, como se Sigefrid fosse lhe perdoar qualquer coisa.

— Seu irmão — falei asperamente —, que está esperando um pagamento de 1.400 quilos de prata e 230 quilos de ouro, e se você levar Æthelflaed embora, ele perde esse dinheiro. Acha que ele não vai querê-la de volta?

— Seu amigo, Ragnar — sugeriu Erik, hesitante.

— Quer que Ragnar lute por você? Por que ele faria isso?

— Porque você vai pedir — disse Erik com firmeza. — Æthelflaed diz que vocês dois se amam como irmãos.

— É verdade.

— Então peça a ele.

Suspirei, olhei para aquelas nuvens distantes e pensei em como o amor arranca nossa vida e nos leva para uma insanidade tão doce.

— E o que você fará contra os assassinos que virão durante a noite? Contra os homens vingativos que queimarão seu castelo?

— Irei me resguardar contra eles — disse Erik, teimoso.

Fiquei olhando as nuvens se empilharem mais altas e pensei que Tor estaria mandando seus raios sobre os campos de Cent antes que a tarde de verão terminasse.

— Æthelflaed é casada — falei gentilmente.

— Com um desgraçado maligno — respondeu Erik furioso.

— E o pai dela considera que o casamento é sagrado.

— Alfredo não vai trazê-la de volta da Nortúmbria — disse Erik cheio de confiança. — Nenhum exército saxão do oeste poderia chegar tão longe.

— Mas ele mandará padres para corroer a consciência dela. E como você sabe que ele não vai mandar homens pegá-la? Não é preciso um exército. Uma tripulação de homens decididos pode bastar.

— Eu só peço uma chance! Um castelo em algum vale, campos para plantar, animais para criar, um lugar para ficar em paz!

Por um tempo não falei nada. Erik, pensei, estava construindo um navio em seus sonhos, um lindo navio, um navio de casco rápido e elegante, mas era só um sonho! Fechei os olhos, tentando pensar nas palavras.

— Æthelflaed é um prêmio — falei finalmente. — Ela tem valor. É filha de um rei e sua parte do casamento foram terras. Ela é rica, é linda, é valiosa. Qualquer homem que queira ser rico saberá onde ela está. Qualquer rapineiro querendo um resgate rápido saberá onde encontrá-la. Vocês nunca terão paz. — Virei-me e olhei para ele. — Cada noite, quando trancar a porta, você temerá os inimigos no escuro, e todo dia procurará os inimigos. Não haverá paz para vocês, nenhuma.

— Dunholm — disse ele em tom chapado.

Meio sorri.

— Conheço o lugar.

— Então sabe que é uma fortaleza que não pode ser capturada — disse Erik, teimoso.

— Eu capturei.

— E ninguém mais fará o que você fez, até que o mundo caia. Nós podemos viver em Dunholm.

— Ragnar é dono de Dunholm.

— Então farei juramentos a ele — disse Erik com fervor. — Vou me tornar homem dele, vou jurar minha vida a ele.

Pensei nisso por um momento, testando o sonho louco de Erik contra as duras realidades desta vida. Dunholm, aninhada em sua curva do rio e empoleirada em seu alto penhasco, era de fato quase inacessível. Um homem podia pensar em morrer na cama se controlasse Dunholm, porque até mesmo um punhado de soldados bastava para defender o íngreme caminho rochoso que era o único modo de chegar perto. E Ragnar, eu sabia, iria se divertir com Erik e Æthelflaed, e assim me senti sendo seduzido pela paixão de Erik. E se seu sonho não fosse tão louco quanto eu pensava?

— Mas como você leva Æthelflaed daqui sem que seu irmão saiba?

— Com sua ajuda — disse ele.

E com essa resposta pude ouvir as três Norns gargalhando. Uma trompa soou no acampamento, um chamado, supus, para o festim que Sigefrid havia prometido.

— Sou jurado a Alfredo — falei com decisão.

— Não peço que você quebre esse juramento.

— Pede sim! — respondi ríspido. — Alfredo me deu uma missão. Já cumpri metade dela. A outra metade é recuperar a filha dele!

Os grandes punhos de Erik se enrolaram e desenrolaram no topo da paliçada.

— Mil e quatrocentos quilos de prata — disse ele — e 230 quilos de ouro. Pense em quantos homens isso vai comprar.

— Já pensei.

— Uma tripulação de guerreiros experimentados pode ser comprada por menos de meio quilo de ouro — disse Erik.

— Verdade.

— E agora temos homens suficientes para desafiar Wessex.

— Vocês podem desafiar Wessex, mas não derrotar.

— Mas derrotaremos, quando tivermos o ouro e os homens.

— Verdade — admiti de novo.

— E o ouro trará mais homens — continuou Erik implacavelmente — e mais navios, e neste outono ou na primavera que vem levaremos uma horda para Wessex. Faremos o exército que vocês derrotaram em Ethandun parecer pequeno. Vamos enegrecer a terra. Vamos queimar suas cidades, escravizar seus filhos, usar suas mulheres, tomar sua terra e matar seus homens. É isso que Alfredo quis dizer a você?

— Estes são os planos de seu irmão?

— E para fazer isso — disse Erik, ignorando a pergunta porque sabia que eu já conhecia a resposta —, ele deve vender Æthelflaed de volta ao pai.

— É — admiti. Se o resgate não fosse pago, os homens já acampados em Beamfleot e ao redor desapareceriam como orvalho numa manhã quente. Não viriam mais navios e Wessex não seria ameaçado.

— Seu juramento, pelo que sei — disse Erik respeitosamente —, é servir a Alfredo de Wessex. Você o serve, senhor Uhtred, permitindo que meu irmão se torne suficientemente rico para destruí-lo?

Então, pensei, o amor havia posto Erik contra o irmão. O amor o faria passar uma espada por cada juramento que já havia feito. O amor tem poder sobre o próprio poder. A trompa soou de novo, com mais urgência. Homens corriam para o grande castelo.

— Seu irmão sabe que você ama Æthelflaed? — perguntei.

— Ele acredita que a amo por enquanto, mas que vou perdê-la pela prata. Acha que eu a uso para meu prazer e acha isso divertido.

— E você a usa? — perguntei asperamente, olhando seus olhos honestos.

— Isso é da sua conta? — perguntou ele em desafio.

— Não, mas você quer minha ajuda.

Ele hesitou, depois assentiu.

— Eu não chamaria isso assim — disse ele, parecendo na defensiva —, mas nós nos amamos.

Então Æthelflaed havia bebido a água amarga antes do pecado, pensei, e isso era muito inteligente de sua parte. Sorri por ela, depois fui para o festim de Sigefrid.

Æthelflaed estava sentada no lugar de honra à direita de Sigefrid, e eu fiquei ao lado dela. Erik estava do outro lado de Sigefrid, com Haesten junto. Æthelflaed, notei, jamais olhava para Erik. Ninguém que estivesse observando — e muitos homens no castelo estavam curiosos com relação à filha do rei de Wessex — poderia ter adivinhado que ela se tornara amante dele.

Os nórdicos sabem fazer uma festa. A comida era farta; a cerveja, generosa e a diversão, interessante. Havia malabaristas e homens com pernas de pau, músicos, acrobatas e artistas que se espalhavam pelas mesas e causavam jorros de gargalhadas.

— Não deveríamos rir dos loucos — disse-me Æthelflaed. Ela mal havia comido, a não ser para mordiscar amêijoas de uma tigela.

— Eles são bem-tratados — respondi —, e certamente é melhor ser alimentado e abrigado do que deixado para as feras. — Eu estava olhando um louco nu revistando convulsivamente a própria genitália. Ficava olhando as mesas de gente gargalhando, incapaz de entender o barulho. Uma mulher de cabelos emaranhados, insuflada por gritos roucos, tirou as roupas uma a uma, sem saber por que fazia aquilo.

Æthelflaed olhou para a mesa.

— Há mosteiros que cuidam dos insanos — disse ela.

— Não onde os dinamarqueses governam.

Ela ficou quieta por um tempo. Dois anões estavam arrastando a mulher agora nua até o homem nu, e os espectadores desmoronavam de gargalhadas. Æthelflaed levantou a cabeça brevemente, estremeceu e olhou de novo para a mesa.

— Você falou com Erik? — perguntou. Podíamos falar em inglês com segurança, porque ninguém podia nos ouvir. E mesmo que pudesse, não entenderia a maior parte do que dizíamos.

— Como você queria — observei, percebendo que esse era o motivo para ela ter insistido em levar o padre Willibald para dentro da construção.

— Você fez uma confissão de verdade?

— Isso é da sua conta?

— Não — respondi, depois gargalhei.

Ela me olhou e deu um sorriso muito tímido. Em seguida, ficou vermelha.

— Então, vai nos ajudar?

— A fazer o quê?

Ela franziu a testa.

— Erik não contou?

— Ele disse que você queria minha ajuda, mas que tipo de ajuda?

— Ajude-nos a sair daqui.

— E o que seu pai fará comigo se eu ajudá-los? — perguntei, e não recebi resposta. — Achei que você odiava os dinamarqueses.

— Erik é norueguês.

— Dinamarqueses, noruegueses, nórdicos, vikings, pagãos, são todos inimigos do seu pai.

Ela olhou para o espaço aberto ao lado do fogão, onde os dois lunáticos nus estavam lutando, em vez de fazer amor, como a plateia sem dúvida havia previsto. O homem era muito maior, porém mais idiota, e a mulher, sob aplausos ferozes, estava batendo na cabeça dele com um punhado de juncos do chão.

— Por que deixam que eles façam isso? — perguntou Æthelflaed.

— Porque isso os diverte, e porque eles não têm um bando de clérigos de mantos pretos dizendo o que é certo e o que é errado, e é por isso, senhora, que gosto deles.

Ela baixou a cabeça de novo.

— Eu não queria gostar de Erik — falou em voz muito baixa.

— Mas gostou.

Havia lágrimas em seus olhos.

— Não pude evitar. Rezei para que isso não acontecesse, mas quanto mais rezava, mais pensava nele.

— E assim você o ama.

— É.

— Ele é um bom homem — garanti.

— Você acha? — perguntou ela, ansiosa.

— Acho, de verdade.

— E vai virar cristão — continuou ela com entusiasmo. — Me prometeu isso. Ele quer. Verdade!

Isso não me surpreendeu. Erik havia mostrado há muito um fascínio pelo cristianismo, e eu duvidava de que fora necessária muita persuasão da parte de Æthelflaed.

— E quanto a Æthelred?

— Eu o odeio — ela sibilou as palavras com tanta veemência que Sigefrid virou-se para encará-la. Ele deu de ombros, incapaz de entendê-la, depois olhou de novo para a luta dos nus.

— Você vai perder sua família — alertei.

— Farei uma família — disse ela com firmeza. — Erik e eu vamos fazer uma família.

— E você vai viver entre os dinamarqueses, que, segundo me disse, você odeia.

— Você vive entre os cristãos, senhor Uhtred — respondeu ela com um clarão de seu antigo jeito travesso.

Sorri disso.

— Tem certeza? — perguntei. — Com relação a Erik?

— Tenho — respondeu ela com intensidade, e aquilo era o amor falando, claro.

Suspirei.

— Se eu puder, vou ajudá-los.

Ela pôs a mão pequena sobre a minha.

— Obrigada.

Agora dois cachorros tinham começado a brigar e os convidados instigavam e aplaudiam os animais. Velas de junco e sebo foram acesas e outras de cera foram trazidas à mesa de cima enquanto a tarde de verão ia escurecendo lá fora. Mais cerveja chegou, e vinho de bétula também, e os primeiros bêbados cantavam roucos.

— Logo vão começar a brigar — contei a Æthelflaed, e brigaram. Quatro homens tiveram ossos quebrados antes do fim da festa, enquanto outro teve um dos olhos arrancado antes que seu furioso agressor bêbado fosse puxado para longe. Steapa estava sentado perto de Weland, e os dois, mesmo falando línguas diferentes, compartilhavam um chifre de beber, com borda de prata, e pareciam fazer comentários disparatados sobre os brigões que se esparramavam no chão em fúria bêbada. Weland estava obviamente bêbado também, porque passou o braço enorme pelos ombros de Steapa e começou a cantar.

— Você parece um bezerro sendo castrado! — rugiu Sigefrid para Weland, depois exigiu que um cantor de verdade fosse trazido, e assim um *skald* cego recebeu uma cadeira perto do fogão, tocou sua harpa e cantou uma canção sobre as proezas de Sigefrid. Contou sobre os francos que Sigefrid havia matado, os saxões cortados por sua espada, Espalha-Medo, e as mulheres frísias tornadas viúvas pelo norueguês com capa de urso. O poema mencionava muitos dos homens de Sigefrid pelo nome, narrando seu heroísmo em batalha, e à medida que cada nome era cantado, o homem se levantava e seus amigos o aplaudiam. Se o herói citado estivesse morto, os ouvintes batiam três vezes nas mesas para que o morto ouvisse a ovação solene no castelo de Odin. Mas os maiores aplausos eram para Sigefrid, que levantava um chifre de cerveja a cada vez que seu nome era mencionado.

Fiquei sóbrio. Era difícil, porque me sentia tentado a acompanhar Sigefrid, chifre a chifre, mas sabia que precisava retornar a Lundene na manhã seguinte, e isso significava que Erik tinha de acabar sua conversa comigo naquela mesma noite, mas na verdade o céu a leste já estava clareando quando saí do castelo. Æthelflaed, escoltada por guardas mais sóbrios e mais velhos, tinha ido para a cama horas atrás. Homens bêbados se esparramavam num sono ruidoso sob os bancos enquanto eu ia andando, e Sigefrid estava tombado na mesa. Ele havia aberto um dos olhos e franziu a testa quando saí.

— Temos um trato? — perguntou sonolento.

— Temos um trato — confirmei.

— Traga o dinheiro, saxão — resmungou ele, e caiu de novo no sono.

Erik estava me esperando do lado de fora do alojamento de Æthelflaed. Eu havia esperado que ele estivesse ali, e ocupamos o mesmo lugar de antes na muralha, onde observei a luz cinza se espalhar como uma mancha sobre as águas calmas do estuário.

— Aquele é o *Domador de Ondas* — disse Erik, assentindo para os navios encalhados na praia lamacenta. Ele podia ser capaz de discernir o belo barco que havia feito, mas para mim toda a frota não passava de formas pretas contra o cinza. — Raspei o casco até ficar limpo, calafetei e o deixei rápido de novo.

— Sua tripulação é de confiança?

— São jurados a mim. São de confiança. — Erik fez uma pausa. Um vento fraco levantou seu cabelo escuro. — Mas o que eles não farão — continuou em voz baixa — é lutar contra os homens de meu irmão.

— Talvez tenham de fazer isso.

— Eles vão se defender, mas não atacar. Há parentes dos dois lados.

Espreguicei-me, bocejei e pensei na longa viagem para casa em Lundene.

— Então seu problema é o navio que bloqueia o canal?

— Que é tripulado pelos homens de meu irmão.

— Não são de Haesten?

— Eu mataria os homens dele — disse Erik com amargura —, não há parentesco ali.

Nem afeto também, observei.

— Então você quer que eu destrua o navio?

— Quero que você abra o canal — corrigiu ele.

Olhei para aquele escuro navio bloqueador com a borda do casco reforçada.

— Por que simplesmente não exige que eles saiam de seu caminho? — perguntei. Este parecia o modo menos complicado e mais seguro de Erik escapar. A tripulação do navio acorrentado estava acostumada a mover o casco pesado e permitir que embarcações entrassem ou saíssem do riacho, então por que ela impediria Erik?

— Nenhum navio deve navegar até a chegada do resgate — explicou Erik.

— Nenhum?

— Nenhum — respondeu ele peremptoriamente.

E isso fazia algum sentido. Afinal de contas, o que impediria que algum homem empreendedor levasse três ou quatro navios rio acima para esperar num riacho abrigado por juncos até a frota do tesouro de Alfredo passar, em seguida saísse, com remos batendo, espadas desembainhadas e homens gritando? Sigefrid havia ligado sua ambição monstruosa à chegada do resgate e não se arriscaria a perdê-lo para algum viking ainda mais bandido do que ele, e isso sugeria a pessoa que provavelmente corporificava o medo de Sigefrid.

— Haesten? — perguntei a Erik.

Ele assentiu.

— Um sujeito ardiloso.

— Ardiloso — concordei — e indigno de confiança. Que viola juramentos.

— Ele vai compartilhar o resgate, claro — disse Erik, ignorando o fato de que, se tivesse o que desejava, nenhum resgate jamais seria pago —, mas tenho certeza de que preferiria ficar com tudo.

— Então nenhum navio navega até você navegar. Mas você consegue levar Æthelflaed a seu navio sem que seu irmão saiba?

— Consigo. — Ele tirou uma faca da bainha no cinto. — São duas semanas até a próxima lua cheia — continuou, depois fez uma marca funda no topo afiado de um tronco de carvalho. — Isto é hoje — disse ele, batendo no corte recente, depois fez outra marca funda com o gume da faca. — Amanhã de manhã — continuou, indicando o novo corte, depois continuou cortando o topo da paliçada até ter feito sete cicatrizes nas madeiras. — Você virá ao amanhecer, daqui a uma semana?

Assenti cautelosamente.

— Mas no momento em que eu atacar — observei —, alguém toca uma trompa e acorda o acampamento.

— Estaremos flutuando — disse ele —, prontos para ir. Ninguém pode alcançá-lo, saindo do acampamento, antes de você estar de volta no mar. — Ele pareceu preocupado com minhas dúvidas. — Eu pago a você!

Sorri daquelas palavras. O amanhecer estava clareando o mundo, colorindo os longos fiapos de nuvens com riscas de ouro pálido e bordas de prata brilhante.

— Meu pagamento é a felicidade de Æthelflaed. E daqui a uma semana vou abrir o canal. Vocês podem partir juntos, fazer uma parada em Gyruum, ir a toda velocidade até Dunholm e dar meus cumprimentos a Ragnar.

— Você vai lhe mandar uma mensagem? — perguntou Erik ansioso. — Para alertá-lo de nossa chegada?

Balancei a cabeça.

— Leve a mensagem para mim — falei, e algum instinto fez com que eu me virasse e visse que Haesten estava nos vigiando. Estava parado com dois companheiros diante do grande castelo, colocando o cinto das espadas trazidas pelo guarda de Sigefrid do lugar onde todos havíamos entregado nossas armas antes da festa. Não havia nada de estranho no que Haesten fazia, a não ser meus sentidos se eriçando porque ele parecia tão alerta. Tive uma suspeita horrenda de que ele sabia sobre o que Erik e eu conversávamos. Ele continuou me olhando. Estava imóvel, mas por fim fez uma reverência zombeteira e se afastou. Vi que Eilaf, o Vermelho, era um de seus dois companheiros. — Haesten sabe sobre você e Æthelflaed? — perguntei a Erik.

— Claro que não. Só acha que sou responsável por guardá-la.

— Ele sabe que você gosta dela?

— É só isso que ele sabe — insistiu Erik.

O astuto Haesten, indigno de confiança, que me devia a vida. Que havia quebrado o juramento. Cujas ambições provavelmente ultrapassavam até mesmo os sonhos de Sigefrid. Olhei-o até ele passar pela porta do que supus fosse seu castelo.

— Tenha cuidado com Haesten — alertei Erik. — Acho que ele é subestimado com facilidade.

— Ele é uma doninha — disse Erik, desconsiderando meus temores. — Que mensagem devo levar a Ragnar?

— Diga a Ragnar que a irmã dele está feliz e deixe Æthelflaed lhe dar notícias sobre ela. — Não havia sentido em escrever nada, mesmo que eu possuísse pergaminho e tinta, porque Ragnar não sabia ler, mas Æthelflaed conhecia Thyra e as notícias sobre a mulher de Beocca convenceriam Ragnar de que os amantes fugitivos contavam a verdade. — E daqui a uma semana — falei —, quando a parte superior do sol tocar a borda do mundo, esteja pronto.

Erik pensou por um instante, fazendo um cálculo rápido na cabeça.

— A maré será vazante, água parada. Estaremos prontos.

Por loucura, pensei, ou por amor. Loucura. Amor. Loucura.

E como as três irmãs na raiz do mundo deviam estar gargalhando!

Falei pouco enquanto cavalgávamos para casa. Finan conversava alegremente, dizendo como Sigefrid fora generoso com sua comida, cerveja e escravas. Entreouvi suas palavras até que o irlandês percebeu minha disposição e caiu num silêncio mais adequado. Só quando estávamos à vista dos estandartes nas muralhas do leste de Lundene indiquei que ele deveria cavalgar à frente comigo, deixando meus outros homens fora do alcance da audição.

— Daqui a seis dias — falei — você deve estar com o *Águia do Mar* pronto para uma viagem. Precisaremos de cerveja e comida para três dias. — Eu não esperava ficar fora por tanto tempo, mas era bom estar preparado. — Limpe o casco entre as marés e certifique-se de que cada homem esteja sóbrio quando partirmos. Sóbrio, com armas afiadas e pronto para batalha.

Finan semissorriu, mas não disse nada. Estávamos cavalgando por entre choupanas que haviam brotado nas bordas dos pântanos junto ao Temes. Muitas pessoas que moravam ali eram escravos fugidos de seus senhores dinamarqueses na Ânglia Oriental, e viviam revirando o refugo da cidade, mas alguns haviam plantado minúsculos campos de centeio, cevada ou aveia. A colheita magra estava sendo juntada e eu ouvia o som das lâminas cortando os punhados de talos.

— Ninguém em Lundene deve saber que vamos partir — disse eu a Finan.

— Não vão saber — respondeu o irlandês, sério.

— Prontos para a batalha — repeti.

— Vão estar. Vão estar mesmo.

Cavalguei em silêncio por um tempo. Pessoas viam minha cota de malha e saíam rapidamente do caminho. Tocavam a testa ou se ajoelhavam na lama, depois se agitavam quando eu jogava moedas para elas. Era tarde e o sol já se encontrava atrás da grande nuvem de fumaça que subia dos fogos de cozinhar em Lundene, e o fedor da cidade pairava azedo e denso no ar.

— Você viu aquele navio bloqueando o canal em Beamfleot? — perguntei a Finan.

— Dei uma olhada, senhor.

— Se nós o atacarmos, eles nos verão chegando. Vão estar por trás daquela amurada alta.

— Quase da altura de um homem, acima de nós — concordou Finan, revelando que dera mais do que apenas uma olhada.

— Então pense em como podemos tirar aquele navio do canal.

— Não que estejamos pensando em fazer isso, não é, senhor?

— Claro que não, mas pense mesmo assim.

Então um guincho de dobradiças não lubrificadas anunciou a abertura da porta mais próxima e entramos na semiescuridão da cidade.

Alfredo estivera esperando por nós, e mensageiros já o haviam informado sobre nosso retorno, de modo que fui convocado ao palácio no alto mesmo antes de poder falar com Gisela. Fui com o padre Willibald, Steapa e Finan. O rei nos esperou no grande salão iluminado pelas velas altas com as quais ele media a passagem do tempo. A cera escorria grossa pelas hastes marcadas com faixas, e um serviçal estava aparando os pavios para que a luz se mantivesse constante. Alfredo estivera escrevendo, mas parou ao entrarmos.

Æthelred também estava ali, assim como o irmão Asser, o padre Beocca e o bispo Erkenwald.

— Bem — disse Alfredo rispidamente. Não era raiva, e sim a preocupação que deixava sua voz tão afiada.

— Ela vive — disse eu —, está incólume, é tratada com o respeito devido à sua condição, está bem-guardada e com propriedade, e eles vão mandá-la de volta para nós.

— Graças a Deus — exclamou Alfredo, e fez o sinal da cruz. — Graças a Deus — repetiu, e pensei que ele iria cair de joelhos. Æthelred não disse nada, apenas me encarou com olhos de serpente.

— Quanto? — perguntou o bispo Erkenwald.

— Mil e quatrocentos quilos de prata e 230 de ouro — e expliquei que a primeira cota de metal deveria ser entregue na próxima lua cheia e que o restante deveria ser levado rio abaixo um mês depois. — E a senhora Æthelflaed só será libertada quando a última moeda for paga — terminei.

O bispo Erkenwald e o irmão Asser se encolheram diante da quantia do resgate, mas Alfredo não reagiu do mesmo jeito.

— Estaremos pagando por nossa própria destruição — resmungou o bispo Erkenwald.

— Minha filha me é querida — disse Alfredo em tom afável.

— Com esse dinheiro — alertou o bispo —, eles vão juntar milhares de homens!

— E sem esse dinheiro — Alfredo se virou para mim —, o que acontecerá com ela?

— Humilhação — respondi. Na verdade, Æthelflaed poderia encontrar a felicidade se o resgate não fosse pago, mas eu não poderia dizer tal coisa. Em vez disso, descrevi o destino que Haesten sugeriu de modo tão lupino. — E ela será mostrada nua a multidões que vão zombar. — Alfredo se encolheu. — Depois — prossegui sem remorsos —, será entregue como prostituta a quem pagar mais caro.

Æthelred olhou para o chão, os homens da Igreja ficaram em silêncio.

— O que está em jogo é a dignidade de Wessex — disse Alfredo baixinho.

— Então homens devem morrer pela dignidade de Wessex? — perguntou o bispo Erkenwald.

— Sim! — Alfredo estava subitamente furioso. — Um país é a sua história, bispo; a soma de todas as suas histórias. Somos o que nossos pais fizeram de nós, suas vitórias nos deram o que temos, e o senhor me faria deixar a meus descendentes uma história de humilhação? Quer que os homens digam que Wessex foi transformado em objeto de zombaria para pagãos ensandecidos? Essa é uma história, bispo, que jamais morreria, e se essa história for contada, sempre que os homens pensarem em Wessex pensarão numa princesa de Wessex sendo obrigada a desfilar nua diante de pagãos. Sempre que pensarem na Inglaterra, pensarão nisso!

E isso, pensei, era interessante. Nós raramente usávamos esse nome naquela época; Inglaterra. Isso era um sonho, mas Alfredo, em sua raiva, havia levantado uma cortina de seu sonho e eu soube então que ele queria que seu exército continuasse para o norte, sempre para o norte, até que não houvesse mais Wessex, nem Ânglia Oriental, nem Mércia e nem Nortúmbria. Só Inglaterra.

— Senhor rei — disse Erkenwald com humildade pouco natural. — Não sei se haverá um Wessex se pagarmos a esses pagãos para juntar um exército.

— Juntar um exército leva tempo — disse Alfredo com firmeza — e nenhum exército pagão pode atacar até depois da colheita. E assim que a colheita estiver juntada, poderemos convocar o *fyrd*. Teremos homens para se opor a eles. — Isso era verdade, mas a maioria de nossos homens seria de camponeses sem treino, ao passo que Sigefrid traria nórdicos uivando, famintos, que haviam sido criados na espada. Alfredo se virou para o genro. — E espero que o *fyrd* do sul da Mércia esteja a nosso lado.

— Estará, senhor — respondeu Æthelred com entusiasmo. Não havia em seu rosto sinal da doença que o havia assolado na última vez em que o vi naquele salão. Sua cor estava de volta, e a confiança presunçosa parecia não ter diminuído.

— Talvez isso seja um ato de Deus — disse Alfredo, falando de novo para Erkenwald. — Em Sua misericórdia Ele ofereceu a nossos inimigos a chance de se juntar aos milhares, para que possamos derrotá-los numa grande batalha. — Sua voz se reforçou com esse pensamento. — O Senhor está do meu lado — disse com firmeza. — Não temerei!

— A palavra do Senhor — disse piedosamente o irmão Asser, fazendo o sinal da cruz.

— Amém — disse Æthelred — e amém. Vamos derrotá-los, senhor!

— Mas antes de conseguirem essa grande vitória — falei a Æthelred, sentindo um prazer malicioso no que ia dizer —, você tem um dever a cumprir. Vai entregar pessoalmente o resgate.

— Por Deus, não farei isso! — disse Æthelred indignado, depois viu o olhar de Alfredo e afundou de novo na cadeira.

— E vai se ajoelhar diante de Sigefrid — falei torcendo a faca.

Até Alfredo ficou pasmo diante disso.

— Sigefrid insiste nessa condição? — perguntou.

— Insiste, senhor — respondi —, mesmo eu tendo argumentado com ele! Apelei, senhor, argumentei e apelei, mas ele não cedeu.

Æthelred só estava me olhando com horror no rosto.

— Então que seja — disse Alfredo. — Algumas vezes o Senhor Deus pede mais do que podemos suportar, mas em Seu nome glorioso devemos passar por isso.

— Amém — respondi fervorosamente, merecendo e recebendo um olhar cético do rei.

Eles falaram durante o tempo necessário para uma das velas marcadas de Alfredo queimar o equivalente a duas horas de cera, e foi conversa desnecessária; sobre como o dinheiro seria conseguido, como seria transportado a Lundene e como seria entregue em Beamfleot. Fiz sugestões enquanto Alfredo anotava nas margens de seu pergaminho, e era tudo um esforço inútil porque, se eu tivesse sucesso, nenhum resgate seria pago, Æthelflaed não retornaria e o trono de Alfredo estaria em segurança.

E eu deveria tornar tudo isso possível.

Em uma semana.

ONZE

ESCURIDÃO. A ÚLTIMA LUZ do dia acabara de sumir, e uma nova escuridão nos envolvia agora.

Havia luar, mas a lua estava escondida, de modo que as bordas das nuvens eram prateadas, e sob aquele vasto céu feito de prata, preto e luz das estrelas, o *Águia do Mar* deslizava pelo Temes.

Ralla estava no remo-leme. Era um marinheiro muito melhor do que eu poderia ter esperanças de ser, e eu confiava nele para nos levar ao redor das amplas curvas do rio na escuridão. Na maior parte do tempo era impossível dizer onde a água acabava e os pântanos começavam, mas Ralla parecia despreocupado. Estava com as pernas separadas e um dos pés batendo no convés no ritmo lento dos remos. Dizia pouca coisa, mas de vez em quando fazia minúsculas correções de rumo com a longa haste do remo e nenhuma vez uma pá tocava na lama das margens do rio. Ocasionalmente a lua deslizava saindo de trás de uma nuvem e a água subitamente brilhava em prata diante de nós. Havia fagulhas vermelhas nas margens que vinham e iam, pequenas fogueiras nas choupanas do pântano.

Estávamos usando o restante da maré vazante para nos levar rio abaixo. O clarão intermitente da lua na água mostrava as margens se afastando cada vez mais enquanto o rio se alargava imperceptivelmente na direção do mar. Eu ficava olhando para o norte, esperando ver o brilho no céu que trairia as fogueiras dentro e ao redor do alto acampamento em Beamfleot.

— Quantos navios pagãos estão em Beamfleot? — perguntou Ralla subitamente.

— Eram 64 havia uma semana, mas provavelmente já são quase oitenta, agora. Talvez cem ou mais.

— E só nós, hein? — perguntou ele, achando divertido.

— Só nós — concordei.

— E haverá mais navios costa acima — disse Ralla. — Ouvi dizer que estão fazendo um acampamento em Sceobyrig.

— Eles já estão lá há um mês, e existem pelo menos 15 tripulações lá. Provavelmente trinta, agora. — Sceobyrig era uma língua de lama desolada e uma terra lamacenta alguns quilômetros a leste de Beamfleot, e os 15 navios dinamarqueses haviam parado lá e feito uma fortaleza com paredes de terra e postes de madeira. Eu suspeitei de que teriam escolhido Sceobyrig porque praticamente não havia mais espaço no riacho de Beamfleot e porque a proximidade da frota de Sigefrid lhes oferecia proteção. Sem dúvida eles lhe pagavam em prata, e sem dúvida esperavam segui-lo até Wessex para pegar o saque que conseguissem. Nas margens de cada mar, e em acampamentos rio acima, por todo o mundo dos nórdicos, estava se espalhando a notícia de que o reino de Wessex se encontrava vulnerável, e por isso os guerreiros se reuniam.

— Mas não vamos lutar hoje? — perguntou Ralla.

— Espero que não. Lutar é muito perigoso.

Ralla deu um risinho, mas não disse nada.

— Não deve haver luta — falei depois de uma pausa.

— Porque se houver — observou Ralla —, não temos padre a bordo.

— Nunca temos padre a bordo — falei na defensiva.

— Mas deveríamos, senhor — retrucou ele.

— Por quê? — perguntei com beligerância.

— Porque o senhor quer morrer com uma espada na mão, e nós gostamos de morrer tendo confessado.

Suas palavras eram uma censura. Meu dever era para com aqueles homens, e se eles morressem sem o benefício do que quer que os padres faziam com os agonizantes, eu havia fracassado com eles. Por um momento não soube o que dizer, em seguida uma ideia saltou livre em minha cabeça.

— O irmão Osferth pode ser nosso padre hoje.

— Serei — disse Osferth, num banco de remador, e fiquei satisfeito com essa resposta porque finalmente ele estava disposto a fazer uma coisa que eu sabia que ele não queria fazer. Mais tarde descobri que, tendo sido apenas um monge noviço fracassado, ele não tinha o poder de administrar sacramentos cristãos, mas meus homens acreditavam que ele estava mais perto de seu deus do que eles, e isso, por acaso, bastava.

— Mas não espero lutar — falei com firmeza.

Uma dúzia de homens, os mais próximos da plataforma do piloto, escutava. Finan estava comigo, claro, e Cerdic, Sihtric, Rypere e Clapa. Eram minha tropa doméstica, os homens da minha casa, meus companheiros, irmãos de sangue, jurados a mim, haviam me seguido ao mar esta noite e confiavam em mim, mesmo não sabendo para onde íamos ou o que fazíamos.

— Então, o que vamos fazer? — perguntou Ralla.

Parei, sabendo que a resposta iria agitá-los.

— Vamos resgatar a senhora Æthelflaed — respondi finalmente.

Ouvi sons ofegantes da parte dos homens que ouviam, depois o murmúrio de vozes enquanto a notícia era passada pelos bancos até a proa do *Águia do Mar*. Meus homens sabiam que essa viagem significava encrenca, e tinham ficado intrigados com minha violenta imposição de segredo, e deviam ter adivinhado que navegávamos para algo que tinha a ver com a situação de Æthelflaed, mas agora eu havia confirmado.

O remo-leme rangeu enquanto Ralla fazia uma pequena correção.

— Como? — perguntou ele.

— A qualquer dia desses — falei ignorando sua pergunta e suficientemente alto para que todos os homens no barco me ouvissem — o rei começa a coletar o resgate da filha. Se vocês tiverem dez braceletes, ele vai querer quatro! Se tiverem um tesouro em prata, os homens do rei vão descobrir e levar sua parte! Mas o que fazemos hoje pode impedir isso!

Outro murmúrio. Já havia uma infelicidade profunda em Wessex com o pensamento do dinheiro que seria arrancado dos proprietários de terras e comerciantes. Alfredo havia prometido sua própria riqueza, mas precisaria de mais, muito mais, e o único motivo para a coleta não ter começado eram as discussões furiosas entre seus conselheiros. Alguns queriam que a Igreja contribuísse porque, apesar da insistência do clero, de que não tinham tesouro, todo mundo sabia que os mosteiros eram atulhados de riquezas. A reação da Igreja fora ameaçar a excomunhão de qualquer um que ao menos ousasse tocar numa moeda de prata que pertencesse a Deus ou, mais particularmente, aos bispos e abades de Deus. Ainda que eu esperasse secretamente que nenhum resgate fosse necessário, havia recomendado pegar toda a quantia com a Igreja, mas esse sábio conselho, claro, fora ignorado.

— E se o resgate for pago — continuei —, nossos inimigos ficarão ricos o bastante para contratar dez mil espadas! Teremos guerra por todo Wessex! Suas casas serão queimadas; suas mulheres, estupradas; seus filhos, roubados e sua riqueza, confiscada. Mas o que vamos fazer hoje pode impedir isso!

Exagerei um pouco, mas não muito. O resgate certamente poderia juntar mais cinco mil lanças, machados e espadas, e era por isso que os vikings se reuniam no estuário do Temes. Sentiam cheiro de fraqueza, e fraqueza significava sangue, e sangue significava riqueza. Os navios longos vinham para o sul, as quilhas cortando o mar enquanto iam para Beamfleot e depois para Wessex.

— Mas os nórdicos são gananciosos! — continuei. — Sabem que em Æthelflaed têm uma garota de grande valor e estão rosnando uns para os outros como cães famintos! Bem, um deles está pronto para trair os outros! Ao amanhecer de hoje, vamos tirar Æthelflaed do acampamento! Ele vai entregá-la a nós e aceitará um resgate muito menor! Ele prefere manter esse resgate menor para si mesmo do que receber uma parte do maior! Ele ficará rico! Mas não será rico o bastante para comprar um exército!

Essa era a história que eu havia decidido contar. Não poderia retornar a Lundene e dizer que tinha ajudado Æthelflaed a fugir com o amante, portanto, em vez disso, fingiria que Erik havia se oferecido para trair o irmão e que eu havia ido ajudar nessa traição, e que depois Erik havia me traído violando o acordo que tínhamos feito. Em vez de me dar Æthelflaed, eu afirmaria que ele simplesmente havia ido embora com ela. Alfredo ficaria furioso comigo, mas não poderia me acusar de trair Wessex. Eu até havia trazido um grande baú de madeira a bordo. Estava cheio de areia e trancado com dois grandes fechos presos com pinos de ferro martelados em círculos, de modo que a tampa não poderia ser aberta. Todos os homens tinham visto o baú ser trazido a bordo do *Águia do Mar* e enfiado sob a plataforma do leme, e sem dúvida achariam que aquela grande caixa levaria o preço cobrado por Erik.

— Antes do amanhecer — continuei —, a senhora Æthelflaed será levada a um navio! Quando o sol tocar a borda do céu, o navio ira trazê-la para fora! Mas no caminho há um navio fazendo bloqueio, um navio acorrentado para ficar de margem a margem, atravessando a foz do riacho. Nosso trabalho é tirar esse navio do caminho! Só isso! Só temos de mover esse navio e a senhora Æthelflaed estará livre, e vamos levá-la de volta a Lundene e seremos celebrados como heróis! O rei vai agradecer!

Eles gostaram disso. Gostaram da ideia de que seriam recompensados pelo rei, e senti uma pontada porque sabia que só iríamos provocar a raiva de Alfredo, mas também iríamos lhe poupar a necessidade de conseguir o preço do resgate.

— Não contei isso antes a vocês — continuei — nem contei a Alfredo porque, se tivesse contado, um de vocês ou um dos homens do rei ficaria bêbado e abriria o bico numa taverna, e os espiões de Sigefrid teriam contado a Sigefrid, e quando chegássemos a Beamfleot iríamos encontrar um exército nos esperando! Em vez disso, eles estão dormindo! E vamos resgatar Æthelflaed!

Eles comemoraram. Só Ralla ficou em silêncio e, quando o clamor terminou, fez uma pergunta em voz baixa:

— E como vamos mover aquele navio? É maior do que nós, as laterais foram levantadas, leva uma tripulação de guerreiros e eles não estarão dormindo.

— Nós não faremos isso — respondi. — Eu farei isso. Clapa? Rypere? Vocês dois vão me ajudar. Nós três vamos mover o navio.

E Æthelflaed estaria livre, e o amor venceria, e o vento sempre sopraria quente, e haveria comida durante todo o inverno, e nenhum de nós jamais ficaria velho, e a prata cresceria nas árvores, e o ouro apareceria como orvalho na grama, e as estrelas luminosas dos amantes brilhariam para sempre.

Era tudo tão simples!

Enquanto remávamos para o leste.

Antes de partirmos de Lundene tínhamos baixado o mastro do *Águia do Mar*, que agora estava sobre cavaletes ao longo da linha central do navio. Eu não havia posto as cabeças de fera na proa ou na popa porque queria que o navio ficasse baixo na água. Queria que fosse uma forma negra contra o negrume e sem cabeça de águia erguida ou sem um mastro alto para aparecer acima do horizonte. Íamos furtivamente antes do amanhecer. Éramos os Caminhantes das Sombras do mar.

Toquei o punho de Bafo de Serpente e não senti comichão, nem canto nem fome de sangue, e me reconfortei com isso. Achava que iríamos abrir o riacho e olhar Æthelflaed viajar para a liberdade, e que Bafo de Serpente dormiria em silêncio em sua bainha forrada de pele.

Então, finalmente, vi o clarão alto no céu, o clarão opaco e vermelho que marcava o lugar onde ardiam fogueiras no acampamento de Sigefrid no topo do morro. O clarão ficou mais forte à medida que remávamos pela água parada da maré alta. E para além dela, nos morros que caíam lentamente a leste, havia mais reflexos de fogo nas nuvens. Aqueles clarões vermelhos marcavam os locais dos novos acampamentos que se estendiam da alta Beamfleot até a baixa Sceobyrig.

— Mesmo sem o resgate — observou Ralla — eles podem sentir-se tentados a atacar.

— Podem — concordei, mas duvidava de que Sigefrid tivesse homens suficientes para sentir-se seguro do sucesso. Wessex, com seus *burhs* recém-construídos, era um lugar difícil de atacar, e eu achava que Sigefrid iria querer pelo menos três mil homens a mais antes de jogar os dados da guerra, e para conseguir esses homens precisava do resgate. — Você sabe o que fazer? — perguntei a Ralla.

— Sei — disse ele com paciência, também sabendo que minha pergunta fora provocada mais pelo nervosismo do que pela necessidade. — Vou para a parte de Caninga voltada para o mar, e pego vocês na parte leste.

— E se o canal não estiver aberto?

Senti que ele ria na escuridão.

— Então pego vocês e o senhor toma essa decisão.

Porque se eu não conseguisse mover o navio que bloqueava o canal, Æthelflaed ficaria presa no riacho e eu teria de decidir se colocaria o *Águia do Mar* numa luta contra um navio com laterais mais altas e uma tripulação furiosa. Não era uma luta que eu queria, e duvidava de que pudéssemos vencer, o que significava que teria de abrir o canal antes que essa luta se tornasse necessária.

— Devagar! — gritou Ralla aos remadores. Ele havia virado o navio para o norte e agora remávamos lentos e cautelosos em direção à costa negra de Caninga. — O senhor vai se molhar — disse ele.

— Quanto tempo falta para o amanhecer?

— Cinco horas? Seis?

— O bastante — disse eu, e nesse momento a proa do *Águia do Mar* tocou a lama e o casco longo estremeceu.

— Remos para trás! — gritou Ralla, e as fileiras de remos agitaram a água rasa para afastar a proa da costa traiçoeira. — Vão depressa — disse ele. — A maré cai rápida aqui. Não quero ficar encalhado.

Levei Clapa e Rypere até a proa. Eu havia debatido se usaria malha, esperando não ter de lutar no amanhecer de verão que se aproximava, mas no fim a cautela prevaleceu e usei uma cota de malha, duas espadas, mas não tinha elmo. Temia que meu elmo, com seu brilhante símbolo do lobo, refletisse a luz parca da noite, por isso usei um escuro forro de elmo, de couro. Também usei a capa preta que Gisela havia tecido para mim, aquela capa escura com seu raio selvagem correndo pelas costas, do pescoço à bainha. Rypere e Clapa também usavam capas pretas que cobriam a malha e cada um deles tinha espadas, enquanto Clapa levava um enorme machado de guerra com lâmina curva, preso às costas.

— Você deveria me deixar ir — disse Finan.

— Você está no comando — respondi. — E, se tivermos encrenca, vocês podem ter de nos abandonar. Essa decisão será sua.

— Remos atrás! — gritou Ralla de novo, e o *Águia do Mar* recuou mais alguns metros da ameaça de encalhar na maré vazante.

— Não vamos abandoná-los — disse Finan, e estendeu a mão. Apertei-a, depois o deixei me baixar pela lateral do navio, onde chapinhei numa gosma de lama e água.

— Vejo vocês ao amanhecer — gritei para a forma escura de Finan, depois fui com Clapa e Rypere através da larga planície de lama. Ouvia os estalos e o chapinhar dos remos do *Águia do Mar* enquanto Ralla o levava para longe da costa, mas, quando me virei, ele já havia desaparecido.

Havíamos desembarcado na ponta leste de Caninga, a ilha que ficava perto do riacho de Beamfleot, mas muito longe de onde os navios de Sigefrid estavam atracados ou encalhados. Estávamos tão longe que as sentinelas nas altas muralhas da fortaleza não veriam nosso navio escuro e sem mastro chegar à terra escura, ou pelo menos eu rezava por isso, e agora tínhamos uma longa caminhada. Atravessamos o amplo trecho de lama brilhante e ondulada com a luz da lua, e em alguns lugares não podíamos andar, apenas lutar. Vadeávamos e tropeçávamos, lutávamos contra a lama que sugava, xingávamos e chapinhávamos. Aquele litoral não era terra nem água, e sim um atoleiro pegajoso, e assim continuei em frente até que, por fim, havia mais terra do que água e os guinchos de pássaros acordados nos rodeavam. O ar da noite estava cheio com as batidas de suas asas e com seus protestos agudos. Esse barulho, pensei, certamente alertaria o inimigo, mas eu só podia continuar terra adentro, rezando por um terreno mais elevado, e por fim o caminho ficou mais fácil, ainda que a terra continuasse cheirando a sal. Nas marés mais altas, Ralla havia me contado, Caninga podia desaparecer completamente sob as ondas, e pensei nos dinamarqueses que eu havia afogado nos pântanos do oeste quando os atraí para uma maré montante. Isso havia sido antes de Ethandun, quando Wessex parecia condenada, mas Wessex ainda vivia e os dinamarqueses haviam morrido.

Encontramos um caminho. Ovelhas dormiam entre as moitas e aquela era uma trilha de ovelhas, mas era um caminho rústico e traiçoeiro, constantemente interrompido por valas pelas quais gorgolejavam os fios da maré vazante. Imaginei se haveria algum pastor ali perto. Talvez aquelas ovelhas, estando numa ilha, não precisassem ser guardadas contra os lobos, o que significaria que nenhum pastor e, melhor, nenhum cão acordaria para latir. Mas se havia cachorros, eles dormiam enquanto seguíamos para o leste. Procurei o *Águia do Mar*, mas apesar do luar brilhando amplo no estuário, não pude vê-lo.

Depois de um tempo descansamos, primeiro acordando três ovelhas com chutes para podermos ocupar seus lugares de terra quente e seca. Clapa logo estava dormindo e roncando, enquanto eu olhava para o Temes tentando ver outra vez o *Águia do Mar*, mas ele era uma sombra entre sombras. Estava pensando em Ragnar, meu amigo, e em como ele reagiria quando Erik e a filha de Alfredo aparecessem em Dunholm. Acharia divertido, eu sabia, mas quanto tempo essa diversão duraria? Alfredo iria mandar enviados a Guthred, rei da Nortúmbria, exigindo o retorno da filha, e cada nórdico com uma espada estaria olhando faminto para o penhasco de Dunholm. Loucura, pensei, enquanto o vento farfalhava no rígido capim do pântano.

— O que está acontecendo lá, senhor? — perguntou Rypere, me assustando. Ele parecera alarmado e me virei de costas para a água e vi um incêndio gigantesco brotando do topo de Beamfleot. Chamas saltavam para o céu escuro, delineando as muralhas da fortaleza, e acima daquelas chamas torturadas, fagulhas luminosas redemoinhavam na grande coluna de fumaça iluminada pelo fogo, borbulhando acima do castelo de Sigefrid.

Xinguei, chutei Clapa para acordá-lo e me levantei.

O castelo de Sigefrid estava pegando fogo, e isso significava que todo o acampamento havia acordado, mas eu não sabia se o incêndio era um acidente ou deliberado. Talvez aquela fosse a distração que Erik havia planejado para tirar Æthelflaed de seu alojamento, mas de algum modo eu não achava que Erik se arriscaria a matar o irmão queimado.

— O que quer que tenha causado aquele incêndio — falei carrancudo — é má notícia.

O fogo havia pegado recentemente, mas a palha devia estar seca, porque as chamas se espalhavam com rapidez extraordinária. O incêndio aumentou, iluminando o topo da colina e lançando sombras assustadoras na terra baixa e pantanosa de Caninga.

— Eles vão nos ver, senhor — disse Clapa nervoso.

— Teremos de correr esse risco — respondi, e esperava que os homens no navio que bloqueava o canal estivessem olhando o incêndio, em vez de procurando inimigos em Caninga.

Eu planejava chegar à margem sul do riacho, onde a grande corrente que mantinha o navio contra a correnteza estava enrolada no poste enorme. Bastaria cortar ou soltar aquela corrente e o navio devia deslizar com a maré vazante, e assim se abrir como um grande portão enquanto a corrente de proa o mantinha preso ao poste na margem norte.

— Vamos — disse eu, e seguimos a trilha de ovelhas, com a jornada agora facilitada pela luz do grande incêndio. Eu ficava olhando para o leste, onde o céu estava empalidecendo. O amanhecer se aproximava, mas o sol demoraria muito a aparecer. Pensei ter visto o *Águia do Mar* uma vez, sua forma baixa nítida contra o tremeluzir de cinza e preto, mas não podia ter certeza.

À medida que chegávamos mais perto do navio de guarda atracado, saímos da trilha de ovelhas para abrir caminho entre juncos que cresciam suficientemente altos para nos esconder. Pássaros gritavam de novo. Parávamos a intervalos de alguns passos e eu olhava por cima dos juncos e via a tripulação do navio bloqueador olhando para o alto do morro em chamas. Agora o incêndio era vasto, um inferno no céu, manchando de vermelho as nuvens altas. Chegamos à borda dos juncos e nos agachamos ali, a cem passos do poste enorme que prendia a popa do navio.

— Talvez não precisemos de seu machado — falei a Clapa. Tínhamos trazido o machado para tentar cortar os grossos elos de ferro.

— O senhor vai morder a corrente? — perguntou Rypere, achando divertido.

Dei-lhe um cascudo amigável na cabeça.

— Se você subir nos ombros de Clapa, deve ser capaz de levantar aquela corrente para fora do poste. Vai ser mais rápido.

— Deveríamos fazer isso antes de clarear — disse Clapa.

— Não devemos dar tempo para eles amarrarem o navio de novo — disse eu, e imaginei se deveria ter trazido mais homens. E então soube que deveria.

Porque não estávamos sozinhos em Caninga.

Vi os outros homens e pus a mão no ombro de Clapa para silenciá-lo. E tudo o que parecera fácil ficou difícil.

Vi homens correndo pela margem sul do riacho. Eram seis homens armados com espadas e machados, seis homens que corriam para o poste que era nosso objetivo. E então entendi o que aconteceu, ou esperava ter entendido, mas foi um momento em que todo o futuro pendeu na balança. Eu tinha um instante para tomar uma decisão, pensei nas três Norns sentadas nas raízes da Yggdrasil e soube que, se fizesse a escolha errada, a que elas já sabiam que eu iria fazer, eu poderia arruinar tudo o que queria naquela manhã.

Talvez, pensei, Erik tivesse decidido abrir ele mesmo o canal.

Talvez acreditasse que eu não viria. Ou talvez tivesse percebido que poderia abrir o canal sem atacar os homens de seu irmão. Talvez os seis homens fossem guerreiros de Erik.

Ou talvez não fossem.

— Matem-nos — falei, praticamente sem perceber que falava, sem perceber a decisão que havia tomado.

— Senhor? — perguntou Clapa.

— Agora! — Eu já estava em movimento. — Depressa, vamos!

A tripulação do navio de guarda estava atirando lanças contra os seis homens, mas nenhuma acertou, enquanto nós três corríamos em direção ao poste. Rypere, ágil e rápido, correu à minha frente e eu o puxei de volta com a mão esquerda antes de desembainhar Bafo de Serpente.

E assim a morte chegou à luz cinza de antes do amanhecer. A morte na margem lamacenta. Os seis homens chegaram ao poste antes de nós e um deles, alto, brandiu um machado de guerra contra a corrente enrolada, mas uma lança atirada do navio bateu em sua coxa e ele cambaleou para trás, xingando, enquanto os cinco companheiros se viravam atônitos para nos encarar. Nós os tínhamos surpreendido.

Gritei um desafio imenso, um desafio incoerente, e saltei para os cinco homens. Era um ataque louco. Uma espada poderia ter rasgado minha barriga e me deixado retorcendo-me em sangue, mas os deuses estavam comigo. Bafo de Serpente acertou o centro de um escudo na vertical e o homem recuou, derrubado, e eu fui atrás, confiando em que Rypere e Clapa manteriam ocupados os quatro colegas dele. Clapa estava girando seu machado enorme, enquanto Rypere fazia a dança da espada que Finan havia lhe ensinado. Mandei Bafo de Serpente contra o homem caído e a lâmina se chocou contra o elmo fazendo-o tombar de novo, então girei para dar uma estocada contra o homem alto que estivera tentando cortar a corrente.

Ele se virou, girando o machado, e havia luz suficiente no céu para deixar que eu visse o cabelo ruivo luminoso sob a borda do elmo e a barba ruiva luminosa se projetando por baixo das placas faciais. Era Eliaf, o Vermelho, jurado a Haesten, e então eu soube o que devia ter acontecido naquela manhã traiçoeira.

Haesten havia provocado o incêndio.

E Haesten devia ter tomado Æthelflaed.

E agora queria que o canal fosse aberto para que seus navios pudessem escapar.

Agora, portanto, precisávamos manter o canal fechado. Tínhamos vindo para abri-lo, e agora lutaríamos do lado de Sigefrid para mantê-lo fechado, por isso mandei a espada contra Eliaf, que, de algum modo, se desviou da lâmina e seu machado me acertou na cintura, mas não havia força no golpe e mal senti o impacto através da capa e da malha. Uma lança passou sibilando por mim, atirada do navio, depois outra acertou no poste fazendo barulho e ficou ali, tremendo. Eu havia cambaleado passando por Eliaf, com a pisada insegura no terreno pantanoso.

Ele era rápido e eu não tinha escudo. O machado girou e eu me abaixei enquanto me virava de novo para ele, depois golpeei Bafo de Serpente com as mãos contra sua barriga, mas o escudo recebeu a estocada. Ouvi algo chapinhando atrás de mim e achei que a tripulação do navio de guarda vinha nos ajudar. Um homem gritou onde Clapa e Rypere lutavam, mas eu não tinha tempo de descobrir o que estava acontecendo ali. Golpeei de novo, e uma espada é uma arma mais rápida do que um machado. Eliaf, o Vermelho, ainda estava recuando o braço direito e teve de mover o escudo para desviar minha lâmina. Virei-a para cima rapidamente, passei-a raspando pela borda de ferro do escudo e bati com a ponta no crânio dele, por baixo da borda do elmo.

Senti osso quebrando. O machado estava vindo, mas lentamente, e peguei o cabo com a mão esquerda e puxei-o enquanto Eliaf cambaleava, os olhos vítreos em consequência do ferimento que eu havia causado. Chutei sua perna ferida pela lança, liberei Bafo de Serpente com um puxão, depois golpeei-a para baixo. Ela furou a cota de malha, fazendo-o se sacudir como uma enguia numa lança, então ele bateu na lama e tentou soltar seu machado de minha mão. Estava rosnando para mim, sua testa uma massa de sangue. Xinguei-o, chutei sua mão para longe do cabo do machado, acertei Bafo de Serpente em seu pescoço e o olhei se sacudir. Homens da tripulação do navio-guarda passaram correndo por mim para matar os homens de Eliaf, e eu arranquei o elmo de sua cabeça ensanguentada. Ele pingava sangue e gosma, mas enfiei-o sobre meu gorro de couro e esperei que as placas faciais escondessem meu rosto.

Os homens que tinham vindo do navio podiam muito bem ter me visto no festim de Sigefrid, e se me reconhecessem iriam voltar as espadas contra mim. Eram dez ou 11 tripulantes e haviam matado os cinco companheiros de Eliaf, o Vermelho, mas não antes de Clapa ter recebido seu último ferimento. Pobre Clapa, tão lento ao pensar, tão gentil nos modos, tão forte na guerra, e agora estava deitado, de boca aberta, com sangue escorrendo pela barba. Vi um tremor em seu corpo, saltei para ele e encontrei uma espada caída, que pus em sua mão direita e fechei os dedos ao redor do punho. Seu peito fora aberto por um golpe de machado de modo que as costelas, os pulmões e a cota de malha estavam emaranhados numa confusão sangrenta e borbulhante.

— Quem é você? — gritou um homem.

— Ragnar Olafson — inventei um nome.

— Por que está aqui?

— Nosso navio encalhou no litoral, vínhamos procurar ajuda.

Rypere estava chorando. Segurava a mão esquerda de Clapa, repetindo sem parar o nome do amigo.

Fazemos amigos na batalha. Provocamos uns aos outros, zombamos uns dos outros e insultamos uns aos outros, no entanto amamos uns aos outros. Na batalha ficamos mais próximos do que irmãos, e Clapa e Rypere eram amigos que haviam conhecido essa proximidade, e agora Clapa, que era dinamarquês, estava morrendo, e Rypere, que era saxão, estava chorando. Mas suas lágrimas não eram de fraqueza, e sim de fúria, e enquanto eu apertava a mão agonizante de Clapa no punho da espada, vi Rypere se virar e levantar sua espada.

— Senhor — disse ele, e eu girei para ver mais homens ainda vindo pela margem.

Haesten havia mandado uma tripulação inteira para abrir o canal. Seu navio ficara encalhado a cinquenta passos dali, e mais além dava para ver uma massa de outros navios esperando para remar em direção ao oceano quando o canal fosse liberado. Haesten e todos os seus homens estavam fugindo de Beamfleot, e levavam Æthelflaed, e para além do riacho, no morro íngreme sob o castelo em chamas, pude ver os homens de Sigefrid e Erik correndo desabaladamente pela encosta íngreme para atacar o traiçoeiro Haesten.

Cujos homens agora vinham para nós em quantidade avassaladora.

— Parede de escudos! — rugiu uma voz. Não tenho ideia de quem gritou e só lembro que pensei que deveríamos morrer naquela margem lamacenta. Dei um tapinha na bochecha sangrenta de Clapa, vi seu machado caído na lama e senti a mesma fúria de Rypere. Embainhei Bafo de Serpente e peguei o gigantesco machado de guerra com lâmina larga.

A tripulação de Haesten veio gritando, impulsionada por uma urgência de escapar do riacho antes que os homens de Sigefrid viessem trucidá-los. Haesten estava se esforçando ao máximo para retardar essa perseguição, queimando os navios de Sigefrid encalhados do outro lado do riacho. Eu tinha apenas uma leve percepção daqueles novos incêndios, chamas ondulando rápidas pelo cordame alcatroado, fumaça soprando sobre a maré que subia, mas não tinha tempo para olhar, só para me preparar enquanto os homens se aproximavam gritando.

E então eles correram os últimos passos e deveríamos ter morrido ali, mas quem quer que tivesse gritado para formarmos uma parede de escudos havia escolhido bem o lugar, porque uma das muitas valas de Caninga serpenteava à nossa frente. Não era uma vala grande, apenas uma canaleta enlameada, mas nossos atacantes tropeçaram nas laterais lamacentas e nós avançamos, foi nossa vez de gritar, e a raiva dentro de mim se tornou a fúria rubra da batalha. Girei o machado contra um homem que estava se recuperando do tropeção e meu brado de guerra cresceu até um grito de triunfo quando minha lâmina atravessou um elmo, cravou-se num crânio e partiu um cérebro ao meio. Sangue espirrou negro no ar enquanto eu ainda gritava, soltava o machado e girava-o de novo. Não sabia de nada além da loucura, da raiva e do desespero. Júbilo da batalha. Loucura do sangue. Guerreiros na matança, e toda a nossa parede de escudos havia se movido para a beira da vala onde o inimigo afundava e tivemos um momento de chacina furiosa, lâminas ao luar, sangue preto como piche, e gritos de homens loucos como os gritos das aves selvagens na escuridão.

Éramos, no entanto, em menor número e fomos flanqueados. Deveríamos ter morrido ali, perto do poste que prendia a corrente do navio de guarda, porém mais homens saltaram daquele navio atracado e vieram correndo pelos baixios para golpear o flanco esquerdo de nossos atacantes. Mas os homens de Haesten ainda eram em maior número, e os homens nas fileiras de trás passavam pelos companheiros agonizantes para nos atacar. Éramos forçados lentamente para trás, tanto por seu peso quanto por suas armas. Eu não tinha escudo. Estava girando o machado com ambas as mãos, rosnando, mantendo os homens a distância com a lâmina pesada, mas um lanceiro, fora do alcance da lâmina do machado, tentava repetidamente me acertar. Rypere, ao meu lado, havia encontrado um escudo caído e fazia o máximo para me cobrir, mas o lanceiro conseguiu se desviar do escudo e golpeou baixo, cortando meu tornozelo esquerdo. Atirei o machado e a lâmina se chocou contra seu rosto enquanto eu tirava Bafo de Serpente da bainha e deixava que ela gritasse seu canto de guerra. Meu ferimento era trivial, os ferimentos dados por Bafo de Serpente não eram. Um homem enlouquecido, com a boca escancarada para revelar gengivas sem dentes, balançou um machado para mim e Bafo de Serpente tirou sua alma com facilidade elegante, tão elegante que eu ri em triunfo enquanto arrancava a lâmina da parte superior de sua barriga.

— Estamos segurando-os! — berrei, e ninguém notou que eu havia gritado em inglês, mas ainda que nossa pequena parede de escudos estivesse de fato se mantendo firme logo à frente do grande poste, nossos atacantes haviam flanqueado a esquerda de nossa linha e os homens ali, atacados por dois lados, partiram a fileira e correram. Cambaleamos para trás, para acompanhá-los. Lâminas se chocavam contra nossos escudos, machados lascavam tábuas, espadas retiniam em espadas, e recuávamos, incapazes de manter o terreno contra tantos, e éramos empurrados para trás, para além do grande poste de atracação, e agora havia luz suficiente no céu para que eu visse o limo verde grudado à base do poste, onde a corrente enorme estava presa, enferrujada.

Os homens de Haesten soltaram um grande uivo de vitória. Suas bocas estavam distendidas, os olhos brilhantes com a luz refletida do leste, e sabiam que tinham vencido, e nós simplesmente corremos para longe. Não há outro modo de descrever aquele momento logo antes do alvorecer completo. Sessenta ou setenta homens tentavam nos matar, já haviam matado alguns tripulantes do navio de guarda atracado, e o restante de nós correu de volta para a beira da água, onde a lama era grossa e eu pensei de novo que deveria morrer ali, onde o mar corria em marolas deslizantes sobre a planície escorregadia, mas nossos atacantes, contentes por terem nos expulsado, se viraram de novo para o poste e a corrente. Alguns nos vigiavam, desafiando-nos a voltar para o terreno mais firme e enfrentá-los, enquanto os outros golpeavam a corrente com machados. Para além deles, escuros contra a parte mais escura do céu, onde as últimas estrelas se desbotavam, pude ver os navios de Haesten esperando para sair ao mar.

Os machados ressoavam e cortavam, e então soaram gritos de comemoração e vi a pesada corrente deslizar como uma cobra pela lama. A maré havia mudado e a nova montante corria forte. O navio bloqueador estava sendo girado para o oeste, levado para dentro do rio por aquele jorro de água, e eu não podia fazer nada além de olhar enquanto a fuga de Haesten se tornava possível.

Nossos atacantes iam correndo de volta para seu próprio navio. A corrente havia desaparecido na água baixa enquanto o navio bloqueador a arrastava lentamente. Lembro-me de ter cambaleado pela lama, uma das mãos no ombro de Rypere e o pé esquerdo jorrando sangue na bota. Levantei Bafo de Serpente e soube que era impotente para impedir que Æthelflaed fosse levada para um cativeiro pior.

Agora o resgate seria duplicado, pensei, e Haesten se tornaria um senhor de guerreiros, um homem com riqueza além até mesmo de sua ganância incomum. Ele juntaria um exército. Viria destruir Wessex. Seria rei, e tudo porque aquela corrente fora cortada e o Hothlege finalmente estava sendo desbloqueado.

Então vi Haesten. Estava de pé na proa de seu navio, que eu sabia que se chamava *Viajante-Dragão*, e era o primeiro navio esperando que a foz do riacho se abrisse totalmente. Haesten usava capa e armadura, orgulhoso sob a cabeça de águia que coroava a proa do navio, e seu elmo brilhava com o novo amanhecer, sua espada desembainhada reluzia e ele estava sorrindo. Havia ganhado. Æthelflaed, eu tinha certeza, estava naquele navio, e atrás dele vinham mais vinte navios; sua frota, seus homens.

Os homens de Sigefrid e Erik haviam chegado ao riacho e lançado alguns barcos poupados do fogo. Tinham começado a lutar contra os navios da retaguarda de Haesten, e na claridade dos navios incendiados vi o brilho de armas e soube que mais homens estavam morrendo, mas tudo era tarde demais. O riacho estava se abrindo.

O navio bloqueador, agora sustentado apenas pela corrente de proa, girava cada vez mais rápido. Dentro de alguns instantes, eu sabia, o canal estreito estaria escancarado. Vi os remos de Haesten baixando para manter o *Viajante-Dragão* firme contra a maré montante e soube que a qualquer momento os remos puxariam com força e eu veria a embarcação esguia passar pelo navio de guarda encalhado. Ele remaria para o leste, para um novo acampamento, para um futuro que lhe traria um reino que já fora chamado de Wessex.

Nenhum de nós falou. Eu não conhecia os homens ao lado de quem havia lutado, e eles não me conheciam, e simplesmente ficamos ali, estranhos desconsolados, olhando o canal se alargar e o céu clarear. O sol havia quase tocado a borda do mundo e o leste estava chamejando em luz vermelha, dourada e prateada. E essa luz do sol se refletiu nas pás molhadas dos remos de Haesten enquanto seus homens os traziam à frente. Por um momento, o sol golpeou meus olhos afastando todos esses reflexos, então Haesten gritou uma ordem e as pás desapareceram na água, e seu navio longo avançou.

E foi então que percebi o pânico na voz de Haesten.

— Remem! — gritava ele. — Puxem!

Não entendi seu pânico. Nenhum dos navios de Sigefrid, lançados às pressas, estava perto dele, e o mar aberto se encontrava à frente, no entanto sua voz parecia desesperada.

— Remem! — gritava ele. — Remem! — E o *Viajante-Dragão* deslizou ainda mais rápido em direção ao leste dourado. Sua cabeça de dragão, com o focinho erguido e os dentes à mostra, desafiava o sol nascente.

E então vi por que Haesten estava em pânico.

O *Águia do Mar* vinha chegando.

Finan havia tomado a decisão. Mais tarde me explicou, mas mesmo dias depois ele achava difícil justificar a escolha que havia feito. Seria instinto, tanto quanto qualquer outra coisa. Ele sabia que eu desejava o canal aberto, mas ao trazer o *Águia do Mar* para o Hothlege ele fecharia a passagem de novo, no entanto mesmo assim decidiu vir.

— Eu vi sua capa — explicou ele.

— Minha capa?

— O raio, senhor. E o senhor estava defendendo o poste da corrente, e não atacando.

— E se eu tivesse sido morto? — sugeri. — E se um inimigo tivesse tomado minha capa?

— E reconheci Rypere, também. A gente não pode deixar de reconhecer aquele sujeitinho feio, não é? — E assim Finan havia dito para Ralla trazer o *Águia do Mar* para o canal. Eles haviam espreitado na extremidade leste da ilha das Duas Árvores, o trecho de pântano e lama que formava a margem norte da entrada do canal, e Ralla cavalgou a maré montante entrando no Hothlege. Logo antes de entrarem no canal ele ordenou que os remos fossem puxados para dentro do barco, depois guiou o *Águia do Mar* até abalroar uma das fileiras de remos do *Viajante-Dragão*.

Fiquei olhando. O *Águia do Mar* estava no centro do canal enquanto o navio de Haesten se encontrava mais perto de mim, por isso não vi os remos longos se despedaçando. Ouvi o som à medida que um depois do outro se quebrava, e ouvi os gritos dos homens de Haesten enquanto os cabos dos remos eram impelidos para trás esmagando seus peitos, e esse é um ferimento horrível. Os gritos ainda soavam quando o *Viajante-Dragão* parou subitamente com um tremor. Ralla havia se apoiado no remo-leme para empurrar o navio de Haesten contra a margem lamacenta de Caninga, e então o *Águia do Mar* também parou abruptamente, preso entre o navio bloqueador, encalhado, e o recém-encalhado *Viajante-Dragão*. O canal estava fechado de novo, agora tampado por três navios.

E o sol se ergueu totalmente sobre o mar, brilhante como ouro, inundando a terra com uma luz nova e ofuscante.

E o riacho de Beamfleot se tornou um local de matança.

Haesten ordenou que seus homens abordassem o *Águia do Mar* e matassem a tripulação. Duvido de que ele soubesse de quem era aquele navio, só sabia que o havia atrapalhado. Seus homens gritaram enquanto saltavam a bordo e encontraram Finan liderando minhas tropas domésticas para recebê-los, e as duas paredes de escudos se encontraram nos bancos dos remadores de proa. Machado e lança, espada e escudo. Por um momento só pude olhar. Ouvi o estalo dos escudos se chocando, vi aquela luz nova se refletir nas espadas erguidas e vi mais homens de Haesten se apinhando para subir à proa do *Águia do Mar*.

A luta encheu a entrada do riacho. Atrás daqueles três navios a maré montante impelia o restante da frota de Haesten de volta na direção dos barcos incendiados na margem, mas nem todos os barcos de Sigefrid estavam queimando, e mais e mais eram ocupados e remados em direção à retaguarda de Haesten. A luta havia começado lá, também. Acima de mim, no morro verde de Beamfleot, o castelo ainda queimava, e na margem do Hothlege os navios também queimavam, e assim a nova luz cor de ouro era velada por mortalhas de fumaça sob a qual homens morriam enquanto fiapos de cinza preta, adejando como mariposas, desciam do céu.

Os homens de Haesten em terra, os que haviam nos impelido para a lama e liberado a corrente do navio de guarda, foram chapinhando pela água rasa para subir no *Viajante-Dragão*, juntar-e à luta a bordo do *Águia do Mar*.

— Sigam-nos! — gritei.

Não havia motivo para os homens de Sigefrid me obedecerem. Não sabiam quem eu era, só que havia lutado ao lado deles, mas entenderam o que eu queria e estavam infundidos de uma fúria de guerreiros. Haesten havia traído o acordo com Sigefrid, e aqueles eram homens de Sigefrid, assim os homens de Haesten deviam morrer.

Aqueles homens, os que haviam nos levado a uma fuga vergonhosa, tinham nos esquecido. Estavam agora a bordo do *Viajante-Dragão* e tentavam ir para o *Águia do Mar*, decididos a matar a tripulação que havia frustrado a fuga de Haesten, e não tivemos oposição enquanto subíamos a bordo do navio. Os homens que eu liderava eram meus inimigos, mas não sabiam disso e me seguiram de boa vontade, ansiosos para salvar seu senhor. Atacamos os homens de Haesten por trás e, por um instante, éramos os senhores da matança. Nossas espadas acertavam a espinha dos homens, eles morriam sem saber que estavam sendo atacados, e então os sobreviventes se viraram e éramos apenas um punhado de homens enfrentando uma centena.

Havia muito mais homens a bordo do navio de Haesten, e não existia espaço suficiente na proa do *Águia do Mar* para todos se juntarem à luta. Mas agora os homens no *Viajante-Dragão* tinham seus próprios inimigos: nós.

Mas os navios são estreitos. Nossa parede de escudos, que fora facilmente flanqueada em terra, aqui se estendia de um lado ao outro do *Viajante-Dragão*, e os bancos dos remadores formavam obstáculos que impediam o ataque. Eles tinham de vir lentamente para não se arriscarem a tropeçar nos bancos da altura dos joelhos, mas mesmo assim vinham ansiosos. Tinham Æthelflaed, e cada homem lutava por um sonho de riqueza, e tudo de que precisavam para ficar ricos era nos matar. Eu havia pegado um escudo com um dos homens que tinha derrubado em nosso primeiro ataque súbito, e agora estava de pé, com Rypere à direita e um estranho à esquerda, e deixei que eles viessem.

Usei Bafo de Serpente. Minha espada curta, Ferrão de Vespa, geralmente era melhor numa parede de escudos, mas aqui o inimigo não podia se grudar em nós porque estávamos atrás de um banco de remador. Na linha central do navio, onde eu estava, não havia banco, mas um suporte de mastro servia como obstáculo, e eu precisava ficar olhando à esquerda e à direita, para além do suporte alto, para ver onde o pior perigo ameaçava. Um homem de barba revolta subiu no banco à frente de Rypere, pretendendo acertar um machado na cabeça dele, mas o sujeito segurou o escudo alto demais e Bafo de Serpente rasgou sua barriga por baixo e eu virei-a, puxei-a de lado e o machado dele caiu atrás de Rypere enquanto o nórdico gritava e se retorcia em minha espada. Alguma coisa, machado ou espada, estava batendo em meu escudo, então o homem com a barriga rasgada caiu de lado sobre aquela arma, e o sangue correu pela lâmina de Bafo de Serpente esquentando minha mão.

Uma lança golpeou a meu lado, mas a estocada foi repelida por meu escudo. A lâmina da lança desapareceu, puxada para trás, e eu sobrepus meu escudo ao de Rypere logo antes de a lança golpear de novo. Deixe-a, lembro-me de ter pensado. Para passar por nós eles teriam de atravessar o banco que obstruía e lutar cara a cara, e eu olhei por cima da borda do escudo para ver os rostos barbudos. Estavam gritando, não faço ideia de que insultos lançavam contra nós, só soube que viriam de novo, e vieram, e mandei o escudo contra um homem no banco à esquerda e golpeei sua perna com Bafo de Serpente, um golpe ridículo, mas a bossa de meu escudo acertou sua barriga e o lançou para trás, e uma lâmina acertou a parte inferior de minha barriga, mas a malha não se rompeu. Agora eles estavam apinhando o navio, os homens de trás forçando os da frente contra nossas lâminas, mas o simples peso do ataque nos impelia para trás, e eu tinha uma leve consciência de que alguns de nossos homens defendiam nossas costas de um contra-ataque dos homens de Haesten que haviam abordado o *Águia do Mar* e agora tentavam retornar ao *Viajante-Dragão*. Dois homens conseguiram passar pelo suporte de mastro e me atacaram com os escudos, o impacto me lançando de lado e para trás. Tropecei em alguma coisa e caí sentado na beira de um banco e, num pânico cego, estoquei com Bafo de Serpente pela borda de meu escudo e senti-a furando malha, couro, pele, músculo e carne. Coisas se chocaram contra meu escudo e eu fiz força para a frente, a espada ainda presa na carne do inimigo, e milagrosamente não havia inimigo para me manter embaixo. Toquei os escudos da esquerda e da direita enquanto puxava e torcia Bafo de Serpente, liberando-a. Um machado se enganchou na borda superior de meu escudo e tentou puxá-lo para baixo, mas eu baixei o escudo, fiz o machado se soltar, levantei o escudo e minha espada estava livre de novo, e pude cravá-la no homem do machado. Tudo instinto, tudo fúria, tudo ódio e berros, tudo um borrão em minha mente agora.

Quanto tempo aquela luta durou?

Pode ter sido um instante ou uma hora. Até hoje não sei. Ouço meus poetas cantando sobre lutas de eras passadas e acho que não, não era assim, e certamente aquela luta a bordo do navio de Haesten não se pareceu nem um pouco com a versão que meus poetas gorjeiam. Não foi heroica nem grandiosa, e não foi um senhor da guerra distribuindo a morte com habilidade implacável com a espada. Foi pânico. Foi medo abjeto. Foram homens se cagando de medo, homens mijando, homens sangrando, homens fazendo careta e homens gritando pateticamente como crianças sendo chicoteadas. Era um caos de espadas voando, escudos se quebrando, vislumbres meio percebidos, defesas desesperadas e estocadas cegas. Pés escorregavam no sangue e os mortos ficavam com as mãos enroladas, os feridos seguravam machucados medonhos que iriam matá-los, choravam chamando as mães e as gaivotas gritavam, e tudo isso os poetas celebram, porque esse é o trabalho deles. Fazem com que pareça maravilhoso. E o vento soprava fraco sobre a maré montante que enchia o riacho de Beamfleot com água em redemoinhos, onde o sangue recém-derramado se retorcia e desbotava, desbotava e se retorcia, até ser diluído pelo mar verde e frio.

A princípio havia duas batalhas. Minha tripulação a bordo do *Águia do Mar*, liderada por Finan e ajudada pelos restos dos guerreiros de Sigefrid que haviam tripulado o navio bloqueador, lutava numa defesa desesperada contra as tropas domésticas de Haesten. Nós os ajudamos abordando o *Viajante-Dragão* enquanto, na outra extremidade do riacho, onde os navios queimavam, os homens de Sigefrid e Erik atacavam os barcos da retaguarda da frota de Haesten.

Mas agora tudo mudou. Erik tinha visto o que acontecera na foz do rio e, em vez de abordar um barco, guiou seus homens pela margem sul, chapinhou atravessando o pequeno canal que levava à ilha das Duas Árvores e então entraram como um enxame no navio bloqueador, que estava encalhado. Dali pularam no *Águia do Mar*, acrescentando sua força à parede de escudos de Finan. E eles eram necessários, porque os navios da vanguarda de Haesten haviam finalmente remado ao resgate de seu senhor e mais homens ainda tentavam abordar o *Águia do Mar*. Era o caos. E quando os homens de Sigefrid viram o que Erik havia feito, muitos foram atrás, e o próprio Sigefrid, a bordo de um navio menor, encontrou água suficiente para remar contra a maré e estava trazendo esse navio para a luta na foz do canal, onde os três barcos estavam presos uns contra os outros, e os homens lutavam ignorando com quem lutavam. Parecia que todo mundo estava contra todo mundo. Isso, lembro-me de ter pensado, era como as batalhas que nos esperam no castelo de cadáveres de Odin, aquela eternidade de júbilo em que guerreiros lutam o dia todo e são ressuscitados para beber, comer e amar suas mulheres a noite toda.

Os homens de Erik, inundando o *Águia do Mar*, ajudaram Finan a empurrar os de Haesten para trás. Alguns pularam no riacho, que tinha apenas profundidade suficiente para afogar um homem, outros escaparam para os navios recém-chegados da frota de Haesten, enquanto uma retaguarda teimosa formava uma parede de escudos desafiadora na proa do *Águia do Mar*. Finan, ajudado por Erik, havia vencido sua batalha, e isso significava que muitos de seus homens podiam vir a bordo do *Viajante-Dragão* para reforçar nossa sofrida parede de escudos, e a luta no navio de Haesten diminuiu de intensidade enquanto seus homens viam apenas a morte. Eles recuaram, passando por cima de bancos e deixando seus mortos, e rosnaram para nós a uma distância segura. Agora esperavam nosso ataque.

E foi então, naquela pequena pausa enquanto homens dos dois lados equilibravam as probabilidades da vida e da morte, que vi Æthelflaed.

Estava agachada sob a plataforma do leme do *Viajante-Dragão*, de onde olhava o emaranhado de morte e lâminas à frente, mas não havia medo em seu rosto. Estava com os braços ao redor de duas aias e olhava, arregalada, mas sem medo aparente. Deveria estar apavorada, porque as últimas horas tinham sido apenas fogo, morte e pânico. Haesten, pelo que soubemos mais tarde, havia ordenado que ateassem fogo ao teto de palha de Sigefrid e, no caos que se seguiu, seus homens haviam atacado os guardas postos por Erik na construção onde estava Æthelflaed. Aqueles guardas haviam morrido, Æthelflaed fora arrancada de seu aposento e arrastada precipitadamente morro abaixo até o *Viajante-Dragão*, que esperava. Tinha sido bem-feito; um plano inteligente, simples e brutal, e poderia ter dado certo, só que o *Águia do Mar* estivera esperando fora da foz do riacho, e agora centenas de homens golpeavam e estocavam uns aos outros numa luta selvagem na qual ninguém sabia exatamente quem era o inimigo, e homens simplesmente lutavam porque lutar era seu júbilo.

— Matem! Matem! — Era Haesten instigando seus homens de volta à matança. Ele só precisava matar nossos homens e os de Erik, e estaria livre do riacho, mas atrás dele, vindo depressa, o navio de Sigefrid passou pelas outras embarcações de Haesten. O piloto apontou-o contra os três navios que bloqueavam o canal, e havia espaço suficiente para os remos darem três remadas fortes, de modo que o navio menor se chocou forte na luta. Abalroou a proa do *Águia do Mar*, bem onde os últimos homens de Haesten haviam feito sua parede de escudos, e vi aqueles guerreiros cambalearem de lado sob o choque do impacto, e também vi as tábuas do *Águia do Mar* serem impelidas para dentro enquanto o poste de proa de Sigefrid se chocava forte contra meu navio. Sigefrid quase foi derrubado de sua cadeira pelo impacto, mas lutou para ficar empertigado de novo, com a capa de urso, espada na mão, e gritando aos inimigos para virem e serem mortos por sua espada, Espalha-Medo.

Os homens de Sigefrid saltaram para a batalha, enquanto Erik, com cabelos desgrenhados e espada na mão, já havia atravessado a proa do *Águia do Mar* para abordar o *Viajante-Dragão*, e estava abrindo caminho loucamente na direção de Æthelflaed. A luta estava mudando. A chegada de Erik e seus homens e o impacto do navio de Sigefrid havia posto os guerreiros de Haesten na defensiva. Os que restavam a bordo do *Águia do Mar* desistiram primeiro. Vi-os lutando para entrar no *Viajante-Dragão* e pensei que os homens de Sigefrid deviam ter atacado com uma intensidade uivante para fazê-los fugir tão depressa, mas então vi que meu navio estava afundando. O de Sigefrid havia partido seu costado e o mar ia jorrando pelas tábuas quebradas.

— Matem! — gritava Erik. — Matem! — E sob sua liderança avançamos e os homens à nossa frente cederam, recuando por alguns bancos. Fomos atrás, passando pelo obstáculo para receber uma chuva de golpes nos escudos. Estoquei com Bafo de Serpente e não acertei nada além de madeira de escudo. Um machado sibilou sobre minha cabeça, o golpe só errando porque o *Viajante-Dragão* se sacudiu naquele momento e percebi que a maré montante o havia levantado da lama. Estávamos flutuando.

— Remos! — ouvi um grito enorme.

Um machado se cravou em meu escudo, lascando a madeira, e vi um homem de olhos loucos me encarando enquanto tentava recuperar sua arma. Empurrei o escudo de lado e estoquei com Bafo de Serpente contra seu peito, usando toda a força, de modo que o aço atravessou a malha e ele continuou me encarando enquanto a espada encontrava seu coração.

— Remos! — era Ralla, gritando para meus homens que não precisavam mais se defender contra os atacantes de Haesten. — Remos, seus desgraçados — gritava ele, e pensei que Ralla devia estar louco para tentar remar um navio que afundava.

Mas Ralla não estava louco. Estava pensando com sensatez. O *Águia do Mar* estava afundando, mas o *Viajante-Dragão* flutuava, e a proa do *Viajante-Dragão* apontava para o estuário aberto. Mas Ralla havia despedaçado uma de suas fileiras de remos e agora forçava alguns de meus homens a levar os remos do *Águia do Mar* para o outro navio. Estava planejando tomar o barco de Haesten.

Só que agora o *Viajante-Dragão* era um torvelinho de homens desesperados. A tripulação de Sigefrid havia passado pela proa do *Águia do Mar*, que ia afundando, para se alojar na plataforma do leme acima de Æthelflaed, e dali estavam golpeando os homens de Haesten, que eram empurrados para trás por meus companheiros e pela tripulação de Erik, lutando com fúria maníaca. Erik não tinha escudo, apenas sua espada longa, e pensei que ele poderia morrer uma dúzia de vezes enquanto se lançava contra os inimigos, mas os deuses o amavam naquele momento e Erik viveu enquanto os inimigos morriam. E mais homens de Sigefrid vinham da popa, fazendo com que Haesten e sua tripulação ficassem espremidos entre nós.

— Haesten! — gritei. — Venha morrer!

Ele me viu e pareceu atônito, mas não sei se escutou, porque queria viver para lutar de novo. O *Viajante-Dragão* estava flutuando, mas em água tão rasa que eu podia sentir a quilha batendo na lama, e atrás dele havia mais navios de Haesten. Ele pulou por cima da amurada, caindo na água da altura dos joelhos, e sua tripulação foi atrás, correndo pela margem da Caninga para a segurança de seu próximo navio. A luta, que fora tão furiosa, cessou num piscar de olhos.

— Estou com a cadela! — gritou Sigefrid. De algum modo ele havia abordado o navio de Haesten. Seus homens não o haviam carregado, porque a cadeira com as traves para ser levantada ainda estava no navio que afundara o *Águia do Mar*, mas a força enorme dos braços de Sigefrid o havia puxado por cima do barco que afundava, até entrar no *Viajante-Dragão*, e agora ele estava sobre as pernas inúteis, com uma espada numa das mãos e o cabelo solto de Æthelflaed na outra.

Seus homens riram. Tinham vencido. Haviam recuperado o prêmio. Sigefrid sorriu para o irmão.

— Estou com a cadela — repetiu.

— Entregue-a a mim — disse Erik.

— Vamos levá-la de volta — disse Sigefrid, ainda sem entender.

Æthelflaed estava olhando para Erik. Ela fora arrastada para o convés, seus cabelos dourados na mão enorme de Sigefrid.

— Entregue-a a mim — repetiu Erik.

Não vou dizer que houve silêncio. Não poderia haver porque a batalha ainda prosseguia furiosa na fileira de navios de Haesten, os incêndios rugiam e os feridos gemiam, mas pareceu haver silêncio, e os olhos de Sigefrid espiaram ao longo da fileira de homens de Erik e pousaram em mim. Eu era mais alto do que os outros, e ainda que estivesse de costas para o sol nascente, ele deve ter visto alguma coisa que reconheceu, porque levantou a espada e apontou a lâmina para mim.

— Tire o elmo — ordenou em sua voz curiosamente aguda.

— Não sou seu homem para receber suas ordens.

Eu ainda estava com alguns homens de Sigefrid, os mesmos que tinham vindo do navio bloqueador para atrapalhar a primeira tentativa de Haesten abrir o canal, e agora esses homens se viraram para mim com as armas se levantando, mas Finan também estava ali, e com ele minhas tropas domésticas.

— Não os matem — falei —, apenas joguem na água. Eles lutaram ao meu lado.

Sigefrid soltou o cabelo de Æthelflaed, empurrando-a de volta para seus homens, e impulsionou seu enorme corpo de aleijado, coberto de preto.

— Você e o saxão, hein? — disse a Erik. — Você e aquele saxão traiçoeiro? Você me trai, irmão?

— Eu pago sua parte no resgate — respondeu Erik.

— Você? Paga? Com quê? Mijo?

— Eu pagarei o resgate — insistiu Erik.

— Você não poderia pagar um bode para lamber o suor do seu saco! — berrou Sigefrid. — Levem-na para a terra! — Esta última ordem foi para seus homens.

E Erik atacou. Não precisava. De modo nenhum os homens de Sigefrid poderiam levar Æthelflaed para terra porque o *Viajante-Dragão* fora carregado pela maré montante passando pelo *Águia do Mar* semiafundado. Agora íamos em direção aos próximos barcos de Haesten e eu temia que fôssemos abordados a qualquer minuto. Ralla tinha o mesmo temor e estava arrastando alguns de meus homens para os bancos dos remadores na proa.

— Puxem! — gritou ele. — Puxem!

E Erik atacou, querendo matar os homens que agora seguravam Æthelflaed, e tinha de passar pelo irmão agachado, escuro e furioso, no convés escorregadio de sangue. Vi Sigefrid levantar a espada e o olhar de perplexidade de Erik ao perceber que seu próprio irmão levantava a espada contra ele, e ouvi o grito de Æthelflaed enquanto seu amante corria para Espalha-Medo. O rosto de Sigefrid não demonstrava nada, nem raiva nem lamento. Segurou a espada enquanto seu irmão se dobrava sobre a lâmina, e então, sem uma ordem, o restante de nós atacou. Os homens de Erik e os meus, ombro a ombro, foram recomeçar a matança e eu parei apenas pelo tempo suficiente para pegar um de meus guerreiros pelo ombro.

— Mantenham Sigefrid vivo — ordenei, e não vi quem era, depois levei Bafo de Serpente para a última chacina daquela manhã sangrenta.

Os homens de Sigefrid morreram depressa. Eram poucos, e nós éramos muitos. Eles permaneceram de pé por um momento, recebendo nosso ímpeto com uma parede de escudos travada, mas chegamos com uma fúria nascida da raiva amarga, e Bafo de Serpente cantava como uma gaivota gritando. Eu havia largado meu escudo, só querendo acertar aqueles homens. Meu primeiro golpe derrubou um escudo e cortou fora o maxilar de um homem que tentou gritar e apenas cuspiu sangue enquanto Sihtric cravava uma lâmina em sua bocarra aberta. A parede de escudos se rompeu sob nossa fúria. Os homens de Erik lutavam para vingar seu senhor, e meus homens lutavam por Æthelflaed, que estava agachada, com os braços sobre a cabeça, enquanto os homens de Sigefrid morriam ao redor. Ela estava berrando, gritando inconsolavelmente como uma mulher em um enterro, e talvez isso a tenha mantido viva porque, naquela matança na popa do *Viajante-Dragão*, os homens temiam aqueles berros medonhos. O ruído era aterrorizante, avassalador, uma tristeza capaz de encher o mundo, e continuou mesmo depois que o último homem de Sigefrid havia saltado na água para escapar de nossas espadas e nossos machados.

E só restava Sigefrid, e o *Viajante-Dragão* estava a caminho, indo contra a maré para se esgueirar para fora do canal sob o impulso de seus poucos remos.

Pus minha capa ensanguentada nos ombros de Æthelflaed. O navio estava se movendo mais rápido enquanto os homens de Ralla encontravam seu ritmo e mais homens, largando escudos e armas, pegavam os remos longos e os passavam pelos buracos nos flancos do *Viajante-Dragão*.

— Remem! — gritava Ralla enquanto vinha pelo convés escorregadio de sangue para pegar o remo-leme. — Remem!

Sigefrid permaneceu, e Sigefrid vivia. Estava no convés, a perna inútil enrolada sob ele, a mão da espada vazia, e com uma lâmina encostada na garganta. Osferth, o filho de Alfredo, segurava essa espada, e me olhava nervoso. Sigefrid estava xingando e cuspindo. O corpo de seu irmão, com Espalha-Medo ainda cravada na barriga, estava deitado ao lado dele. Pequenas ondas se quebravam na ponta da Caninga enquanto a nova maré corria pela grande planície de lama.

Fui para perto de Sigefrid. Olhei-o, sem ouvir seus insultos. Olhei o cadáver de Erik e pensei que aquele era um homem que eu poderia ter amado, ao lado de quem poderia ter lutado, que poderia ter conhecido como um irmão, então olhei o rosto de Osferth, tão parecido com o do pai.

— Uma vez eu lhe disse que não se ganhava reputação matando um aleijado.

— Sim, senhor — respondeu ele.

— Eu estava errado. Mate-o.

— Me dê minha espada! — exigiu Sigefrid.

Osferth hesitou enquanto eu olhava de novo para o norueguês.

— Vou passar minha vida além da morte no castelo de Odin — falei. — E lá vou festejar com seu irmão, e nem ele nem eu queremos sua companhia.

— Me dê minha espada! — Agora Sigefrid estava implorando. Ele estendeu a mão para o punho de Espalha-Medo, mas chutei sua mão para longe do cadáver de Erik.

— Mate-o — falei a Osferth.

Jogamos Sigefrid Thurgilson em algum lugar no mar que dançava além da Caninga, depois viramos para o oeste, de modo que a maré montante nos levasse rio acima. Haesten havia conseguido abordar outro de seus navios e, por um tempo, nos perseguiu, mas tínhamos o barco mais longo e mais rápido. Afastamo-nos dele e, depois de um tempo, seus navios abandonaram a perseguição e a fumaça de Beamfleot recuou até parecer uma nuvem longa e baixa. E Æthelflaed continuava chorando.

— O que vamos fazer? — perguntou um homem. Era um dos homens de Erik, agora o líder dos 22 sobreviventes que haviam escapado conosco.

— O que quiserem — respondi.

— Ouvimos dizer que seu rei enforca todos os nórdicos — disse o homem.

— Então vai me enforcar primeiro. Vocês viverão — prometi. — E em Lundene vou lhes dar um navio e vocês podem ir para onde quiserem. — Sorri. — Podem até ficar e me servir.

Aqueles homens haviam posto o corpo de Erik, com reverência, numa capa. Arrancaram a espada de Sigefrid do corpo de seu senhor e me entregaram, e por minha vez entreguei-a a Osferth.

— Você mereceu — disse, e era verdade, porque naquele tumulto de morte o filho de Alfredo havia lutado como um homem. Erik segurava sua própria espada na mão morta, e pensei que ele já estaria no salão em festa, me esperando.

Levei Æthelflaed para longe do cadáver de seu amante e guiei-a até a popa, onde abracei-a enquanto ela chorava. Seu cabelo dourado roçava minha barba. Ela se agarrou em mim e chorou até não ter mais lágrimas, então gemeu e escondeu o rosto de encontro à minha sangrenta cota de malha.

— O rei ficará satisfeito conosco — disse Finan.

— É — respondi —, ficará.

Nenhum resgate seria pago. Wessex estava em segurança. Os nórdicos haviam lutado entre si e se matado, seus navios estavam queimado e seus sonhos eram cinzas.

Deixei o corpo de Æthelflaed tremendo de encontro ao meu e olhei para o leste, onde o sol ofuscava acima da fumaça da incendiada Beamfleot.

— Você vai me levar de volta para Æthelred, não é? — perguntou ela, acusando.

— Estou levando-a para seu pai. Para onde mais poderia levá-la? — Ela não respondeu, porque sabia que não havia escolha. *Wyrd bið ful ãræd.* — E ninguém deve jamais saber sobre você e Erik — continuei em voz baixa.

De novo ela não respondeu, mas agora não poderia. Estava soluçando demais e eu a apertei com os braços como se pudesse escondê-la dos homens que olhavam, do mundo e do marido que a esperava.

Os remos longos mergulhavam, as margens do rio se fechavam sobre nós, e no oeste a fumaça de Lundene manchava o céu de verão.

Enquanto eu levava Æthelflaed para casa.

Nota Histórica

HÁ MAIS FICÇÃO EM *A CANÇÃO DA ESPADA* do que nos romances anteriores sobre Uhtred de Bebbanburg. Se Æthelflaed foi algum dia capturada pelos vikings, os cronistas curiosamente ficaram em silêncio sobre o incidente, de modo que esse fio da história é invenção minha. O verdadeiro é que a filha mais velha de Alfredo se casou com Æthelred da Mércia, e há um bocado de evidências de que o casamento não era feliz. Suspeito de que fui extremamente injusto para com o verdadeiro Æthelred, mas a justiça não é o primeiro dever do romancista histórico.

Os registros do reinado de Alfredo são comparativamente ricos, em parte porque o rei era um erudito e queria que seus feitos fossem imortalizados, mas mesmo assim há mistérios. Sabemos que suas forças capturaram Londres, mas há controvérsias quanto ao ano exato em que a cidade foi incorporada a Wessex. Legalmente ela continuou na Mércia, mas Alfredo era um homem ambicioso, e decerto estava decidido a manter a Mércia, sem um rei, subserviente a Wessex. Com a captura de Lundene, teve início a inexorável expansão para o norte que por fim, depois da morte de Alfredo, transmutará o reino saxão de Wessex na terra que conhecemos como Inglaterra.

Boa parte do restante da história é baseada na verdade. Houve um determinado ataque viking contra Rochester (Hrofeceastre) em Kent, que terminou em fracasso completo. Esse fracasso justificou a política defensiva de Alfredo, de cercar Wessex com *burhs*, que eram cidades fortificadas, permanentemente guarnecidas pelo *fyrd*. Um chefe tribal viking ainda podia invadir Wessex, mas poucos exércitos vikings viajavam com equipamento de cerco, e assim uma invasão dessas se arriscava a deixar um inimigo forte em sua retaguarda. O sistema de *burhs* foi organizado imaculadamente, um reflexo, suspeito, da obsessão de Alfredo pela ordem, e temos a felicidade de possuir uma cópia, feita no século XVI, de um documento original do século XI descrevendo a organização dos *burhs*. O Burghal Hildage, como é conhecido o documento, prescreve quantos homens serão necessários em cada *burh*, e como esses homens deveriam ser convocados, e reflete um extraordinário esforço defensivo. Antigas cidades em ruínas foram revividas e fortificações foram reconstruídas. Alfredo até planejou algumas dessas cidades e, até hoje, se você caminhar pelas ruas de Wareham, em Dorset, ou de Wallingford, em Oxford, estará seguindo as ruas que os supervisores dele desenharam e passando por fronteiras de propriedades que duraram 12 séculos.

Se o esquema defensivo de Alfredo foi um sucesso brilhante, seus primeiros esforços na guerra ofensiva foram menos notáveis. Não possuo evidências de que Æthelred da Mércia tenha liderado a frota que atacou os dinamarqueses no rio Stour; na verdade, duvido de que essa investida tenha tido a ver com Æthelred, mas afora isso a narrativa é essencialmente verdadeira e a expedição, depois do sucesso inicial, foi derrotada pelos vikings. Também não tenho qualquer evidência de que Æthelred tenha sujeitado sua jovem esposa à tortura da água amarga, mas qualquer pessoa fascinada por essa feitiçaria antiga e maldosa pode encontrar as instruções de Deus para a cerimônia no Antigo Testamento (Números, 5).

Alfredo, o Grande, no fim de *A canção da espada*, ainda tem alguns anos para reinar, Æthelflaed da Mércia tem glória a encontrar, e Uhtred de Bebbanburg, personagem fictício, ainda que baseado num homem real que por acaso é um de meus ancestrais paternos, tem uma longa estrada a percorrer. A Inglaterra, no fim do século IX, ainda é um sonho na mente de uns poucos visionários. Mas os sonhos, como descobrem alguns de meus personagens mais felizardos, podem se realizar, assim Uhtred e sua história continuarão.

Este livro foi composto na tipologia Stone Serif,
em corpo 9,5/16, e impresso em papel
pólen soft 80g/m² na Geográfica.